Heinrich Steinfest

Le grand nez
de Lilli Steinbeck

(Le onzième pion)

Traduit de l'allemand (Autriche)
par Corinna Gepner

Gallimard

Titre original :

DIE FEINE NASE DER LILLI STEINBECK

© *Piper Verlag GmbH, 2007, Munich.*
© *Carnets Nord, 2012, pour la traduction française sous le titre*
Le onzième pion.

Né en Australie en 1961, d'origine autrichienne mais vivant à Stuttgart, Heinrich Steinfest a reçu quatre fois le prix du Roman policier allemand. Après *Requins d'eau douce*, *Le grand nez de Lilli Steinbeck* est son deuxième roman à paraître en Folio Policier.

« *Finalement j'ai sommeil, car, je ne sais pourquoi, il me semble que le sens de tout cela, c'est dormir.* »

Fernando PESSOA,
Le Livre de l'intranquillité,
trad. Françoise Laye

« *Qu'est-ce que vous faites quand vous ne pouvez pas dormir ?*
— *Je reste éveillé.* »

Nicole KIDMAN et Sean PENN
dans *L'Interprète*

Telle fut précisément la question qui lui traversa l'esprit, énorme, telle une cloque bourdonnante : « Est-ce que je le mérite ? »

Georg pensait à tous les hommes qui, en ce moment même, étaient eux aussi à table avec une râleuse frustrée et moche, affligée d'un gros cul, qui leur flanquait le repas sous le nez, si tant est qu'on pût appeler repas ces trucs surgelés qui ne décongelaient jamais totalement. Et puis il y avait les enfants, qui n'avaient que le mot argent de poche à la bouche tout en présentant sans vergogne des devoirs ratés à signer. Comme si la faute se trouvait du côté du signataire, pas du leur. Et comme si, en augmentant l'argent de poche, l'adulte acquittait une amende. Pour avoir mis des enfants au monde.

Mia, cependant, la fille de Georg, ne rapportait jamais que d'excellents devoirs. Et elle ne faisait pas tout un cirque à propos de son argent de poche. Visiblement, elle avait conscience de la banalité de la chose. Pourtant, il n'y a rien de banal à ce qu'un père se voit épargner les problèmes scolaires et n'ait qu'à apposer sa signature sur de bons devoirs. Là encore, c'est recueillir un héritage immérité.

La femme de Georg, Viola, n'avait pas non plus besoin de faire son cinéma. Sa beauté, son intelligence et sa réussite professionnelle suscitaient chez elle une satisfaction, une sorte de tranquillité qui lui permettait de produire tous les soirs, comme par magie, un repas succulent, qui ne semblait pas tout droit sorti de l'état de choc induit par la congélation. Comme si l'on décongelait un mammouth et, avec lui, d'antiques microbes et bacilles. Non, Viola prenait toujours le temps de se procurer des herbes fraîches, d'acheter de la viande fraîche et du poisson frais, d'aller au marché entre deux rendez-vous et de taper gentiment sur les doigts aux vendeurs quand ils essayaient de lui refiler des fraises fripées.

Ses collègues ne la comprenaient pas. Il faut dire aussi que ses collègues — féminines notamment — ignoraient son bonheur. Ces femmes pensaient que le succès appelait la crispation, la méchanceté, la tristesse, la perversité. Et, de manière plutôt vague, l'émancipation. L'émancipation, comme on parlerait d'œufs fossilisés, c'est-à-dire des œufs qu'il n'est plus besoin de couver.

Quoique soucieuse de sa carrière — et savourant manifestement le plaisir d'envoyer quelques balourds au piquet et de leur faire réciter dix fois « je n'importunerai plus ma chef » —, Viola jouissait d'une puissance que seules possèdent les femmes qui font la cuisine, matrones à poitrine opulente ou sveltes adeptes des sous-vêtements de sport, énergiques et hyperfonctionnelles. Quand elles font à manger, quand elles le font vraiment et qu'elles ont la sagesse de bannir leurs hommes, tous les hommes, de la cuisine sans se priver de leur déléguer le coupage des oignons et l'épluchage des pommes de terre, elles acquièrent le pouvoir de celui qui dispense la nourriture sur celui qui la reçoit. À condition qu'elles sachent comment user de cette activité nourricière.

Et puis n'oublions pas la magie. Les femmes sont des sorcières-nées, quoi que les Lumières aient tenté de nous faire accroire. Et préparer un repas est certainement le moyen le plus simple et le plus efficace de pratiquer une magie authentique. Authentiquement noire ou authentiquement blanche. À l'inverse de ce machin coloré qui sommeille en état de congélation sous des photos qui le représentent.

Toujours est-il que Georg n'avait pas à se soucier de tambouille. Ni à laver la vaisselle comme il aurait rincé le pinceau de sa femme peintre. Sa position se réduisait à celle du mangeur. Et il avait compris que la magie pratiquée par sa femme relevait sans équivoque du blanc et de l'aimable. Et que la simplicité de sa fille ne dissimulait aucun démon. Cette enfant était tout simplement contente d'elle-même et du monde, sans pourtant être naïve. Elle connaissait la boue de la rue, quelques formes écœurantes de sexualité et n'ignorait pas l'attrait de certaines substances réconfortantes. Mais elle n'avait pas besoin de réconfort. Ni de type qui lui en procurât avec brutalité. Pour elle, avoir quinze ans et un corps épargné par la grossièreté signifiait qu'il était inutile de se soumettre à des brutalités uniquement parce qu'elles vous étaient infligées par des bras tatoués et une coupe de cheveux à la mode. Ou d'idéaliser la boue. Elle disait volontiers qu'elle attendrait encore cinq ou dix ans. Mais c'était là une coquetterie. Une des rares auxquelles — jeune sans être innocente, brillante sans être méchante — elle cédait. Non, elle n'avait pas l'intention, dans cinq ou dix ans, de plonger son regard dans l'abîme pour la seule et unique raison qu'il existait un abîme.

C'était comme ça.

Georg Stransky vivait donc dans ce nid idyllique, où il pouvait se faire offrir un dîner parfait sans la moindre mauvaise conscience, sans craindre ni reproche ni perfidie. Du reste, lui-même n'était pas un noceur, un escroc ou un pantouflard. Il apportait sa contribution, enseignait à l'université, écrivait des articles et même des livres entiers, comme on parle de tuer un cochon entier — à croire qu'il est possible d'en tuer la moitié ou le quart.

Mais au lieu de prendre acte de l'iniquité foncière de la répartition, de l'inégalité qui règne dans l'attribution du bonheur et du malheur, et d'accepter que la vie ait une certaine spongiosité philosophique, Georg Stransky se posa la question : « Est-ce que je le mérite ? »

S'il avait renoncé à cette question — ou s'il ne l'avait pas posée à ce moment-là avec autant d'insistance —, tout aurait continué comme avant. Il aurait continué à hériter, hériter, hériter...

Mais il y a certaines questions qu'on ne doit pas poser. Même en pensée. *Surtout pas* en pensée. La pensée est plus provocatrice que la parole. Et la provocation fonctionne comme une maladie. Il suffit d'un instant pour cesser d'être en bonne santé.

Dzing !

Il y a des secondes qui sont plus rapides et plus vertigineuses que les secondes ordinaires, mais aussi plus étirées, oui, littéralement allongées, comme dans les films. Elles sont pleines d'impressions, d'images, de faits, mais leur rythme phénoménal les rend presque incompréhensibles. Une fois qu'elles sont passées, on dirait qu'une moitié de vie s'est écoulée sans qu'on ait accompli même la chose la plus infime. À l'instar de ces gens dont les cheveux blanchissent du jour au lendemain. Ou qui, en l'espace d'une nuit, sombrent dans un océan de rides.

Georg fut dispensé des cheveux blancs et des rides, mais pour ce qui est du reste...

Une vitre s'était brisée. Une de celles qui donnaient sur la rue en contrebas. Un objet avait traversé la fenêtre fermée et roulé sur le parquet couleur jaune petit pain. Oui, roulé. D'après ce que Georg avait pu enregistrer, l'objet, d'un rouge éclatant, possédait une forme ronde ou à peu près ronde. En tout cas, il était conformé pour rouler, pas pour s'écraser comme un sac, par exemple, ou claquer sur le sol à la manière d'un crapaud ou d'un flan. Avec le poli d'une boule de bowling, la chose inconnue avait décrit une trajectoire légèrement courbe pour arriver jusque sous la table, cogner dans le pied central et terminer là sa course.

« Sapristi ! » s'exclama Georg en faisant un bond. Il courut à la fenêtre et regarda au-dehors d'un œil scrutateur, regarda la rue à la lueur d'un soleil de fin d'été déjà couché. Flanquée de buissons bas, elle était vide de voitures, lesquelles, dans ce genre de quartier, reposaient paisiblement dans leurs garages. Et vide de passants. Du moins, on ne voyait personne qui aurait pu être le lanceur.

Le lanceur de quoi ?

Georg revint vers la table et jeta un bref regard à sa femme et à sa fille, qui s'étaient levées et avaient gagné l'autre côté de la pièce. Sans manifester d'hystérie ni de crainte, juste par une réaction de bon sens. La table évoquait maintenant une de ces surfaces aquatiques sous lesquelles on soupçonne la présence de quelques méchants poissons. Méchants jusqu'à quel point ? Telle était la question.

Une chose était claire, en revanche : si la tâche de Viola consistait, en dépit de son métier, à préparer d'excellents dîners, et celle de Mia à collectionner sans ostentation les meilleures notes, c'est à Georg qu'il revenait de ramper sous la table et d'évaluer le degré de méchanceté du poisson.

Ou de la bombe.

Non que ce fût un trait fondamentalement masculin. Mais c'était une malédiction. Par culpabilité et impuissance, l'homme — généralement mauvais cuisinier et mauvais élève — avait trouvé dans ce rôle son triste accomplissement : vérifier si, oui ou non, tel objet était une bombe. L'existence des hommes se déroulait dans cette catégorie. Ils ne cessaient de ramper sous des tables pour se faire une idée de la situation. Et il n'était pas rare qu'ils sautent avec l'objet. Si ce n'était pas le jour même, c'était le lendemain. Et si ce n'était pas de telle manière, c'était de telle autre. Au lieu d'arrêter enfin de voir dans cette reptation sous la table un acte noble, une expression de puissance, de politique et d'intelligence. Quelle blague ! Les guerres mondiales continuent sous cette table où tout un chacun se balade à quatre pattes, la tête dans les épaules. Qui, au nom du ciel, les hommes espèrent-ils impressionner de la sorte ? Dieu ? Leur femme ? Leur mère ? Un autre type accroupi sous la table ?

Pourtant Georg ne dérogea pas au modèle, il serra les dents, réfréna l'excitation de ses doigts et s'agenouilla. Il tira la nappe sur le côté, tel un rideau, et s'enfonça à quatre pattes dans l'obscurité.

Il le reconnut aussitôt, l'objet lancé, qui avait effectivement l'air d'être rond. Il gisait aux trois quarts dans le noir, seul un bout en forme de croissant luisait d'un éclat flamboyant. On aurait pu croire qu'en cet endroit, une petite lune rouge décrivait son orbite. Autour du pied de table. Comme autour d'une colonne cosmique.

Georg déglutit et saisit le morceau de lune. Il le sortit de l'ombre, l'attira à la lumière et put alors établir qu'il s'agissait d'une pomme.

Il fut presque déçu. Toute cette agitation pour un simple fruit.

« Qu'est-ce que ça signifie ? demanda Georg à voix haute. Qu'est-ce qu'ils fabriquent, ces gosses ? Ils piquent des pommes pour jouer à la guerre ? »

Il secoua la tête, déposa le projectile sur l'évier et fit remarquer en passant qu'il ne connaissait rien aux pommes. Aux diverses variétés de pommes.

Ce qui n'était pas le cas de sa fille. Celle-ci prononça un nom anglais, que Georg ne comprit pas très bien. Qu'importe. Il se fichait de savoir comment s'appelait cette chose rouge sang.

Rouge sang ?

Pas vraiment le rouge sang qu'on connaît des entailles, plutôt celui d'un moustique écrasé. C'est toujours un peu effrayant de contempler son propre sang qui a transité par un corps étranger. Dans une certaine mesure, c'est soi-même qu'on écrase.

C'était ce rouge-là que montrait le fruit, le rouge de notre sang après qu'on a procédé à une sorte d'auto-écrasement. Cela étant, il avait l'apparence d'une pomme tout à fait normale. Pouvait-il en être autrement ?

Voilà pourquoi l'agitation demeura modérée. Georg balaya les éclats de verre et descendit le volet roulant à l'endroit où la vitre était brisée. Viola prépara le dessert, par chance il ne comportait pas de fruit. Mia débarrassa les assiettes et versa du vin dans les verres de ses parents. La pomme, quant à elle, resta où elle était. Ce n'est que plus tard, alors que Mia et son père regardaient déjà la télévision, que le regard de Viola tomba de nouveau sur le *corpus delicti*. Viola Stransky avait ses propres associations d'idées. Il n'y était pas question de sang. Viola n'était pas de ces personnes qui ne pensent qu'au sang. Elle pensa plutôt à un gâteau et au fait que si l'on ne voulait pas manger cette pomme crue, on aurait pu l'ajouter à un plat sucré. D'un autre côté, on ne pouvait exclure l'éventualité qu'un éclat de verre se fût logé dans le fruit même si celui-ci paraissait intact. Quoi qu'il en soit, il n'aurait pas été convenable d'intégrer dans un dessert un fruit qui avait traversé une vitre. Cela aurait relevé d'un esprit d'économie assez fou. Et même si ce genre de folie n'était pas étranger à Viola Stransky, c'était un défaut qu'elle estimait avoir dépassé. Voilà pourquoi elle prit la pomme et la jeta dans la poubelle.

« Pas de problème », dit-elle avec un entrain forcé bien que ce fût la première pomme de sa vie qu'elle expédiait aussi intégralement à la poubelle. Imaginez-vous en train de jeter un rouge-gorge aux toilettes. Affreux.

Viola Stransky s'interdit d'y penser plus longtemps, elle mit très soigneusement les deux torchons à sécher et se rendit au salon où elle s'assit entre son mari et son enfant. Au journal télévisé, on évoquait une mesure de politique économique qui n'éveilla aucun intérêt chez Viola alors même qu'en sa qualité de femme d'affaires, elle était concernée au premier chef. Elle n'y pouvait rien. Elle ne pouvait détacher son esprit de la pomme, déprimée à l'idée de ce fruit qui commençait à pourrir dans une poubelle bio, inutile, puni pour les dégâts qu'il avait causés.

Georg Stransky, en revanche, se demandait si l'on n'aurait pas dû appeler la police. D'un autre côté, il se serait senti ridicule. Une pomme ! Il craignait aussi qu'à la vue de la jolie Mia, les policiers n'aillent soupçonner un admirateur maladroit. Lancer de fruit en lieu et place de sérénade courtoise. Ou quoi que ce soit qui pût traverser l'esprit de la police quand elle s'engageait dans des pensées compliquées. Et qu'elle fût encline aux pensées compliquées était notoire.

Lorsque, trois heures plus tard, Georg rejoignit Viola au lit, il avait déjà classé l'affaire de la pomme. Il posa un baiser sur le front de sa femme endormie et observa un bref instant les minces rayons de lune qui tombaient sur le buste de Viola où ils semblaient former un petit motif graphique. Un dessin d'exécution rapide, souple et léger, une peinture sur poitrine, très joli.

Georg sourit à l'obscurité, tel un enfant criant dans un tonneau vide. Puis il s'allongea tout droit, mais ne se couvrit que jusqu'à mi-corps. Il se couvrait rarement comme il fallait. Il en avait toujours été ainsi. Il s'endormit instantanément.

Pour être réveillé peu après. Le téléphone sonnait. À moitié endormi, Georg saisit l'appareil d'un geste machinal. Il lui fallut d'abord retrouver ses esprits avant de pouvoir répondre par l'affirmative à la question qu'on lui posait. Sur son nom. S'il était bien Georg Stransky.

« Oui, c'est moi. Qu'est-ce que vous voulez à cette heure-ci ?

— Avez-vous reçu la pomme ? » s'enquit la voix féminine.

Aussitôt Georg se redressa sur son lit, s'assura que sa femme dormait toujours, réfléchit un court instant, puis demanda en bégayant légèrement :

« Quelle pomme ?

— Oh, très bien. Alors ça a marché. On ne peut jamais savoir. Il arrive que les pommes manquent leur cible. Même si ça n'est pas censé se produire. Cela dit, il y a tant de choses qui ne devraient pas se produire…

— Mais de quoi parlez-vous à la fin ? se plaignit Georg et il annonça : Je vais raccrocher.

— Bizarre, tout le monde dit ça : *je vais raccrocher*. Sauf que personne ne le fait. Le monde se porterait beaucoup mieux si tous ceux qui menaçaient de raccrocher raccrochaient vraiment. Mais le monde reste ce qu'il est. Alors laissez tomber, monsieur Stransky. Je ne crois pas que le bluff soit votre point fort.

— Et quel est donc mon point fort ?

— Aucune idée. Je ne suis que l'opératrice. Je ne sais rien de vous. Ce n'est pas mon job.

— Et quel est votre job ?

— Vous prier de mordre dans la pomme. Je ne parle pas au sens figuré. Non, je vous somme de manger la pomme qui a traversé votre fenêtre ce soir. Sur-le-champ.

— Allons, bon ! Vous me priez ou vous me sommez ?

— Exactement dans cet ordre », répondit la voix.

Celle-ci rappelait les voix mielleuses et ironiques des films de science-fiction, quand un imbécile appuie une fois de plus sur le mauvais bouton et que des haut-parleurs vous informent charitablement que dans tant de minutes, le vaisseau spatial va s'autodétruire et vous souhaitent en prime une bonne journée. Oui, c'était une voix de ce genre. Elle expliquait à présent :

« Je commence par prier, ensuite je somme. Conformément aux instructions.

— Et qu'est-ce qui se passe quand prières et sommations restent sans effet ?

— Il est facile de l'imaginer.

— On en vient aux menaces.

— Nous disons "insister". Mais "menacer" est tout aussi juste.

— Et tout ça pour que je morde dans une stupide pomme ?

— La pomme n'est pas stupide, vous pouvez me croire.

— Bon, une pomme intelligente, alors. Mais pourquoi mordre dedans ? » demanda Georg, un peu amusé.

Il avait quitté son lit et gagné le couloir avec le téléphone mobile. Il prenait la chose pour une blague dont il voulait essayer de saisir le sens et la motivation. Peut-être une plaisanterie de journaliste. Si les policiers aimaient la complication, les journalistes, eux, aimaient les farces.

La voix de femme expliqua :

« Je vous l'ai déjà dit, je ne suis que l'opératrice. Et ma responsabilité, cher monsieur Stransky, consiste à vous faire manger votre pomme dans l'heure qui suit.

— *Ma* pomme ?

— Elle a traversé *votre* fenêtre. Que voulez-vous de plus ?

— Elle est de quelle sorte ? s'enquit Stransky. Quelle sorte de pomme, je veux dire ?

— Désolée, aucune idée.

— Vous ne savez pas grand-chose.

— C'est juste, répondit la voix féminine. Sans doute y a-t-il une raison à cela. Vous ne pensez pas ?

— Je vais vous dire ce que je pense : nous devrions sauter la prière et la sommation pour en venir tout de suite à la menace... à l'insistance. Comme ça, tout sera réglé dans l'heure, mademoiselle.

— J'aime qu'on m'appelle mademoiselle. C'est démodé, mais gentil. Bien plus gentil que "connasse" et autres termes du même genre. Vous n'avez pas idée de ce que j'entends parfois avant que les gens ne baissent le ton. Alors continuez à m'appeler mademoiselle.

— Volontiers », répondit Georg en descendant à la cuisine.

Il voulait prendre un verre de vin. L'affaire commençait à l'amuser. Non qu'il cherchât une aventure. Pas avec une voix. Mais il n'était pas interdit de flirter. C'était ce que Viola avait coutume de dire : il n'est pas interdit de flirter.

« Écoutez, implora Georg, je ne sais même pas où est cette pomme.

— Vous la trouverez. Elle n'a pas pu disparaître comme ça.

— Peut-être que ma femme l'a mangée.

— Pardon ? Une pomme arrivée par la fenêtre ?
Allons donc !

— Je croyais, lui rappela Georg, que vous aviez
l'intention de me menacer. Alors ?

— C'est vraiment ce que vous voulez ?

— Allez-y, mademoiselle.

— Vous ne me prenez pas au sérieux, monsieur
Stransky. Vous pensez que c'est un jeu. Et de fait,
c'est un jeu. Mais différent. Bien, commençons :
vous avez une fille.

— Là, je vais me fâcher, répliqua Georg en chan-
geant de ton.

— Parfait, dit la voix et elle répéta : Vous avez
une fille. Elle s'appelle Mia, elle est âgée de quinze
ans, elle a un cheval du nom de China Moon, une
amie de cœur du nom de Julia, elle est allergique au
lait de vache et ne rapporte que des vingt sur vingt.

— Arrêtez ça tout de suite ! N'essayez même pas
de me faire peur en menaçant d'importuner ma fille.

— Importuner serait un terme bien trop faible.
Si l'on songe aux gens à qui vous avez malheureusement affaire, monsieur Stransky. Cependant il ne
s'agit pas de votre fille. Mia repose paisiblement
dans son lit, et si je vous annonçais qu'elle sera enle-
vée dans l'heure qui suit, cela serait sans grand
effet. Vous raccrocheriez, pour de bon cette fois, et
vous avertiriez immédiatement la police.

— C'est bien ce que je vais faire, je...

— Il ne s'agit pas de Mia, il s'agit de China
Moon. Un beau cheval. On aurait presque envie de
dire, trop beau pour une jeune fille de quinze ans,
quelque bonne élève qu'elle soit par ailleurs. Mais
ce n'est pas la question. La question, c'est qu'en ce

moment même, quelqu'un se trouve à côté de China Moon, équipé d'un téléphone portable et d'une jolie petite seringue de poison, et qu'il attend votre décision. Qu'il attend de savoir si vous allez ou non mordre dans la pomme.

— Je ne vous crois pas.

— Ce n'est pas nécessaire. En fin de compte, il ne s'agit que d'un cheval. Un pur-sang anglais, qui a ses meilleures années derrière lui et peut s'estimer heureux que quelques gamines lui fourrent du sucre dans la bouche. Si China Moon meurt, ce sera l'affaire de l'assureur et du vétérinaire. On versera quelques larmes. Et voilà. Ce qui importe, c'est que vous aurez refusé de faire ce dont je voulais seulement vous prier à l'origine.

— Mia aime ce cheval. C'est son…

— Je vous en prie, ne me dites pas à quel point votre petit trésor idolâtre ce canasson. Moi aussi, j'ai eu un cheval quand j'étais enfant. Je sais ce que c'est. Les filles sont comme ça. Il s'agit sans doute d'une disposition génétique, d'une aimable maladie, d'une sympathique déficience. Que sais-je ? En tout cas, c'est fou ce qu'elles sont attachées à ces bêtes-là.

— À quoi cela vous servira-t-il que je mange cette pomme ? gémit Georg. Suis-je Ève ?

— Je ne sais pas.

— Quoi ? Si je suis Ève ?

— Quels sont les effets de la pomme.

— Peut-être qu'elle est empoisonnée et si je mords dedans, je mourrai.

— Vous aurez au moins sauvé la vie de China Moon. Et même s'il vous est désagréable de l'entendre, je pense que, malgré tout l'amour qu'elle porte à son père, votre fille choisirait le cheval. Comme le ferait n'importe quelle fille entre dix et dix-sept ans. Pure affaire de génétique. Rien de blessant. Autre chose encore : je ne crois pas que vous tomberez raide mort si vous mordez dans cette pomme. Vous tomberez peut-être, mais pas raide mort.

— Sommes-nous vraiment en train de parler ?

— Oui, monsieur Stransky. Ce n'est pas un rêve si c'est ce que vous voulez dire.

— Si je refuse…

— China Moon mourra.

— Et ainsi de suite.

— Non, pas ainsi de suite. On vous laissera tranquille. Et vous ne saurez jamais de quoi il s'agissait en réalité.

— Et vous, que vous arrivera-t-il ?

— Vous vous inquiétez pour moi ? s'enquit la femme dont la voix rappelait celle d'un ordinateur dans un vaisseau spatial en perdition.

— Simple question, répliqua Georg sur la défensive.

— J'aurai droit à une petite engueulade pour avoir échoué à vous convaincre. C'est tout. Les engueulades font partie du jeu. En théorie.

— Et en pratique ?

— Jusqu'à présent, j'ai toujours réussi à convaincre les clients. Peut-être à cause de ma voix. Les hommes aiment ça.

— Qu'est-ce qu'ils aiment ?

— Que les femmes leur parlent aimablement. C'est rare. Ils sont tout étonnés quand on ne grogne pas. Ils sont surpris, troublés.

— Avec moi, c'est différent. Ma femme est un trésor.

— En effet. D'ailleurs, pendant un moment, nous avions pensé vous menacer d'assassiner votre femme. Mais j'ai jugé que l'argument du cheval était plus efficace. C'est votre fille que vous aimez, pas votre femme. Comprenez-moi bien, je veux dire de manière naturelle. C'est aussi génétique que l'amour des chevaux chez une mineure. Il n'y a pas de quoi avoir honte.

— Vous faites comme si vous étiez dans ma tête.

— Loin de moi cette idée. Ma propre tête me suffit. Mais à soixante-dix ans, on sait quelques petites choses.

— Soixante-dix ? »

Georg n'arrivait pas à croire que la femme à qui appartenait cette voix avait soixante-dix ans. Il lui en aurait donné trente. Grand maximum. Mais pourquoi mentirait-elle ? Georg n'aurait pu discerner le sens de ce mensonge. Il dit :

« Votre âge ne joue aucun rôle.

— Je parlais de mon expérience », répliqua la voix, un brin plus froide.

Mais retrouvant aussitôt son ton doucereux, elle poursuivit :

« Avez-vous pris une décision ? J'aimerais bien mettre un terme à cette affaire à présent. Notre conversation est en train de déraper. Hélas.

— Je l'ai déjà dit, je ne sais même pas où est la pomme. »

Georg se tenait dans la cuisine éclairée, le verre de vin à côté de lui. Il balaya la pièce du regard en effectuant une rotation de la tête. Comme une chouette.

« Votre femme aime l'ordre, non ? fit la voix.

— Plutôt, répondit Georg.

— Une pomme qu'on ne mange pas, on la met dans la poubelle bio. Vous avez une poubelle bio ?

— Oui.

— Alors, allez voir. »

Georg n'eut qu'à allonger le bras et ouvrir les portes du meuble bas, à l'intérieur desquelles étaient fixés deux seaux bleus dont les couvercles se relevèrent simultanément et très poliment, révélant le contenu des poubelles. À droite la poubelle traditionnelle, à gauche l'alternative. Comme en politique, pour ceux qui aiment penser en termes simples.

Georg la vit aussitôt, la pomme rouge sang de moustique, qui se détachait sur le fond sombre de feuilles de salade et de marc de café, à l'instar d'un bijou fantaisie sur son présentoir. Un cœur de cristal coloré. Kitsch. Kitsch coûteux, bien entendu.

« Vous la voyez ? » demanda la voix.

La femme savait parfaitement qu'il avait trouvé la pomme, il en était persuadé. Il se contenta d'un grognement.

« Excellent, dit la voix septuagénaire. Mordez dedans. J'avertirai immédiatement notre homme qu'il n'a plus besoin de s'occuper du cheval. »

Elle parlait comme si tout était réglé. Et de fait, tout était réglé. Georg le comprit. Il comprit aussi, intuitivement, que sa véritable erreur avait été de se demander s'il méritait son bonheur, sa famille, la perfection de sa vie.

Non ! semblait avoir répondu quelqu'un. Quelqu'un ou quelque chose.

Georg Stransky sortit la pomme de la poubelle et la soupesa. La chose n'était ni plus légère ni plus lourde que ce que l'on pouvait attendre d'une pomme ordinaire. Georg tenta une ultime dérobade :

« Et si je disais que j'allais la manger, mais que je ne le faisais pas ?

— Nous le saurions très vite. Et je peux vous assurer que les conséquences en seraient plus graves que la mort d'un vieux canasson.

— Oh ! Voilà un type de menace qui ne vous ressemble pas.

— C'est exact. Mais en voulant nous tromper, vous sortez de l'archétype. C'est toujours la même chose. La tromperie dénature tout. En mentant, on crée du désordre. Vous le comprenez, j'imagine. Mais je suis certaine que vous n'êtes pas un imbécile et que vous aimez votre fille.

— Oui, je l'aime », répondit Georg en pensant : Peut-être que je suis quand même en train de rêver. Ou que je suis devenu fou. La pomme n'existe pas.

Il ouvrit la bouche et mordit dans un fruit qui n'existait peut-être que dans son imagination, mais qui avait pourtant un goût douceâtre. Ni céleste ni infernal, pas d'âmes réduites en purée ni de surdose quelconque. Un goût de pomme.

Georg mastiqua généreusement. Le jus se fraya un chemin dans son estomac. Suivi des filaments de chair.

« Toute la pomme ? demanda Georg.

— Ce ne sera pas nécessaire, fit la voix de femme. Encore une bouchée, ça devrait suffire, je pense. »

Cela fut suffisant. Après que Georg eut avalé le deuxième morceau, une légère douleur lui traversa le cerveau, pas vraiment désagréable, juste une sorte de gratouillement assez énergique. Les formes et les couleurs se décomposèrent devant ses yeux. Le cubisme lui transmit son bon souvenir.

Georg voulut ajouter quelque chose. Mais rien ne lui vint. De loin, il perçut la voix de l'opératrice, qui, une fois de plus, avait usé d'un art de convaincre absolument irréprochable. Elle disait quelque chose d'étonnamment conventionnel pour la circonstance : « Bonne chance. »

Bonne chance, c'était de mauvais augure.

Georg voulut sourire, d'un sourire désespéré. Puis l'obscurité se fit avant même qu'il ne s'en aperçût.

2

Filiforme

La scène rappelait vraiment un de ces films policiers américains où des hommes en complet plus ou
moins seyant débitent des blagues sur le cadavre
étendu à leurs pieds. Sur les taches de sperme, les
épouses et ainsi de suite. Enfin, les blagues que
racontent les hommes quand ils ont le cerveau gâté
par le stigmate d'un complet peu seyant.

En l'occurrence, il manquait le cadavre. Il manquait même la personne. À la place, on n'avait qu'une
pomme. Et encore. Car celle-ci, soigneusement embal-
lée, était entreposée dans le coffre-fort du laboratoire
où Viola Stransky l'avait apportée.

Quand, au lendemain de l'incident de la vitre, elle
n'avait pas trouvé son mari au lit et qu'après l'avoir
vainement cherché, elle avait déclaré sa disparition à
la police, n'obtenant en retour que des yeux levés au
ciel et des haussements d'épaules, Viola Stransky
avait repensé à la pomme. Laquelle — marquée
désormais d'une double morsure — n'était plus là où
elle l'avait mise. Ou plutôt elle était dans le mauvais
seau, celui qui accueillait les ordures courantes.

Cette erreur de dépôt lui parut plus déconcertante que les traces de morsures.

Viola Stransky était absolument certaine d'avoir placé la pomme dans le récipient prévu à cet usage. Alors qu'est-ce que cela voulait dire ? Quel sens cela avait-il de sortir une pomme de la poubelle adéquate, d'en prendre deux bouchées, puis de la jeter dans l'autre poubelle, la mauvaise, pour disparaître ensuite sans laisser de trace ? Comme il était impossible de répondre à cette question, d'une part, et que, d'autre part, les autorités compétentes ne semblaient nullement désireuses de voir dans la disparition d'un père de famille autre chose qu'une fuite, Viola Stransky prit le fruit, le porta au laboratoire d'un ami spécialiste de chimie alimentaire et le fit analyser. Un acte de pur désarroi. Qui permit toutefois d'établir qu'en plus du jus habituel, la chair de la pomme renfermait celui d'un nouveau narcotique, une benzodiazépine répondant au doux nom de *Nuit magique*. Était-ce une allusion à l'effet anesthésiant de la littérature allemande contemporaine ou s'agissait-il de tout autre chose ? Nul ne le savait. Ce qu'on savait, en revanche, c'est que ce produit était efficace, bien toléré, et qu'une fois administré, il devenait difficile à déceler. Sauf quand la chair douceâtre d'une pomme en conservait une certaine quantité.

Le chimiste avait transmis le résultat de son analyse directement à la police, laquelle avait aussitôt abandonné l'idée que Georg Stransky s'ébattait dans une maison close. Tout de même, l'homme était professeur d'université et son épouse une femme d'affaires reconnue. Pas des gens super riches, ça non, mais des citoyens extrêmement respectables. D'ailleurs un enlèvement effectué pour des raisons financières aurait plutôt visé la fille mineure qu'un homme qui avait sans doute plus de valeur mort que vivant. Certes, il existait toutes sortes de motifs possibles quand une personne disparaissait contre son gré. Ou qu'elle simulait l'absence de gré.

Quoi qu'il en soit, la police s'était réveillée. Comme on est tiré de son sommeil par un réveille-matin qui sonne dans l'appartement voisin — pourvu qu'il sonne suffisamment fort. Et c'était le cas. *Nuit magique* ! Voilà pourquoi ces messieurs de la police judiciaire se trouvaient dans la cuisine-salle à manger de la famille Stransky, en l'absence de cadavre, en l'absence de pomme, mais pas inoccupés pour autant. Occupés à raconter des blagues devant la maîtresse des lieux comme si elle était transparente. Des pomm-pomm blagues, pourrait-on dire.

Lesquelles cessèrent immédiatement lorsque Lilli Steinbeck fit son apparition dans la pièce. Elle était connue pour envoyer paître les blagueurs. Elle avait une façon à la fois arrogante et envoûtante d'expliquer à l'intéressé qu'il ferait mieux de réserver ses inepties pour ses loisirs. Elle donnait aux hommes le sentiment que le complet qu'ils portaient ne leur allait pas. Lilli Steinbeck était quelqu'un qui dénonçait des choses effectives, établissant de la sorte une concordance entre les faits et leur perception. Avec elle, un repas trop salé était un repas trop salé, il n'était pas épicé ou relevé, il ne constituait pas l'expression d'un sentiment amoureux.

Pendant longtemps, Lilli Steinbeck avait dirigé un département spécial semi-officiel de la police viennoise, et on la disait extrêmement compétente en matière d'enlèvements. Assez tardivement, la quarantaine venue, elle s'était lassée de Vienne à un moment où d'autres effectuent leur retour après avoir parcouru le vaste monde, afin d'enrichir l'opérette viennoise d'une note mondaine. Croient-ils. Pour quelqu'un comme Steinbeck, c'était une illusion, évidemment. Reprenons à ce propos l'idée du repas trop salé : Vienne est Vienne. Une opérette est une opérette. Une jambe amputée est une jambe amputée.

Dans sa nouvelle affectation, elle avait continué à travailler sur les affaires de rapt. Sa réputation était irréprochable : elle avait du succès et se montrait en tout point incorruptible. Comme autrefois à Vienne, on la prenait aujourd'hui encore pour une lesbienne, probablement parce que ses collègues hommes et femmes ne pouvaient ou ne voulaient croire à l'existence d'un être neutre. Un être neutre, c'était un blasphème. Comme si on crachait sur un repas apparu subitement alors qu'on meurt de faim. Et de fait, Lilli Steinbeck était extrêmement frêle, voire maigre. Son long cou mince semblait être le centre de son corps, comme s'il abritait le cœur et l'âme de sa propriétaire. Elle ne faisait nullement penser à Pinocchio, mais plutôt à Audrey Hepburn. Et ce en dépit de son nez spectaculairement déformé, un nez brisé en plusieurs endroits, qui paraissait avoir glissé vers le front. Un peu comme chez les Klingons.

Que cet organe abîmé, fort peu respectueux de la

ligne médiane, se trouvât dans un très joli visage, régulier, clair, d'une blancheur et d'une uniformité élégantes, voilà ce qui constituait le véritable « scandale » aux yeux de la majorité des observateurs. Le fait que Lilli Steinbeck s'abstînt de modifier ne fût-ce qu'un tant soit peu l'état de son nez. Si tout le visage était allé à vau-l'eau, comme on dit, un nez écrasé n'aurait pas été gênant. Il y a des gens qui ont l'air de monstres — et alors ? Mais se dispenser de remédier au préjudice massif causé à sa beauté tout en étant merveilleusement habillée et coiffée, toujours maquillée à la perfection et chaussée de souliers à la mode même dans les situations délicates, accepter le destin de son nez avec humilité, c'était une énigme, voire un sujet de contrariété. Il n'était pas rare que les hommes se disent en voyant Lilli Steinbeck : une garce raffinée. Voilà ce qu'ils se disaient et cela les irritait parce que l'insulte « garce » ne pouvait que glisser sur Steinbeck, à l'inverse de celle qui stigmatisait son raffinement.

Son rang hiérarchique ne jouait aucun rôle. Elle était simplement *la* Steinbeck, une autorité, et ce à maints égards. Ce n'était pas une question de sympathie ni de considération. C'était plutôt comme avec les guépards. Les guépards sont les animaux terrestres les plus rapides, que cela plaise ou non aux antilopes et compagnie. Du reste, Lilli Steinbeck faisait beaucoup penser à une femelle guépard, et pas seulement à cause de sa minceur. Les guépards ne peuvent pas rentrer leurs griffes. Les femelles sont des solitaires, sauf quand elles ont des petits. Et puis ces animaux sont de santé très fragile. Insuffisante diversité génétique, semble-t-il. Bon,

Steinbeck se passait aussi bien de diversité que de repas surgis comme par magie. Sans avoir à cracher. Elle ne crachait pas, cela va de soi. Et elle se couchait tôt. Autre source d'indignation secrète : Steinbeck refusait catégoriquement de passer des nuits blanches au nom de la police et de l'État. Elle tenait à être chez elle au plus tard à vingt heures et au lit à vingt et une heures afin d'avoir au moins dix heures de sommeil et, dans le meilleur des cas, de repos. Douze, c'était encore mieux. La vie n'était pas assez marrante pour qu'on eût envie de rester éveillé plus de la moitié de la journée.

« Je suis Lilli Steinbeck », dit *la* Steinbeck en tendant la main à Viola Stransky. Les hommes présents, parmi lesquels se trouvait un inspecteur principal du nom de Hübner, eurent droit à un regard-en-bloc. Puis Steinbeck revint à Mme Stransky et expliqua sans détour :

« Je suis chargée de retrouver votre mari.

— Bien », répondit la maîtresse de maison et elle montra les deux poubelles bleu clair.

Pour la énième fois, elle relata son étonnement lorsqu'elle avait trouvé la pomme dans la mauvaise poubelle. Mais cette fois, elle avait l'impression qu'on l'écoutait vraiment. Qu'on cessait enfin de raconter des blagues subliminales sur les relations entre les ménagères et les fruits.

« Il est temps d'examiner la pomme, déclara Steinbeck.

— Que pensez-vous trouver ? demanda Hübner. En dehors de ce qu'on a déjà trouvé ?

— Apportez la pomme, c'est tout. S'il vous plaît ! »

Hübner adressa un signe de tête à un de ses hommes, lequel partit sur-le-champ.

C'était donc lui, Friedo Hübner, le vieux de la vieille, qu'on surnommait Baby Hübner quand il n'était pas dans les environs, en référence au petit sanglier d'une célèbre pièce pour marionnettes. Pourtant, l'inspecteur principal Hübner, avec son teint rose et ses petits yeux toujours humides, rappelait davantage un cochon qu'un sanglier. Quoi qu'il en soit, Baby Hübner était un homme rondelet, de taille moyenne, doté de mains minuscules, qui aurait pu avoir quarante-cinq ou cinquante-cinq ans, être un type sympathique comme un râleur tatillon. On n'en savait rien. Personne n'aurait pu dire si Baby Hübner était digne de confiance, s'il était corrompu ou irréprochable à l'image de Steinbeck. Si, au petit déjeuner, il consommait des poissons rouges vivants ou mettait le couvert avec amour pour lui et sa femme.

Hübner se tourna vers Viola Stransky et lui demanda s'il s'était produit récemment des choses sortant de l'ordinaire.

« Une pomme qui a traversé la vitre, rappela Mme Stransky.

— Et avant cela ?

— Rien.

— Vous en êtes sûre ?

— Est-ce de ma mémoire que vous doutez ou de ma perception ?

— Même les gens intelligents ne voient pas tout, rappela le policier. J'aimerais faire fouiller la maison. Avec ménagement, s'entend, et votre permission.

— La maison est à vous », déclara Stransky avec un geste du bras qui semblait inviter une troupe de babouins à fesses rouges à venir manger.

Baby Hübner répartit ses gens et les envoya dans toutes les directions. Au même moment arriva une dame de la médecine légale. Visiblement, quelqu'un avait cru qu'il y avait un cadavre à examiner chez les Stransky. Étant donné que la femme était là et qu'elle n'était pas pressée par le temps, Hübner décida de la garder. Au cas où.

« Au cas où quoi ? demanda la maîtresse des lieux. Vous pensez que j'ai fourré mon mari dans le jardin ?

— Sauf votre respect, madame Stransky, ce sont des choses qui arrivent. Ce n'est pas ce à quoi je m'attends, évidemment. Je me disais juste qu'avoir un médecin à proximité ne pouvait pas faire de mal. »

Le médecin souffla d'un air de dédain. Viola Stransky l'imita.

Lilli Steinbeck adressa un signe à Hübner. Tous deux gagnèrent le vestibule où Steinbeck demanda à l'inspecteur s'il était gênant qu'elle s'entretînt seule à seule avec Mme Stransky.

« Ce serait sûrement judicieux », estima Hübner.

Il appréciait à sa juste valeur le fait que Steinbeck, qui était sous ses ordres dans cette enquête, l'informât aimablement de ses initiatives.

Lilli Steinbeck retourna dans la pièce, passa son bras sous celui de Mme Stransky comme si elle était une vieille amie et sortit avec elle. Les deux femmes pénétrèrent dans une lumière qu'on aurait crue dispensée par un millier de néons. Les plantes, encore humides de rosée, fumaient comme dans un lave-vaisselle. Même les bruits de la ville avaient quelque chose de fumant : de lointaines loco tournant en rond. À mi-hauteur s'étalait une couche de brume faite de défunts esprits aériens. Des oiseaux gazouillaient. Les clôtures craquaient bien qu'il n'y eût pas le moindre souffle d'air.

Steinbeck attira son interlocutrice dans un endroit ombragé, presque obscur, ménagé par une épaisse rangée de sureaux.

« Ce n'est pas pour vous énerver, madame Stransky, commença Steinbeck, mais la manie de l'interrogation fait partie du jeu. Au début en tout cas.

— Interrogez.

— Existe-t-il, à votre avis, un motif sensé qui aurait pu expliquer qu'on endorme votre mari avant de l'enlever ? En se laissant du temps pour formuler une revendication ?

— Non, aucun motif sensé.

— Alors un motif insensé ?

— Seigneur, soupira Mme Stransky, tout est toujours possible.

— Par exemple ?

— Par exemple, une étudiante de mon mari qui serait complètement givrée.

— Votre mari est zoologue, n'est-ce pas ?

— Spécialité : oiseaux aquatiques, précisa Viola Stransky, comme on préciserait : mission impossible.

— Vous pensez donc qu'il pourrait s'agir des sentiments d'une future ornithologue ?

— Peut-être. Cela expliquerait ce ridicule lancer de pomme.

— Les pommes ne sont pas des oiseaux, objecta Steinbeck.

— Encore heureux ! Imaginez que notre Cœur solitaire nous ait bombardés avec un canard mort. »

Steinbeck acquiesça. Et ajouta qu'il aurait alors fallu que le canard fût rôti. Certes, dans ces conditions, l'effet du narcotique aurait disparu. Ce qui n'était pas le cas avec une pomme, qu'on pouvait consommer crue.

« Je me demande juste, poursuivit Steinbeck, pourquoi votre mari a mordu dans cette pomme. Si l'on songe qu'il fallait d'abord la sortir de la poubelle.

— Du compost, rectifia Stransky.

— D'accord. Quoi qu'il en soit, c'est incompréhensible.

— Ah, je ne sais pas… » réfléchit Stransky.

Elle déclara cependant que ce geste ne ressemblait effectivement pas à son mari. Et même si Georg ne pouvait guère être qualifié d'homme d'intérieur, jamais il n'aurait commis l'erreur d'expédier un fruit compostable dans la mauvaise poubelle.

« Serait-il imaginable… »

Steinbeck hésita.

« C'est juste une question. Serait-il concevable que ce soit votre mari lui-même qui ait encouragé une de ses étudiantes à agir de la sorte ? À l'endormir et à l'enlever ?

— Cela me paraît impossible. Pas parce que je me prends pour la belle du village qui supplante toutes les autres. Mais Georg ne s'intéresse pas à l'amour. Il est satisfait. De lui-même et du reste. Il n'y a que les insatisfaits qui cherchent sans arrêt refuge dans des liaisons.

— Il se pourrait tout de même qu'il ait cédé une fois. Ce n'est pas à exclure.

— C'est à exclure », rétorqua Stransky d'un ton tranquille.

Si tranquille que Steinbeck la crut.

« Nous allons installer un système d'écoute, annonça Steinbeck. Au cas où quelqu'un se manifesterait.

— Et si personne ne se manifeste ?

— Alors on utilisera d'autres systèmes de localisation.

— Est-ce que vous trouvez tous les gens que vous recherchez ? demanda Stransky.

— Bien sûr que non. On ne trouve que ceux qui veulent être trouvés, qu'il s'agisse des victimes ou des ravisseurs.

— Des ravisseurs ?

— Certains criminels, expliqua Steinbeck, appellent littéralement la police en hurlant. Comme ces enfants qui montent sur le rebord de la fenêtre dans l'espoir de susciter l'attention de leurs parents. Mais quand une personne disparaît et que tout le monde a l'air de s'en satisfaire, y compris le disparu, ça complique singulièrement la tâche de la police. C'est plus fréquent qu'on ne l'imagine.

— Georg souhaite qu'on le retrouve, j'en suis persuadée. Il m'aime et il aime sa fille.

— Je croyais qu'il ne s'intéressait pas à l'amour ?

— À l'amour aventureux, non. Mais à l'amour bien ordonné, oui.

— Qu'entendez-vous par "bien ordonné" ?

— Vous avez une famille ?

— Une fille adoptive, répondit Steinbeck.

— Alors vous devriez savoir de quoi je parle.

— D'un amour, fit Steinbeck, jouant le jeu, qui consiste aussi, en dernière instance, à jeter une pomme dans la bonne poubelle.

— Voilà, nous nous sommes comprises », dit Viola Stransky en souriant.

Son visage dessinait une fente claire dans l'ombre des buissons de sureau.

À trois heures de l'après-midi, Lilli Steinbeck entra dans le bureau de Baby Hübner. Hübner était toujours vêtu de son costume brun. Steinbeck, en revanche, avait changé son tailleur du matin gris argenté, de coupe stricte, pour une robe courte, sans manches, qui possédait l'éclat rouge transparent de groseilles exposées à la lumière du soleil et accordait une place non négligeable à ses longues jambes minces, écho étiré de son cou.

Sur le bureau de Hübner se trouvait une pomme entamée, la pomme de Stransky, indubitablement, puisqu'elle était enveloppée d'un film transparent.

Steinbeck s'assit et croisa sa jambe droite sur sa jambe gauche. Hübner pensa soudain à la Révolution française et à ses guillotines. Il en eut un peu le tournis. Se ressaisissant, il fixa intensément un point à côté de Steinbeck et dit :

« Nous avons trouvé du sang dans la pomme.

— Allons bon ! ? fut le commentaire de Steinbeck.

— Oui, enfin… reprit l'inspecteur, tempérant cette information. Du sang de gencive selon toute probabilité. En tout cas, le groupe sanguin correspond à celui du disparu. Il semblerait donc bien que celui-ci ait mordu dans la pomme.

— Autre chose ?

— La présence de résidus de *Nuit magique* a été confirmée. Même à faible dose, ce truc vous assomme et vous procure quelques heures de sommeil. Cela étant, on n'a rien découvert, ni dans la maison, ni dans le jardin, qui corrobore l'hypothèse de l'enlèvement. On dirait qu'on a affaire à un pro. Ou alors c'est ce que M. Stransky voudrait nous faire croire. Omettre de simuler les traces de corps qu'on traîne, ce serait habile. Mais si habileté il y a, la question est de savoir dans quel but.

— Je crois que nous pouvons exclure cette éventualité.

— Pourquoi ? » s'enquit Hübner en bourrant une pipe.

Il en restait toujours au bourrage. Jamais encore on ne l'avait vu fumer. C'était typique de cet homme, véritable incarnation de la relation d'incertitude.

Lilli Steinbeck, prenant alors une cigarette que, pour sa part, elle ne manquerait pas de fumer, expliqua qu'il s'agissait très certainement d'une nouvelle affaire à ranger dans la catégorie « Athènes ».

« Athènes ? »

Les petits yeux porcins de Baby Hübner s'ouvrirent.

« Oui, Athènes, confirma Steinbeck. C'est ce que j'ai craint en entendant parler de la pomme. Cette année, on compte déjà plusieurs personnes qui ont disparu de la même façon. Chaque fois, il y avait un fruit. Placé tantôt dans la boîte aux lettres, tantôt devant la porte. Ou surgi brusquement dans le lave-linge. Un fruit contenant un narcotique. Et chaque fois un homme disparaissait sans que cela soit suivi d'une revendication. Tous refaisaient surface au bout de quelques jours. Morts, malheureusement.

— Morts morts ?

— On ne peut plus morts. Généralement tués par balle. L'un d'eux avait été poignardé, un autre étranglé. Mais pas de torture. Une pure et simple liquidation. Cela dit, les victimes étaient dans un état qui semblait suggérer un voyage éprouvant.

— Quel genre de voyage ?

— Nous avons sept disparus, entre lesquels nous pouvons établir une relation — frugale, fruit oblige. Ce sont tous des hommes, des Allemands, blancs, le plus jeune avait trente-quatre ans, le plus âgé soixante-trois. Tous ont vécu en Allemagne — l'un d'eux était originaire de l'Est, les autres se répartissaient un peu partout à l'Ouest, il y en avait deux qui habitaient Hambourg —, aucun schéma qui saute aux yeux. En revanche, ce qui saute aux yeux, c'est que les endroits où l'on a découvert les cadavres sont dispersés dans le monde entier. On trouve aussi bien la pointe sud du Chili que le désert australien. Un des hommes était à la périphérie de Hanoi, un autre sur une île minuscule près de l'Alaska. Celui qui était encore le plus proche de sa patrie a été découvert criblé de balles dans une grange près de Joki-Kokko. Ce n'est pas au Japon, mais en Finlande.

— Quel rapport avec Athènes ?

— Cela n'a jamais été rendu officiel. Mais quand

il est apparu qu'on avait peut-être une série, l'Office fédéral de la police judiciaire a développé une trame permettant de confronter les biographies des victimes. On espérait du concret, une personne, un nom, une entreprise qui aurait joué un rôle important dans la vie de ces hommes. Ou quelque chose du genre mystique. Vous savez bien, des porteurs de lunettes présentant un nombre identique de dioptries. Mais rien. Rien qui unisse ces sept personnes. Rien en dehors du fait que chacune d'elles — quoique dans des professions totalement différentes — avait travaillé à Athènes. Certaines par intervalles, mais toutes se trouvaient dans la ville en 1995, malheureusement pas en même temps. Tout ce qu'on peut découvrir sur la période athénienne de ces hommes crée naturellement des multiplicités, mais aucune qui s'applique à chacun d'eux isolément. Ni femme, ni restaurant, ni hôtel, ni certificat médical, rien qui apparaisse sept fois. À l'exception de leur présence à Athènes.

— Moi aussi, je suis allé à Athènes.

— Vous êtes toujours vivant. Et vous n'avez pas mordu dans la pomme qui se trouve sur votre table.

— Et Georg Stransky ? C'est aussi un Athénien ?

— Quand j'ai appris l'existence de la pomme, j'ai aussitôt fait procéder à une vérification. Stransky est zoologue. À ce titre, l'université d'Athènes l'a invité à donner des cours dans les années 1990 et précisément en 1995. Il a effectué plusieurs séjours de quelques semaines à Athènes. Ce n'est pas un hasard. Si l'on considère le reste.

— Notre M. Stransky serait donc le numéro 8 du casier Athènes ?

— C'est ça. Heureusement, il n'est pas encore établi que ce soit sous la forme d'un cadavre.

— Ce qui est pourtant à craindre.

— Ce qui est à craindre, confirma Steinbeck.

— Et sa femme ? Que pensez-vous d'elle ?

— Maligne, mais innocente. Non, elle n'a rien à voir avec ça. Ce n'est pas une conjuration des épouses.

— Mais encore ?

— Il serait bon de le découvrir.

— Les gens de l'Office fédéral se sont déjà rendus à Athènes, non ?

— Bien sûr.

— Et vous pensez quand même que ça vaut la peine d'aller y faire un tour ? demanda Baby Hübner, ajoutant sans transition : Les Grecs sont des gens impossibles, si je puis me permettre. Pires que les Turcs parfois, ce qui n'est pas peu dire. Ce n'est pas une remarque raciste. Je parlais juste de l'organisation de la police.

— Vous trouvez que nous avons une armée de surhommes ?

— Donc vous avez l'intention d'aller à Athènes.

— Par le prochain avion si vous en êtes d'accord.

— Nous devrions avertir nos collègues grecs.

— Merci de vous en charger. Dites-leur que c'est urgent. Et que c'est une femme qui arrive.

— Si nous leur faisions la surprise ?

— Décidément, vous ne les aimez pas ! Ce n'est pas mon cas. J'aime les Grecs, même si les hommes sont d'affreux machos. Mais ça ira. Quoi qu'il en soit, je préfère qu'ils soient prévenus qu'une bonne femme vient faire la danse du ventre.

— Vous comptez danser ? demanda l'inspecteur principal.

— Mais bien sûr, répondit Steinbeck comme si on lui arrachait une dent.

— D'accord, je prépare les Grecs », dit Hübner.

Le soir même, Lilli Steinbeck prenait l'avion pour Athènes.

3

Vert

« Dieux du ciel ! » pensa Lilli Steinbeck. Et elle se dit : « Surtout pas d'histoire d'amour. »

Car même chez les êtres neutres, le mot « menace » existe. Les êtres neutres ne sont pas totalement indifférents à la sexualité, ils ne sont pas indifférents à la séduction ni à l'attirance. Les êtres neutres sont neutres, pas invulnérables. Ce sont des gens qui s'abstiennent, pour de bonnes raisons et par conviction profonde. Comme on s'abstient de manger des aliments qui occasionnent des maux d'estomac ou des éruptions cutanées sur tout le corps. Les fraises, par exemple. Certes, il n'est pas difficile d'y renoncer si on ne les aime pas. Ou si, une fois de plus, elles ont un goût de tomates aqueuses.

Voilà quelle était l'erreur des hommes qui avaient eu affaire à Lilli Steinbeck, que ce soit à Vienne ou dans sa nouvelle affectation. Si la froide réserve de Steinbeck, son inaccessibilité, encore accentuée par ce nez écrasé, fonctionnait aussi bien, c'est parce que aucun de ces hommes n'avait su éveiller en elle un tendre sentiment. Un de ces sentiments qui provoquent les éruptions mentionnées ci-dessus, éruptions de l'âme et autres. Aucune raison de s'infliger cela. Surtout sans motif valable. Un Baby Hübner en offrait aussi peu l'occasion que ses collègues plus jeunes, dont le seul avantage, celui de n'avoir pas de ventre, était annulé par leur grossièreté et leur niaiserie.

Mais là, c'était tout autre chose : pas de ventre, pas d'expression niaise, pas de grossièreté ni de suavité importune. L'homme qui tendait la main à Lilli Steinbeck aurait pu sortir d'une éprouvette. Un beau Frankenstein. Pas éloigné du type grec, mais pas non plus tout à fait méridional. Méditerranéen, ça oui, comme l'est tout ce qui passe un peu de temps à l'air libre au lieu de rester les trois quarts de l'année sous la pluie, tels les Irlandais. L'homme avait des cheveux bruns aux ondulations luisantes, évoquant une mer souillée de pétrole. Ses yeux, en revanche, étaient clairs, ils rappelaient ces plans d'eau qui sont d'un vert froid sur les bords, d'un bleu froid au milieu. Autant leur couleur était froide, autant leur expression était aimable.

Cet homme, qui devait avoir à peine plus de vingt-cinq ans et qui était légèrement plus petit que Lilli Steinbeck, portait une moustache. Dommage pour les jolies lèvres pleines, qu'on aurait dit faites au crochet. La moustache visait sans doute à le vieillir. Ce à quoi contribuait le complet sombre. Et surtout la pochette blanche immaculée qui sortait de la poche de poitrine, tel un doigt de rechange. D'ailleurs, chacun devrait avoir sur soi un doigt de rechange. On n'imagine pas la perte que représente un doigt manquant. C'est le monde entier qui bascule.

« Bonjour, madame Steinbeck. Je suis Stavros Stirling, l'adjoint de l'inspecteur principal Pagonidis.

— Stirling ?

— Mon père est anglais, ma mère grecque.

— Joli mélange.

— Tant mieux.

— Mais l'allemand ne vous vient pas de votre père, n'est-ce pas ?

— L'allemand me vient de l'école, dit Stavros Stirling, comme on dirait : je ne lis que des livres reliés.

— Vous étiez sans doute un élève bien sage.

— Un élève excellent. Ce qui ne m'a pas empêché d'entrer dans la police. Du coup, mes parents me détestent.

— Peut-être êtes-vous entré dans la police uniquement pour que vos parents vous détestent. Ce sont des choses qui arrivent.

— Ce n'est pas mon cas. Je voulais plutôt éviter de devenir un criminel. C'est si facile de nos jours.

— Et vous croyez que le fait d'être policier vous immunise contre ça ?

— Dans une certaine mesure. En tout cas, bien plus que ne l'imaginent la plupart des gens. »

Steinbeck fit une moue sceptique. Puis elle plaça sa petite valise dans la main du beau jeune homme et lui demanda si son excellente connaissance de l'allemand était l'unique raison de sa présence.

« Non, répondit Stirling. Ça, c'est le petit plus. Je suis l'homme de confiance de Pagonidis. C'est vrai ! Je suis censé vous aider dans votre enquête.

— Pourquoi ? L'inspecteur n'est pas disponible ?

— Je serai franc, madame Steinbeck. L'inspecteur ne supporte pas les Allemands, et encore moins les femmes.

— Les femmes allemandes, vous voulez dire.

— Les femmes qui ouvrent la bouche, pour être plus précis.

— Voilà un drôle de coco.

— Il ne vous serait d'aucune aide.

— Et vous ? demanda Lilli.

— J'espère sincèrement pouvoir vous être utile », répondit le charmant Frankenstein.

Steinbeck fit un très léger signe d'assentiment et un très léger sourire. Et elle s'inclina très légèrement. C'étaient de gentils petits gestes. De minuscules fleurettes, qui embaumaient.

Stavros Stirling était plutôt emballé par cette femme. Il s'était attendu à trouver une furie, un monstre germanique, un summum d'inélégance, à l'instar de ces Allemandes qui viennent passer des vacances en Grèce. Elles ne ressemblent jamais à rien et elles se meuvent le plus souvent comme si elles marchaient avec des béquilles. Ou comme si elles étaient restées trop longtemps assises sur un éléphant. Stirling n'avait pas encore compris qu'il avait affaire à une Autrichienne. Les Autrichiennes — pour rester dans les généralités — peuvent être perfides, extravagantes, impossibles, mais elles donnent rarement l'impression de se déplacer avec des béquilles. Il faut leur rendre cette justice. On les croirait plutôt chaussées de patins à glace. Et les surfaces sur lesquelles elles glissent ne sont pas toujours constituées que de glace.

Au début, bien sûr, Stavros n'avait pas manqué

d'être déconcerté par le nez déformé de Steinbeck. Mais cela n'avait pas duré. Il avait vite compris que le nez s'intégrait dans un ensemble, qu'il répondait à un concept intelligent. Qu'il exposait une erreur de manière systémique. Tel un vaccin qui utilise la maladie pour la duper.

Tandis que Stavros Stirling traversait le parking couvert au côté de Steinbeck, il se dit que jamais encore il n'avait vu marcher de la sorte. Il pensait moins à Marilyn Monroe ou à ces mannequins qui se déplacent avec raideur comme sur un tapis constitué d'une multitude de petits hommes, qu'à une de ces grandes raies qui évoluent dans les fonds marins. Et qui sont capables d'envoyer des impulsions électriques. À l'évidence, cette femme avait de l'électricité à revendre.

« Belle voiture », commenta Steinbeck, pendant que Stirling — qui, évidemment, n'avait pas la nationalité anglaise mais la grecque — lui ouvrait la portière de sa petite voiture de sport. Une voiture d'un noir brillant, qui semblait tout juste sortie de la station de lavage et produisait une impression flottante, utopique.

Steinbeck dut accomplir un petit exploit pour parvenir à insérer ses jambes interminables dans les profondeurs du cockpit. Qui, du reste, offrait auxdites jambes un espace parfaitement dimensionné, à croire que les constructeurs de ce véhicule à ras du sol avaient eu pour souci premier la présence de longues jambes s'étendant sous le capot. Après tout, c'étaient des Italiens qui avaient créé cette voiture, une Fiat Barchetta, expliqua Stirling, *un petit bateau*. Exactement, un petit bateau pour longues jambes. Lilli se sentait on ne peut mieux, même si sa tête frôlait dangereusement la capote en tissu. Qu'on pouvait abaisser, ce que fit Stirling. La capote s'enfonça, rideau de théâtre inversé. Place à la scène. Stirling mit le moteur en marche et démarra.

« On dirait un diesel, constata Lilli.

— C'est le ressort de rappel », expliqua Stirling, comme on dirait : mon chien ronfle.

À propos de la circulation à Athènes, on signalera juste qu'il existe aussi d'autres endroits où il se passe beaucoup de choses, par exemple les fourmilières et les zones riches en plancton.

L'hôtel où Stirling conduisit sa collègue était situé dans le centre-ville, parmi des immeubles simples, assez anciens. Comme eux, il n'était pas particulièrement haut, mais sa face postérieure pénétrait profondément dans un de ces trous d'arrière-cour qui emprisonnaient déjà une nuit compacte et noire. Moderne, éclairé avec prodigalité, le bâtiment était résolument vert et résolument transparent. La façade tout au moins, qui ressemblait à un empilement d'aquariums. À l'intérieur, des gens debout, assis, en train de manger, comme s'ils posaient pour un catalogue. Mais teintés de vert. Le nom de l'hôtel : *Studio 1*.

L'intérieur du *Studio 1* se révéla tout aussi chic. Bizarrement, on y retrouvait la teinte verte, sans qu'on pût toujours dire si tel objet était vert ou exposé à un éclairage verdâtre. La chambre de Steinbeck se trouvait tout au fond, dans une pièce sans fenêtre.

« Vous voulez que j'étouffe ? » demanda Steinbeck, quoiqu'on entendît distinctement l'air entrer par une soufflerie. Un air de meilleure qualité que celui de la rue. Stirling expliqua qu'on avait choisi cette chambre pour des raisons de sécurité.

« Vous pensez que je suis en danger ?

— Si c'est le cas, au moins on ne pourra pas vous abattre en tirant à travers une vitre. »

Steinbeck inclina la tête de manière décorative et contempla le jeune policier de ses yeux verts, qui en fait étaient marron. Elle le remercia et lui demanda de passer la chercher après le petit déjeuner. Elle avait rendez-vous dans la matinée avec le professeur à l'invitation duquel Georg Stransky s'était plusieurs fois rendu à Athènes.

« Bonne nuit ! » dit Steinbeck en désignant sa montre d'un geste de reproche.

Il était presque dix heures.

« *Kalinikta*, chère madame ! » répondit Stavros.

Comme le révélait la formule, il avait enfin compris qu'il traitait avec une Autrichienne.

Était-ce là pour Lilli un motif de se réjouir ?

Ou un motif d'inquiétude ?

Steinbeck était épuisée et déprimée. Déprimée par l'heure tardive. Tout son rythme était bouleversé. Au lieu de se déshabiller sur-le-champ et d'entamer sa longue toilette du soir, elle baissa légèrement la lumière et s'étendit sur un lit design, probablement couleur chair, mais auquel un éclairage bleuâtre donnait l'inévitable teinte verdâtre. Comme à tout ce qui était là, des choses jaunes et roses, mais verdies. D'un vert de pénombre à présent.

Allongée sur le dos, Steinbeck pensait à Franz

Schubert. À sa *Belle Meunière*. À ce cycle de *lieder* que sa fille avait travaillé pendant des années, au début avec la pieuse soumission d'une enfant peu douée mais raisonnable, qui avait compris que même les parents, même les parents adoptifs avaient droit à un peu de joie dans la vie. Pas seulement à un travail éprouvant et à un compte en banque qui ne cessait de se dégarnir, mais aussi au spectacle d'une fille en train de faire de la musique. Cependant ladite fille avait fini par s'éprendre des meunières, des voyages d'hiver et de tout le classicisme viennois sans pour autant que cela accrût son talent. L'amour n'a pas grand-chose à voir avec le talent. Au contraire, ce sont les gens les plus talentueux qui se révèlent les plus incapables d'aimer, même dans leur domaine. C'est très visible chez certains interprètes soi-disant géniaux de Schubert. Amour de la musique : zéro. Amour pour Schubert : zéro. Des automates musicaux de génie.

Étendue sur un lit singulièrement dur, enserrée dans tout ce vert, Lilli Steinbeck se remémora un *lied* que sa fille chantait sans arrêt : *La mauvaise couleur*. Lequel succède assez logiquement à un poème intitulé *La bonne couleur*. Dans les deux cas, il s'agit du vert.

Steinbeck chanta à voix basse, tandis que ses paupières tressaillantes s'abaissaient peu à peu : « Ah, couleur verte, mauvaise couleur, pourquoi me regardes-tu, fière et hardie, pleine de joie mauvaise, pourquoi me regardes-tu, pâle infortuné que je suis ? »

Sur quoi elle murmura en s'endormant :

« Suis pas morte. »

Un instant plus tard — lequel pouvait aussi bien avoir duré la moitié de la nuit —, Steinbeck fut tirée de son sommeil. Elle ne sut pas tout de suite ce qui se passait ni où elle était. Quelque chose d'énorme pesait sur sa poitrine. C'est à peine si elle pouvait respirer. La pénombre verte qui l'entourait était interrompue, du côté du plafond, par une tache noire. Cette tache était assise sur sa poitrine. Le sentiment qu'elle pesait plusieurs tonnes se relativisa peu à peu, aboutissant à une estimation, encore considérable, de 80 à 90 kilos. Le type qui était assis sur elle, lui bloquant la poitrine de son postérieur et les bras de ses genoux, portait un costume en cuir noir et un masque de Batman.

« Très drôle », aurait voulu dire Steinbeck, mais elle était incapable de sortir un mot. Elle pouvait déjà s'estimer heureuse de ne pas étouffer.

Le monstre prit la parole. En grec. Elle ne comprit donc rien. Mais d'après son ton, il semblait vouloir l'informer qu'il allait la sauter sauvagement avant de lui serrer le kiki.

Seigneur ! Elle détestait ce genre de types, même quand ils n'étaient pas assis sur elle comme en ce moment. Ces types affublés de masques, qui prenaient leur queue pour une arme à feu ou un dard empoisonné. Elle n'avait jamais compris la fascination que ces monstres exerçaient, ni pourquoi de nombreux médecins manifestaient de l'indulgence pour leur comportement. Ou décelaient un arrière-plan psychologique, une expérience traumatique, une tique biographique.

Foutaises ! Pour Steinbeck, il n'existait pas d'arrière-plan. Présenter les pervers comme d'anciennes victimes reproduisant des pratiques sadiques qu'elles avaient elles-mêmes subies lui apparaissait comme un mensonge énorme. Une prophétie auto-réalisatrice énoncée par des psychiatres dont l'ambition était de réinventer le monde. Les pervers disaient ce que les psychiatres voulaient entendre. Les pervers étaient des comédiens chevronnés. Ils avaient la manie de jouer avec le monde, avec les êtres sans défense, et se livraient à des mises en scène continuelles. Ces types en avaient après la vie. Généralement depuis l'enfance. Il suffit d'aller sur un terrain de jeux, on les reconnaît tout de suite. Mignons ou laids. Ils ont toujours le même regard, un regard en scie, en lame de rasoir, qui traverse les choses pour leur faire mal. Même le toboggan, même la balançoire. Le ciel, le soleil, les camarades de jeu. Ils veulent faire mal. C'est leur principe, leur principe fondamental. En dehors de toute biographie, de toute expérience. On pourrait appeler ça un méchant caprice de la nature.

Rien, en tout cas, qui appelât la compréhension. Les tueurs froids et professionnels, en revanche, Steinbeck les jugeait acceptables : des gens qui se contentaient d'appuyer sur la détente au lieu d'être assis sur la poitrine de leurs victimes, à les menacer de choses horribles.

De fait, le type porta la main à sa braguette et l'ouvrit. Sa bouche, que le masque laissait à découvert, se fendit en un sourire triomphant.

Steinbeck bredouilla involontairement une invocation à tous les saints en voyant ce qui sortait du pantalon : pas le sexe attendu, mais la partie antérieure d'un poisson à la bouche entrouverte sur une rangée de petites dents pointues. Une perche ou quelque chose d'approchant. Quoi qu'il en soit, Steinbeck crut un instant que l'animal était encore en vie et que, comme elle, il respirait aux limites du possible. Cependant il s'agissait vraisemblablement d'un poisson mort. Ce qui n'empêcha pas Lilli Steinbeck d'être choquée. Car c'était là un spectacle tout à fait imprévisible.

Le Batman attrapa sa victime par les cheveux. Au même moment, Steinbeck leva la jambe droite et donna un coup de genou dans le dos de son agresseur.

Arrgh ! Elle ne put émettre qu'un cri bref. Elle crut que sa rotule explosait. L'homme masqué semblait porter une plaque de métal dans le dos. De toute façon, Lilli Steinbeck n'était pas une grande battante, physiquement parlant. Elle n'avait pas seulement l'air délicat, elle était délicate.

Le noiraud formula un ordre et tira la tête de Lilli vers l'avant. Celle-ci serra les lèvres et souffla par le nez, lequel, à cet égard, fonctionnait parfaitement malgré ses déformations multiples. Sa bouche close se retrouva contre la mâchoire inférieure luisante du poisson.

« Évitons de vomir », pensa-t-elle.

Moyennant quoi elle se demanda si le poisson était simplement placé devant le pénis de l'homme ou si, comble de la perversité, le sexe en érection était glissé dans le corps évidé. Auquel cas, il y avait toujours l'écœurante possibilité de blesser M. Batman en donnant un rapide coup de dents au poisson, ce qui offrait une chance infime de se débarrasser de l'agresseur et de renverser la situation.

Oui, elle voulait mordre dans ce satané poisson. Elle voulait s'insurger. Consciente que sa denture était une arme. Consciente d'avoir des dents qui n'étaient pas en carton. Elle voulait…

Lilli fut incapable d'ouvrir la bouche. Celle-ci était comme collée. Comme si elle n'avait jamais été ouverte. Steinbeck ferma les yeux. Elle sentit le Batman lui enserrer le cou d'une main, de plus en plus fermement, enfoncer son pouce dans sa gorge comme s'il s'agissait d'un pieu. Comme s'il insérait un organe artificiel. Mais la bouche de Lilli…

Dzzz !

Un jaillissement de lumière. Non pas verte, mais blanche, craie qui éclate. Accompagné du bruit de fusée que produit une émission de projectiles. Vitesse, vacarme, puanteur.

L'étreinte se relâcha instantanément. Le Batman s'effondra à terre. Le corps de Lilli suivit le mouvement, puis retomba en arrière. Ses yeux s'ouvrirent brusquement comme une chose qu'on aurait cassée. Du verre fin, des œufs crus. Sa bouche aussi s'ouvrit. Elle aspira l'air à la manière d'un gros buveur qui picole au goulot tranché d'une bouteille. On entendit distinctement glouglouter. L'air pénétra en clapotant. Simultanément, Lilli sentit qu'on l'attrapait par le bras et qu'on la tirait hors du lit. Avec juste la fermeté nécessaire.

Le blanc disparut. Le vert revint, ou le verdâtre. M. Batman gisait au sol, inerte, tandis que deux hommes également cagoulés, tenant leur revolver à deux mains, braquaient leur arme sur lui. Un troisième homme se pencha, puis fit un geste qui indiquait sans équivoque que la cible avait été mise hors circuit et définitivement éliminée. Un autre policier aida Steinbeck à se redresser et l'escorta hors de la chambre. À l'extérieur régnait une intense activité. De lourdes bottes martelaient le couloir. Et tant pis pour le fin et moelleux revêtement de sol.

Un infirmier se présenta. Lilli eut un geste de refus. Elle était en vie, personne n'avait besoin de le lui confirmer. Les marques sur son cou, elle les dissimulerait sous un foulard de soie. C'était un peu injuste à l'égard de l'infirmier qu'elle repoussait. Mais elle n'était pas d'humeur. Cependant elle ne put refuser qu'on la conduisît auprès de quelqu'un d'autre.

L'homme avait la cinquantaine et affichait un millier de rides. Une sorte de mélange d'Eddie Constantine, de Lino Ventura et de Samuel Beckett. Selon l'angle d'où on l'observait, il était tantôt émacié, tantôt légèrement bouffi, mais il restait ridé. À côté de lui se tenait Stavros Stirling, qui avait de petits yeux. Soit le jeune homme était fatigué, soit il était gêné par la fumée. On avait déclenché quelque chose comme une grenade aveuglante, dont les résidus tournoyaient à présent dans le tourbillon d'air causé par la ventilation.

« Madame Steinbeck, fit Stavros, permettez-moi de vous présenter l'inspecteur Pagonidis. »

Pagonidis garda ses mains dans ses poches, se borna à repousser une ou deux rides et dit quelque chose que son adjoint traduisit. Il en ressortait que, aussitôt après avoir reçu l'appel des collègues allemands, la police athénienne avait pris des mesures drastiques de sécurité. On n'était pas encore tout à fait sorti des douleurs utérines consécutives aux

Jeux olympiques. La tranquillité d'autrefois avait cédé la place à un rythme effréné.

« C'est vraiment ce qu'a dit votre chef ? demanda Steinbeck, heureuse d'être encore en vie après cette histoire de poisson et de pouvoir s'amuser un peu.

— L'inspecteur regrette les temps anciens, répondit Stirling, mais il sait reconnaître l'utilité des nouveaux. Nous avons eu raison d'équiper votre chambre d'une caméra de surveillance. Le terroriste est entré par la gaine d'aération située dans le plafond.

— Le terroriste ? Le terme n'est pas un peu trop joli pour un salopard de cette espèce ?

— L'homme avait manifestement l'intention de vous faire passer un mauvais quart d'heure. Cela dit, nous pensons que cet attentat n'était pas dirigé contre la femme, mais contre la policière.

— Alors pourquoi se donner tant de mal ?

— Sans doute pour que ça ressemble à une affaire privée.

— L'homme est mort, n'est-ce pas ?

— L'homme est mort, confirma Stirling, qui se tapota le front entre les deux yeux, comme pour souligner son propos.

— Ça n'aurait pas dû arriver, déclara Steinbeck. Il ne fallait pas le descendre. Maintenant, il vaut encore moins qu'une poule morte, qu'on peut toujours jeter dans la soupe.

— Qu'est-ce que nous aurions dû faire ? Prier ce monsieur de bien vouloir quitter son siège ? »

Face Ridée Pagonidis interrompit l'escarmouche. Son impatience était visible, il parlait à toute allure. Entre ses lèvres sombres, ses dents luisaient, telle une rangée de minuscules bananes mûres. Quand il eut terminé, il cessa pour la première fois de fixer un point à côté de Steinbeck et posa son regard en plein sur son nez. Un soupçon de dédain se lisait dans ses yeux. Il fit un signe de tête, se détourna et s'en alla.

« Vous aviez raison, sourit Steinbeck, votre chef est vraiment un amour.

— Il vous a sauvé la vie, proclama Stirling.

— N'exagérons rien. Il s'est contenté de donner quelques instructions. Ce n'est pas une raison pour me regarder comme si j'étais son schpountz.

— Il veut juste que vous rentriez chez vous saine et sauve.

— Chez moi ?

— Il y a un avion qui décolle dans trois heures.

— Comment dois-je le comprendre ? Vous m'expulsez parce qu'une saleté de chauve-souris a essayé de me faire avaler son poisson ?

— Madame Steinbeck, je vous en prie ! Pourquoi parlez-vous d'expulsion ? Nous ne voulons pas qu'il vous arrive quoi que ce soit. L'affaire paraît trop délicate…

— Délicate ?

— Ce n'est pas le bon terme. Je voulais dire… explosive. En tout cas, nous ne pouvons plus garantir votre sécurité. L'inspecteur Pagonidis se chargera lui-même de l'enquête et vous tiendra informée.

— J'en doute.

— L'inspecteur peut se montrer désagréable. Mais il est correct.

— Vous vous sentez mieux en essayant de me faire gober ça ? »

Stirling ne répondit pas. Peut-être aussi ne comprit-il pas ce que Steinbeck voulait dire. Il leva la main. Pour un peu, il lui aurait touché le bras, mais juste pour un peu. D'un mouvement de tête, il l'invita à quitter les lieux. Cependant Steinbeck déclara qu'elle voulait examiner le défunt Batman.

« Pour quoi faire ?

— *Pour quoi faire ?* Seigneur ! s'énerva Steinbeck. J'ai envie de savoir à quoi ressemble ce type ! »

Stirling refusa. Il expliqua que l'inspecteur Pagonidis l'avait expressément interdit.

« Pour quelle raison ? Que croit-il que je découvrirai ?

— Ce sont les ordres, répondit Stirling. S'il vous plaît !

— Et si je passe outre et que j'entre dans la chambre examiner l'homme ?

— On vous en empêchera.

— C'est *vous* qui m'en empêcherez ?

— Je n'oserais même pas vous toucher, chère Madame », déclara Stirling dans le plus pur style viennois.

Steinbeck vit alors que deux policiers cagoulés tenant leur mitraillette contre la poitrine, tels des panneaux de stop, verrouillaient la porte de son ancienne chambre d'hôtel.

Était-ce réellement l'expression d'une standardisation à l'européenne engagée avec succès durant les Jeux olympiques ? L'habitude sympathique qu'avaient les Grecs de laisser les choses suivre leur cours avait-elle cédé la place à une ardeur qui, si l'on considérait ses résultats, se révélait généralement plus décorative qu'efficace ? Une image de la sécurité plus que la sécurité elle-même ?

« Vous ne vous débarrasserez pas de moi comme ça, l'avertit Lilli Steinbeck.

— Pagonidis préférera faire votre bonheur malgré vous plutôt que de courir un risque. Ça vaut mieux que d'avoir à transférer votre corps dans les jours qui viennent.

— Seigneur, je suis de la police ! Et dans la police, il arrive qu'on meure.

— Oui, mais l'inspecteur aimerait mieux que vous alliez mourir chez vous.

— Ça, je peux le comprendre. Mais avant, j'ai une affaire à régler. Accordez-moi une faveur. Je veux discuter avec le professeur Diplodokus, l'homme qui a invité Georg Stransky à Athènes.

— Est-ce que ça fait de lui un suspect ?

— Pas du tout. Mais il pourra peut-être m'expliquer ce qu'Athènes signifiait pour Stransky. En dehors de l'aspect universitaire. Je dois retrouver le professeur demain à midi et je souhaiterais honorer ce rendez-vous. Parlez à Pagonidis. Dites-lui que j'insiste pour rencontrer Diplodokus. Ensuite, je rentrerai en Allemagne s'il n'y a pas moyen de faire autrement…

— Je ne sais pas…

— Demandez-lui. »

Stavros Stirling haussa les sourcils, ce qui, soit dit en passant, ne lui allait pas du tout. D'ailleurs il se ravisa aussitôt, plongea la main dans la poche de sa veste et en sortit un téléphone portable qui avait l'air d'un mini-dictionnaire argenté : Stirling-Pagonidis, Pagonidis-Stirling.

Il mena l'entretien d'une voix encore plus douce que lorsqu'il parlait l'allemand. Comme quelqu'un qui s'exprimerait à travers un torchon. Quand il eut terminé, il se tourna vers Steinbeck et l'informa que la question était réglée. Pagonidis avait donné son accord au rendez-vous avec Diplodokus. Après quoi Steinbeck devrait quitter Athènes. On ne voulait pas encourager les gens qui en avaient après elle à lancer d'autres opérations. Il existait des moyens plus sûrs de découvrir qui était cette bande.

Manifestement, on tenait pour acquis que le Batman avait agi sur contrat. Et donc que son comportement pathologique n'avait été que le reflet d'un style personnel. Un tueur qui s'égare.

« J'en déduis, conjectura Steinbeck, que je passerai le reste de la nuit ailleurs.

— Oui. L'inspecteur veut que je vous héberge. Il considère que c'est la meilleure solution. Il va de soi qu'une voiture nous accompagnera. Une unité de tireurs d'élite. Cela dit, je crois qu'une agression par nuit, c'est amplement suffisant.

— Absolument », approuva Steinbeck.

Elle n'eut pas la coquetterie de demander à Stavros ce que son amie penserait de cet arrangement. Lilli était presque certaine que ce beau jeune homme préférait les libertés du célibat aux liens durables.

Ce en quoi elle se trompait.

Après un long trajet silencieux, on atteignit une banlieue quelconque. Un « bout du monde » planté de ces hauts immeubles auxquels on donne ailleurs le surnom dédaigneux de « silos ». Dans l'air flottait un silence bourdonnant. L'aube s'annonçait, dérobant leur lumière aux étoiles. Le véhicule des tireurs d'élite se gara à côté du cabriolet taillé sur mesure de Stirling.

Stirling et Steinbeck prirent l'ascenseur jusqu'au sixième des huit étages. Avant même qu'on ouvrît la porte de l'appartement, Steinbeck reconnut son erreur. Les cris de bébé ne trompaient pas.

« Vous auriez pu me prévenir, fit-elle.

— De quoi ? Pour le bébé ? Vous vous seriez dépêchée de reprendre l'avion ?

— Ce n'est pas ce que je voulais dire. Je ne suis pas du genre à fuir devant quelques cris d'enfant.

— Quelques cris ? ! »

Stirling laissa échapper un rire de mépris. Le rire d'un homme accablé.

Certes, Lilli Steinbeck n'avait pas eu d'enfants et elle avait adopté sa fille alors que celle-ci était adolescente, mais elle était suffisamment informée pour savoir qu'un nourrisson braillant pendant des heures pouvait mener ses parents au bord de la dépression nerveuse, et même au-delà. C'était justement l'innocence de l'enfant, souvent associée à celle des parents, lesquels, durant la grossesse, n'avaient ni sniffé de la coke, ni bataillé, ni mis de la mauvaise musique, qui rendait la situation insupportable. Parce qu'il n'y avait personne à blâmer. Pas même soi. Un bébé hurlant sans interruption, c'était comme un pulsar, une de ces petites étoiles à neutrons qui tournent à une vitesse extrême et possèdent une masse incroyablement dense. Un pulsar pouvait vous rendre fou. Dans l'univers comme à la maison.

Pourtant l'appartement n'affichait pas le chaos que l'on rencontre souvent chez les jeunes parents épuisés. Au contraire, dans les pièces basses, crépies de blanc, aux sols revêtus d'une moquette couleur sable, il régnait un ordre discret, pas déplaisant, une juxtaposition raisonnable d'objets et d'écarts entre les objets. Un long canapé rouge orangé imposait sa présence. C'était visiblement le meuble le plus coûteux et le plus récent. La chaîne stéréo, en revanche, paraissait dater d'avant-hier, la télévision de Mathusalem. Quant à la table en bois du séjour, placée contre la baie vitrée du balcon, elle semblait avoir passé un certain temps dans une cave avant que la main d'un profane n'entreprenne de la rénover. C'était indiscutablement l'appartement de gens qui remplaçaient peu à peu le mobilier bricolé et bon marché par des objets plus récents et de meilleure qualité. Comme on l'a dit, tout était très propre et bien pensé. Pas de camelote. Mieux valait laisser un vide.

Au milieu de cet ordre domestique, sur un fond de ciel matinal faiblement rougi, se tenait une jeune femme portant une couche blanche sur une épaule, l'enfant hurlant sur l'autre. Haltérophilie existentielle. Sur son visage se lisaient fatigue, désespoir et reproche. Ses yeux, coincés dans de petits nids noirs, s'arrêtèrent un bref instant sur Lilli Steinbeck, puis revinrent au père de l'enfant avec un durcissement visible du regard. Elle dit quelque chose qui passa devant les braillements du bébé à la manière d'un train roulant en sens inverse. Un petit train régional comparé à la machine vrombissante qui fonçait vers le soleil levant.

Stirling répondit au train régional. De son discours émergea le nom « Pagonidis ». La jeune femme poussa un gémissement sonore. Il était clair qu'elle aurait volontiers envoyé le supérieur de Stavros au diable. Pagonidis ne semblait pas avoir beaucoup de succès auprès des femmes.

« Je vous présente mon épouse Inula », fit Stavros en se tournant vers Steinbeck.

Les deux femmes se saluèrent d'un mouvement de tête. La plus jeune dit : « Leon. » Cela ne pouvait être que le prénom de l'enfant.

« Venez ! intima Stirling. Je vais vous montrer l'endroit où vous dormirez. »

Alors qu'ils entraient dans une petite pièce sombre qui ressemblait à un paquet d'air chaud, Steinbeck s'informa :

« Est-ce que Leon est un prénom grec ?

— En fait, il s'appelle Pantaleon, expliqua Stavros, ajoutant avec résignation : Mais vous savez ce que c'est… Dans la vie, tout raccourcit.

— Tout ? réfléchit Lilli. Pourtant, au printemps, les jours rallongent.

— Oui, parce que les nuits raccourcissent. »

Le propos pouvait paraître assez banal, mais premièrement, il recelait une grande vérité — à savoir qu'en ce monde, quand une chose venait en plus, il valait mieux se méfier. Et deuxièmement, c'était la phrase qu'il fallait pour mettre fin à une longue journée.

4

Spécialités culinaires

Il était onze heures et demie le matin suivant quand Lilli Steinbeck, accompagnée de Stavros Stirling — à moitié grec par origine familiale, intégralement par conviction —, entra dans une petite taverne. Non, pas une taverne, une ouzerie, ce qui n'est pas pareil. Le nom de l'ouzerie, peint sur une planche de guingois, signifiait, à en croire la traduction de Stirling : vingt-trois nymphes blotties dans une bouteille.

« Pourquoi vingt-trois ? s'enquit Steinbeck.

— Auriez-vous une autre question ? répliqua Stirling.

— Vous aimez votre femme ? »

La phrase lui avait échappé. Aussitôt, Steinbeck porta la main à sa bouche. Trop tard.

« Excusez-moi...

— Nous aimons notre enfant, répondit Stirling, même s'il crie nuit et jour. »

Ce n'était pas ce que Lilli Steinbeck lui avait demandé.

Dans un coin du bistrot aux nymphes, qui était à demi plein et fréquenté exclusivement par les autochtones, un homme était assis à l'ombre de son chapeau. Sur la table, devant lui, se trouvaient une pile de livres, une pile de journaux, une petite assiette de fromage lisse et blanc, une autre avec des tentacules épluchés et un verre de schnaps clair. Très grecque, la table.

À la vue de Steinbeck, l'homme se leva. C'était un de ces individus qui paraissent se résumer à leurs poils. On n'y peut rien, ce genre d'homme ressemble à un singe, mais seuls y trouvent à redire ceux qui n'ont jamais fréquenté de singe.

« Je suis Diplodokus », fit-il en tendant la main à Steinbeck.

De sa barbe émergeait une bouche aimable.

« Merci de prendre le temps de me recevoir, professeur, dit Steinbeck en présentant Stirling ès qualités.

— Le problème, ce n'est pas le temps », répondit Diplodokus, comme on dirait : quand il y a le feu à la cuisine, pas besoin de cuisiner.

Il désigna deux chaises libres et appela un garçon.

« Me permettez-vous de vous commander un ouzo ? » demanda-t-il, expliquant qu'il s'agissait d'une cuvée spéciale de Samos, illégale il est vrai, mais on avait bien le droit d'outrepasser les bornes administratives pour satisfaire son palais, non ? Tout en parlant, il semblait s'excuser auprès de Stirling. Celui-ci leva légèrement les mains et donna sa bénédiction à cette irrégularité.

Quelques instants plus tard, trois verres pleins et toutes sortes de petites assiettes de hors-d'œuvre se trouvaient sur la table. Des olives, des haricots, du fromage et du non-identifiable. Bien moins identifiable que les tentacules de seiche. L'ouzo, pour sa part, était effectivement excellent. Bons baisers de Samos.

« Vous êtes donc venue pour parler de Georg Stransky, commença Diplodokus. Est-ce dans son intérêt ?

— Cela me semble tout à fait dans son intérêt », répondit Lilli Steinbeck.

Ses longs doigts minces passèrent sans s'y arrêter devant quelques-unes des choses non identifiables et saisirent ce qui était indubitablement une olive noire.

« Et pourquoi ?

— Parce qu'il y a de fortes chances que M. Stransky ait été enlevé.

— Enlevé ? »

Diplodokus fit une grimace d'incrédulité.

« Et nous aimerions en découvrir la raison, dit Lilli.

— Comment ça ? Ce n'est pas une question d'argent ?

— Pour l'instant, nous sommes devant un rapt sans ravisseur. Et comme nous — nous, la police — préférons avoir une vue de la situation aussi complète que possible, je voudrais savoir ce que Stransky faisait à Athènes. »

Diplodokus expliqua qu'il l'avait invité parce que c'était un spécialiste des alcidés.

« Les alcidés ?

— Des oiseaux marins de l'hémisphère Nord, précisa Diplodokus. Notre collègue Stransky s'intéressait surtout à une espèce éteinte, *Alca impennis*, le Grand Pingouin, un animal qui a disparu de la surface du globe au milieu du xixe siècle. Regrettable, mais logique. Si l'on songe aux mauvaises manières de l'*Homo sapiens*, à son penchant pour le définitif et le violent. »

Diplodokus expliqua que le Grand Pingouin avait été un remarquable plongeur, mais qu'il ne pouvait ni voler ni se mouvoir rapidement à terre. Sans compter que l'espèce ne pondait qu'un œuf par an.

« Il est extrêmement déraisonnable, commenta le professeur, de ne pas pouvoir voler quand on est un oiseau. Cela vous oblige à nidifier en terrain plat au risque de tomber sous les coups de marins affamés et brutaux.

— L'évolution n'avait pas prévu l'existence des marins, déclara Steinbeck.

— Exact. C'est par là qu'elle pèche. Stransky appelle ça fausse concentration. Par jeu, la nature se serait embarquée dans une multiplicité d'espèces proprement insensée, absurde à maints égards, au lieu de prendre en considération les véritables dangers. Selon lui, c'est un peintre à qui son amour de la couleur et du détail a fait oublier le sens de la composition. Ensuite, quand l'homme est apparu, le tableau de la nature se serait défait. Avec beaucoup d'entrain, d'après Stransky.

— Un scientifique a-t-il le droit de s'exprimer en ces termes ?

— Georg Stransky s'octroie cette liberté. Cela dit, c'est un empiriste convaincu : il n'invente pas des œufs qui n'existent pas.

— Et sa conférence portait sur cet oiseau ?

— Pas seulement. Mais l'*Alca impennis* est son

sujet de prédilection. M. Stransky jouit d'une petite notoriété parmi les spécialistes. Il est doué pour dénicher les animaux qu'on croit disparus. Aucun dinosaure, évidemment, vous l'imaginez bien.

— *Diplodokus* !? Ce n'est pas le nom d'un dinosaure ?

— Très juste. Un grand herbivore pacifique. Mais ce n'est pas M. Stransky qui m'a déniché, c'est moi qui l'ai trouvé. C'est à *mon* invitation qu'il est venu.

— Quels sont les animaux que Stransky découvre d'ordinaire ?

— Essentiellement des oiseaux. Et les animaux qui lui tombent tout rôtis dans le bec, si je puis dire, quand il observe les oiseaux à la jumelle. De la pitance d'oiseaux. Rien de renversant pour un profane.

— Il n'y a donc pas là matière à enlèvement.

— Que vous dire ? Peut-être que cette fois, il a dégoté une pitance plus conséquente. Ou un mangeur d'oiseaux.

— Par exemple ?

— Vous m'en demandez trop.

— Ça fait maintenant dix ans, dit Lilli Steinbeck, que Georg Stransky a donné ses conférences à Athènes, c'est ça ?

— En effet.

— Et depuis ?

— Nous maintenons un contact épisodique, expliqua Diplodokus. Échange de petites informations… Toujours en rapport avec les oiseaux, ne vous méprenez pas.

— Je serai franche, professeur », déclara Steinbeck, entamant un nouveau round.

Elle attrapa quelque chose de petit, brun-gris et gluant, qui devait provenir de la mer, le mit avec détermination dans sa bouche et parla des sept victimes jusque-là répertoriées, qui formaient vraisemblablement une série. Une série à laquelle Stransky semblait appartenir et dont l'existence se déduisait d'une récurrence assez insistante d'Athènes.

« Quoi ? Uniquement parce que tous ces gens sont venus ici ?

— Pas pour des vacances, et pas seulement pour quelques jours.

— Étaient-ils tous zoologues, ou au moins scientifiques ?

— Non.

— Alors que voulez-vous en déduire ?

— J'espérais, répondit Steinbeck, que vous pourriez m'aider. À déduire. Me donner un indice.

— Espoir téméraire », proclama Diplodokus.

Il avait l'air amusé. Se tourna vers Stirling, qui se taisait, et lui dit, en français :

« Vous avez certainement expliqué à Mme Steinbeck à quel point ce lien avec Athènes est ténu. »

Stirling fit celui qui ne comprenait pas le français.

« Réfléchissez, insista Steinbeck sans s'émouvoir. Il n'y a rien qui vous revienne quand vous pensez à Stransky ? Un truc qui ne colle pas ?

— Qui ne colle pas avec quoi ?

— Avec l'existence d'un homme passionné par les Grands Pingouins.

— Vous voulez dire une affaire de femme ? Drogue ? Obscurs passe-temps ?

— C'est peut-être quelque chose de moins dramatique. Ou de moins spectaculaire. »

Le professeur Diplodokus parut s'absorber dans une réflexion sincère. Il alluma une cigarette, inhala profondément, expulsa la fumée et la regarda se dissiper comme une suite d'années absurdes et stupides. Puis il porta la main à sa nuque, faisant légèrement glisser son chapeau, et dit :

« Mais oui !

— C'est un bon début, commenta Steinbeck sans une once de moquerie.

— Il y a bien cette histoire de chauve-souris, poursuivit le professeur.

— Grands dieux ! » s'exclama involontairement Steinbeck.

Elle s'agrippa au rebord de la table. La saveur du petit mets gluant qu'elle avait depuis longtemps avalé se redéploya, avec une intensité nettement accrue. Steinbeck pensa au poisson qui avait surgi de la braguette d'un fou déguisé en Batman.

Une fois de plus, Stavros Stirling approcha sa main du bras de Steinbeck sans aller jusqu'à le toucher. Le jeune homme jouait-il au guérisseur ? Toujours est-il que Steinbeck se reprit promptement, sourit comme après une coloscopie et invita le professeur à continuer.

« Stransky, expliqua Diplodokus, m'a parlé une fois d'un homme bizarre qui l'avait abordé sur la colline du Lycabette. Ce n'était pas une de ses connaissances, mais un homme d'affaires, qui n'arrêtait pas de parler. Il n'était pas désagréable, juste un peu importun. En tout cas, il avait insisté pour inviter Stransky à dîner. Et comme on pouvait s'y attendre, Stransky n'avait pas refusé. À la fin de la soirée, l'homme lui avait offert une figurine de Batman. Vous savez, la chauve-souris dans cette bande dessinée.

— Le millionnaire déguisé, précisa Steinbeck, mentionnant le personnage sous le costume.

— Exact, répondit Diplodokus. Si Stransky m'en a parlé, c'est qu'il était stupéfait d'avoir reçu en cadeau un bonhomme en plastique sans aucune valeur au terme d'une soirée passablement coûteuse, payée bien sûr par l'homme d'affaires. Une figurine qui n'avait pas le moindre rapport avec ce qui s'était dit au cours du dîner.

— Comment pouvez-vous en être aussi sûr ?

— Je ne fais que citer Stransky, évidemment. Je le revois assis dans mon bureau en train de brandir le petit jouet en riant et en secouant la tête. Puis il m'a demandé ce qu'il devait en faire. Je lui ai conseillé de le balancer.

— Et ?

— Il l'a mis dans sa poche. Mais je doute qu'il ait perdu son temps à repenser à cet épisode.

— Un cadeau absurde, ça intrigue, non ? »

Diplodokus haussa les épaules et arrondit les lèvres.

« Il n'est pas nécessaire d'élucider tous les mystères. Encore moins celui des cadeaux.

— Vous avez raison », approuva Steinbeck, se remémorant plus d'une surprise d'anniversaire.

Puis elle demanda à Diplodokus s'il savait quoi que ce soit au sujet de cet homme d'affaires.

« Non, rien.

— Pas même ce qu'il faisait ?

— Vraiment pas.

— Vous ne connaîtriez pas le restaurant où les deux hommes se sont retrouvés ?

— Si, Stransky l'a mentionné. Il s'est moqué de la cherté des prix et de la prétention ridicule de la cuisine. Il peut être très sévère pour ce genre de chose. Extrêmement allemand si vous voulez mon avis. Il parle volontiers de cuisine sincère. Quoi qu'il entende par là.

— Sans doute quelque chose comme ce qu'il y a sur cette table.

— Le fromage est salé, les olives sont épicées, les haricots cuits. Vous appelez ça *sincère* ?

— Laissons cela, trancha Steinbeck. Comment s'appelle le restaurant ?

— *Blue Lion*. C'est celui de l'hôtel *M 31*. Une des meilleures adresses de la ville.

— Vous parlez d'expérience ?

— Non, ce n'est pas un endroit pour un petit professeur.

— Ici, c'est sûrement plus agréable. Les nymphes sont préférables aux lions. En tout cas, vous m'avez beaucoup aidée.

— Vous parlez sérieusement ?

— Et comment ! » répondit Steinbeck en se levant.

Elle remercia l'homme qui portait le nom d'un géant préhistorique à long cou. Pour l'ouzo et le reste.

« Bonne chance », lui souhaita Diplodokus.

Avec quelle légèreté ne formulait-on pas ce genre de vœux, comme si la chance était une violente averse susceptible de tomber sur n'importe qui, à n'importe quel moment. Vous imaginez un peu !

« Je vous conduis à l'aéroport », dit Stirling quand on fut sorti sur la place située devant la taverne. Une petite place pavée de pierres blanches, ou qui avaient l'air blanches sous la lumière crue du soleil. Au-dessus, un ciel bleu acier, pas un acier revolver, plutôt celui d'un coffre-fort dont tout le monde aurait oublié la combinaison. Il en allait donc comme à l'ordinaire : Athènes était engoncée dans la chaleur et la puanteur. Athènes se voyait contrainte de respirer en permanence les relents de sa propre haleine.

« Je crois que je vais rester, déclara tranquillement Steinbeck.

— Pitié ! implora Stirling. J'ai assez de soucis comme ça.

— Je n'y peux rien si votre bébé crie, fit remarquer Steinbeck.

— Je n'ai jamais prétendu le contraire. Mais rappelez-vous, j'ai convaincu Pagonidis de vous laisser rencontrer ce professeur. Alors je ne veux pas être le dindon de la farce. Non, non, chère Madame, je vous conduis de ce pas à votre avion. Je suis tenu d'obéir aux ordres. Vous devez savoir ce que c'est.

— Il semblerait que je sois indésirable.

— Bien sûr que vous êtes indésirable.

— En tant que policière, je présume.

— Que voulez-vous dire ? demanda Stirling avec inquiétude.

— Qu'à partir de maintenant, vous devez me considérer comme une personne privée. Je viens juste de commencer mes vacances.

— Mais ça ne va pas…

— Pourquoi ça n'irait pas ? Je suis une citoyenne de l'Union européenne qui prolonge son séjour professionnel par un séjour privé. Ça arrive.

— Vous voulez passer des vacances ici ?

— En quoi est-ce que ça vous regarde ? Il y en a qui grimpent sur l'Acropole pendant que d'autres s'intéressent aux chauves-souris.

— Pagonidis sera fou furieux.

— Grand bien lui fasse.

— Et puis vous devrez renoncer à mon aide, dit Stavros Stirling d'un ton presque mélancolique.

— Bien entendu. C'est plus que dommage. Je ne comprends pas le grec et je ne connais pas la ville.

— Ça n'a aucun sens de rechercher un homme d'affaires qui a offert une figurine en plastique il y a dix ans. Uniquement parce que ça vous rappelle la nuit dernière. »

Steinbeck ignora la remarque et pria Stirling de lui indiquer une personne qui pourrait l'aider à retrouver l'homme d'affaires. Quelqu'un qui soit familier de la ville et de ses abîmes.

« Je n'arrive pas à croire, gémit Stirling, que vous me demandiez une chose pareille.

— Pourquoi ? C'est tout de même mieux que si je me baladais toute seule et que je me mettais réellement en danger.

— Inutile de me le rappeler.

— Qui me recommanderiez-vous ?

— Vous voulez dire une sorte de détective, supputa Stirling, ajoutant : Un détective, ça se paie.

— Ce ne serait pas la première chose que je m'offre », déclara Steinbeck.

Elle aimait l'équivoque.

« Dans ce cas… hésita Stirling.

— Allez, dépêchez-vous !

— Il y aurait bien quelqu'un… Un ancien policier du temps de la junte militaire, il était jeune à l'époque. Par la suite, ç'a brisé sa carrière. On a appris qu'il avait participé à des séances de torture.

— Charmant, le type que vous voulez me refiler.

— Ce n'est pas tout. Cet homme a maintenant la soixantaine, il pèse environ cent trente kilos, il a de l'eau dans les jambes comme s'il s'était constitué ses propres réserves, il fume comme un pompier et s'appuie sur un petit chariot dès qu'il veut faire quelques pas. Un de ces trucs à roulettes avec poignées, sonnette et panier à provisions. La sonnette, bien sûr, c'est pour rire.

— Ah bon, vous trouvez que la sonnette est la seule chose qui prête à rire ?

— Eh bien… Cet homme est plutôt une épave.

— Parfait, répliqua Lilli Steinbeck. Un fasciste en bout de course.

— Je ne sais pas s'il est vraiment fasciste. Cette histoire de torture est douteuse.

— D'où connaissez-vous cet homme ?

— Il s'appelle Kallimachos. C'est ma femme qui le connaît. Elle est journaliste et s'intéresse à quelques bricoles de l'histoire grecque récente. Non que Kallimachos ait dévoilé quoi que ce soit. Mais ma femme l'aime bien, et lui l'aime bien aussi. Un drôle de couple, si vous voulez mon avis. Je ne sais pas ce que Inula trouve à ce vieil homme obèse.

— Vous ne le savez pas, mais vous pensez que c'est la personne qu'il me faut ?

— Il parle l'allemand, c'est pour ça. Après cette histoire de colonels, on l'a envoyé pendant quelque temps en Allemagne. Dans un endroit qui s'appelle Mannheim.

— Mannheim, mes aïeux ! Ce n'est pas une ville, c'est un trou perdu. Pour quoi faire ?

— Formation continue, repos, je l'ignore. En tout cas, là-bas, il a appris votre langue. Et puis je dois dire qu'il connaît Athènes comme sa poche. La ville, les gens, les portes de derrière, les gens de derrière. À la police, on l'évite. D'ailleurs, être détective quand on se déplace à une allure d'escargot, ce n'est pas loin de ressembler à une mauvaise plaisanterie.

— Kallimachos, donc.

— Spiridon Kallimachos. Si vous voulez, je l'appelle. Et s'il est d'accord, j'organise une rencontre. Au moins, je saurai entre quelles mains vous êtes. Même si Pagonidis doit me lyncher.

— Vous racontez tout à votre chef ?

— Tout ce qu'il finira par savoir, d'une manière ou d'une autre.

— Bon, ce ne sera pas si grave », prophétisa Steinbeck, qui pensait à présent à son propre supérieur.

Baby Hübner n'apprécierait guère son numéro de soliste. Mais il ne lui mettrait pas sérieusement des bâtons dans les roues. Steinbeck avait la réputation de savoir ce qu'elle faisait. Si elle prenait des vacances, c'est que cela avait un sens. Et tel était le cas.

Stirling passa un nouveau coup de téléphone. Les yeux levés vers le soleil, comme si là se trouvait son véritable chez-lui.

5

Une robe à trous

Steinbeck aurait parié que Stirling exagérait. Mais il n'avait pas exagéré. Spiridon Kallimachos défiait l'idée que l'homme avait été créé à l'image de Dieu. Sauf à supposer un dieu un peu toqué.

Steinbeck avait déjà vu une foule de détectives bizarres ou les connaissait par ouï-dire. Il y avait par exemple ce Chinois manchot[1], désormais rentré à Vienne. Et, bien sûr, dans la réalité comme dans la fiction ne cessaient d'apparaître des privés aveugles ou paralysés, des individus affligés de névroses et de mauvaises habitudes diverses et variées. Qui mangeaient sans arrêt du chocolat, se lavaient continuellement les mains ou pensaient trois fois par jour au suicide. Au mieux des ivrognes ou des chauffards.

Mais cet homme-là les surpassait tous. Il se traînait en descendant la rue, posant lentement une jambe énorme, aqueuse, presque submergée, devant l'autre, tandis que ses mains agrippaient fermement les poignées de son déambulateur. On

---

1. Allusion à Cheng, héros du roman *Sale cabot*. *(Note de la traductrice.)*

croyait entendre l'eau clapoter contre la paroi interne de ses jambes pendant qu'il marchait.

Le colosse tenait ses bras courts très droits, la masse du torse, quant à elle, penchait légèrement vers l'avant. Il était incroyablement gros. Cent trente kilos : l'estimation paraissait insuffisante. Mais cet homme était-il pour autant un phénomène de foire ? Non, ainsi que Steinbeck allait s'en apercevoir.

Quoi qu'il en soit, il était fourré dans un pantalon maintenu par des bretelles, qui avait logiquement adopté la forme d'un cornet de glace. Au-dessus de la chemise blanche, la tête était dépourvue de cou, complètement chauve, avec un de ces visages flous qu'on croit parfois discerner sur les planètes et les lunes. Nouvelle sensationnelle : un visage découvert sur Kallimachos.

Le gros homme avait aux lèvres une cigarette dont la fumée se répandait à droite et à gauche. Il lui fallut une éternité pour franchir la courte distance qui séparait son appartement du café dans le jardin duquel on s'était fixé rendez-vous. Et il lui fallut une éternité pour prendre place sur une chaise, haletant et transpirant. Aussitôt, il alluma une autre cigarette et inhala avec soulagement. Il examina Lilli de ses yeux injectés de sang, comme parsemés de piqûres de moustique, puis reporta son regard sur Stirling et articula quelque chose qui ressemblait à un poème de dix strophes ramené à deux mots. Très dense, très lourd, mais ce n'était plus un poème. Stirling répondit dans son grec précautionneux.

Alors le gros homme malade fit une chose à

laquelle Lilli Steinbeck ne se serait jamais attendue. Il posa sa cigarette dans l'encoche du cendrier, se leva au prix de souffrances visibles, se figea un instant, tel un pingouin saisi d'incertitude au bord d'un rocher, s'appuya sur la table, se laissa légèrement tomber en avant, prit la main de Steinbeck et la baisa avec la bienséance qui consiste à effleurer plus qu'à toucher. À exhaler son souffle chaud sur le dos de la main.

« Oh ! laissa échapper la dame ainsi saluée.

— Ce serait un plaisir, dit Kallimachos dans un allemand qui sortit sans l'aide d'un déambulateur, de travailler pour vous.

— Vous m'avez été recommandé par M. Stirling », se justifia Steinbeck.

Kallimachos sourit d'une bouche qui paraissait dépourvue de lèvres. Une bouche de squelette.

Alors que le détective se rasseyait, toujours avec la même lourdeur, Stirling se leva et tendit à Steinbeck une carte sur laquelle il avait noté son adresse, ajoutant :

« Si vous le souhaitez, vous pouvez continuer à loger chez nous.

— Volontiers », répondit Steinbeck.

Elle était contente de ne pas perdre Stirling de vue. Pour de multiples raisons. Et la réciproque était tout aussi vraie.

Le jeune policier adressa une courbette à Steinbeck, effleura le dos du détective obèse et rejoignit sa voiture garée au coin de la rue.

Kallimachos tira légèrement sur ses jambes de pantalon, remua la tête comme s'il huilait un mécanisme et dit :

« Je crois savoir que vous avez eu quelques problèmes avec une chauve-souris la nuit dernière. »

Steinbeck parla du poisson de la chauve-souris.

« Avez-vous senti une odeur de poivre ? s'enquit le gros homme.

— Pardon ?

— Du poivre », répéta Kallimachos.

Les yeux de Steinbeck se rétrécirent. Exact ! Il y avait eu quelque chose comme du poivre.

« Je n'ai pas eu le temps de mordre dans le poisson, raconta-t-elle, le type a été abattu avant. Mais ensuite, j'ai éternué. J'ai attribué ça aux bombes fumigènes. Or en y repensant, je crois que j'avais du poivre dans le nez. Pourquoi du poivre ?

— Le poisson était enduit d'une pâte poivrée, précisa le détective en allumant une autre cigarette.

— Comment le savez-vous ?

— Torture spéciale utilisée autrefois par l'armée. Une variante du traitement au poivre.

— Les parties génitales frottées au poivre, je connais, dit Steinbeck. Mais il n'a jamais été question de poisson. »

Un raffinement dans la perversion, expliqua Kallimachos. Rapport oral avec une bouche de poisson barbouillée de poivre. Très douloureux et si surprenant que l'impression créée est indélébile. Ce qui est le sens même de la torture. Si la victime en meurt, elle emportera ces images dans la tombe. Il ne faut pas qu'elle puisse oublier qu'elle a sucé le poisson au poivre de son bourreau. C'est encore plus valable pour les gens qui restent en vie. Il n'existe pas un marché ni un restaurant où il n'y ait de poisson, des poissons dans les livres, dans les films, sur les affiches, comme emblèmes. Impossible d'échapper au souvenir.

« J'ai entendu dire, fit Steinbeck, que vous aviez vous-même pris part à des séances de torture.

— Je m'y connais », déclara Kallimachos.

Ce qui ne constituait pas une vraie réponse. Il demanda :

« Vous voulez toujours que je travaille pour vous ? »

Steinbeck réfléchit. Que penser de cette montagne de chair éléphantiasique qui fumait sans arrêt ? L'homme semblait bien informé. Après tout, c'était ça qui comptait.

« Oui, répondit Steinbeck. Je veux que vous m'accompagniez. Que vous ouvriez les portes que je ne peux pas ouvrir toute seule. Combien demandez-vous ?

— Pour ouvrir des portes ? Rien. Je ne veux pas d'argent.

— Mais encore ?

— Une promesse.

— C'est-à-dire ?

— Que vous détournerez les yeux quand je vous le demanderai.

— Détourner les yeux de quoi ?

— Si je vous le disais, je n'aurais pas besoin d'insister.

— Je suis policière, comme vous le savez. Il me serait difficile de cautionner quelque chose d'illégal.

— Comment ça ? objecta Kallimachos en expulsant un nuage qui s'attarda un moment au-dessus de la table, tel un petit orage. Stirling m'a expliqué

86

que je devais vous considérer comme une personne privée.

— Oui, soupira Steinbeck. Stirling a raison.

— Alors où est le problème ? D'ailleurs, nous n'aurons peut-être pas besoin d'en arriver là. Mais le cas échéant, je voudrais juste que vous regardiez brièvement ailleurs. Voilà tout.

— Et vous ne me direz pas pourquoi ?

— Je vous dirai seulement que c'est pour la bonne cause.

— Les salauds qui torturent prétendent eux aussi que c'est pour la bonne cause, non ? »

Kallimachos ne réagit pas. Il attendait.

« Bon. Adjugé, décida Steinbeck. Je ferai la morte. Une fois, pas plus.

— Ce sera suffisant, déclara le gros homme.

— Bon », répéta Steinbeck.

Était-elle sérieuse ? Était-elle effectivement prête à laisser advenir une chose qui n'aurait sans doute pas grand rapport avec un baisemain exécuté à la perfection ? Qui aurait plutôt…

Steinbeck demanda une cigarette. Kallimachos lui tendit le paquet et lui donna du feu. Tous ses gestes s'accompagnaient d'un halètement qui semblait monter des profondeurs d'un puits. Son corps était une usine à l'ancienne. Une usine qui crachait, fumait et vrombissait sans rien produire. Pour l'instant.

« Bon ! retentit la voix de Kallimachos. Alors, de quoi s'agit-il ? »

Steinbeck lui raconta la disparition de Stransky, la pomme « étourdissante », l'espèce éteinte du Grand Pingouin, puis en vint à Diplodokus, mais sans le nommer. Elle parla de l'homme d'affaires qui, une décennie plus tôt, avait abordé Stransky, l'avait invité au *Blue Lion* et lui avait offert une figurine de Batman à la fin de la soirée.

« Je comprends, dit Kallimachos. Vous voyez là un rapport. Un rapport avec votre rencontre de la nuit dernière.

— Je ne crois pas au hasard, expliqua Steinbeck. Je crois aux relations. Si on n'arrête pas de tomber sur Batman, c'est que cela a un sens.

— C'est vous la cliente. C'est vous qui décidez ce qui a un sens.

— Parfait. De toute façon, je n'aime pas beaucoup qu'on me force à entendre raison », répondit Steinbeck.

Elle déclara que, pour commencer, il fallait établir l'identité de l'homme d'affaires.

« Nous ne savons pas grand-chose, objecta le détective. Ou plutôt non : nous ne savons rien. »

Steinbeck rétorqua :

« Nous connaissons le nom du restaurant où il a invité Stransky.

— Le *Blue Lion* n'est pas précisément bon marché.

— Je ne suis pas ici pour économiser l'argent, répliqua Steinbeck.

— Bon. Mais qu'espérez-vous trouver là-bas ?

— Je ne sais pas. Parfois, il suffit juste d'attendre patiemment à un comptoir de bar. Si c'est le bon. Le reste s'ensuit.

— Comme vous voudrez. Faisons comme ça, dit Kallimachos. Je propose vingt et une heures. Je serai à l'entrée.

— Vingt et une heures ! Seigneur, c'est l'heure à laquelle je comptais me coucher.

— Arriver plus tôt serait inutile. Nous ne sommes pas à Mannheim ici, nous sommes à Athènes », rappela Kallimachos, qui savait sans doute de quoi il parlait.

Il se leva à la manière d'un rocher qui se hausse par à-coups dans les airs sous l'effet d'une force magique, attrapa son déambulateur et se propulsa en fumant et en soufflant jusque chez lui. Steinbeck le suivit du regard en secouant la tête. À sa propre intention. Comment avait-elle pu s'acoquiner avec un individu pareil ? Insensé.

À présent, elle était seule. On aurait pu à tout moment lui loger une balle dans le crâne. Pourtant, elle était persuadée qu'il ne s'agissait pas simplement de la mettre hors circuit. C'était un jeu. Son instinct le lui disait, et parfois elle l'écoutait. (L'instinct est un bon ami, tantôt il a raison, tantôt non, mais ses intentions sont toujours bonnes.)

Elle commanda un ouzo. Elle y avait pris goût. Le goût d'un alcool impur, même si celui qu'on servait en cet endroit était loin d'égaler le breuvage de Samos. Mais cela allait. On ne pouvait pas toujours avoir ce qu'il y avait de mieux. Pas dans une vie normale.

Tout en commandant un deuxième verre, elle saisit son portable et appela Baby Hübner. Son supérieur était déjà informé. Il lui demanda ce qui lui prenait.

« Je crois que je dois y aller.

— Aller où ?

— Affronter les désagréments de cette affaire.

Autrement dit, cesser d'opérer en tant que fonctionnaire en service pour le faire en qualité de civile.

— Les civils n'opèrent pas, proclama Baby Hübner.

— Même en vacances, on n'est pas en vacances, répliqua Steinbeck.

— Je crains de ne pas vous comprendre, collègue.

— Cela ne me paraît pas nécessaire, non plus. »

Baby Hübner détestait ce genre de conversation. Il donna donc rapidement sa bénédiction et, en guise de conclusion, pria Steinbeck de se comporter comme une grande fille. Il était déjà assez fâcheux qu'il dût accepter ses vacances, il n'allait pas en plus l'autoriser à mettre des bâtons dans les roues à la police grecque.

« Faites-moi confiance », dit Steinbeck, à l'instar de ces soldats qui affirment : je serai rentré à Noël.

Steinbeck passa l'après-midi au musée national d'Archéologie. Elle consacra une partie de son temps à dormir en face d'une divinité réduite à une musculature humaine en bronze. Ce fut un bon somme de deux heures, qu'elle effectua le torse droit, les jambes croisées, sans être dérangée. Elle ne donnait pas l'impression de dormir, mais de réfléchir. Après quoi elle se sentit un peu échauffée. Sans doute avait-elle rêvé. Et c'était une bonne chose. Rêver, c'est comme transpirer. Pas toujours agréable, mais il n'y a pas d'autre solution.

En sortant du musée, elle se promena dans la ville et finit par entrer dans une de ces boutiques terriblement chics qui doivent être des vaisseaux spatiaux échoués. Ce qui, en règle générale, vaut aussi pour les vendeuses : des extraterrestres, polies à l'occasion, mais arrogantes.

Steinbeck resta une bonne heure dans la boutique. À cet égard, elle était assez typiquement femme. Et elle ne se sentit pas gênée d'être accompagnée par une petite Asiatique affichant un nez pointu et de fausses taches de rousseur, qui s'efforçait de lui décrire par le menu chacun des articles. Comme si Steinbeck était aveugle. Comme si un nez abîmé suggérait une vue déficiente. Quoi qu'il en soit, au terme de cette heure, de cette belle heure passée dans un air rafraîchi, Lilli Steinbeck acheta une robe fabuleuse, dont la taille se composait exclusivement de trous de dimensions variées — allant de l'extrémité d'un doigt d'enfant à la pièce de cinquante centimes —, percés dans le tissu étroitement ajusté. Un tissu couleur de pâte à pain. En apparence, la robe était maintenue par deux fines bretelles, mais en réalité par les seins de Steinbeck, petits et d'autant plus fermes. Comme on l'a dit, il y avait une foule de trous, qui, curieusement, produisaient un effet de miroir. Oui, c'était comme si l'on pouvait se reconnaître en de multiples aperçus circulaires sur la peau claire de Steinbeck.

Steinbeck garda la robe sur elle tandis qu'on enveloppait celle qu'elle portait en arrivant. Elle plaça le petit paquet dans son sac. C'était une des raisons pour lesquelles elle préférait l'été, même à Athènes, à toute autre saison. On pouvait changer de vêtements à l'instar d'un caméléon.

À neuf heures précises, Lilli Steinbeck sortit du taxi, qui s'était arrêté devant le bâtiment de l'hôtel

M 31. Être ponctuel à l'étranger constituait véritablement tout un art. Mais où donc était Kallimachos ?

Elle ne l'identifia pas tout de suite. Pas seulement parce qu'il avait abandonné son déambulateur au profit d'une canne laquée noire. Mais plutôt parce que l'homme lui-même était transformé. Il était vêtu d'un smoking, un smoking extrêmement seyant, qui conférait à sa silhouette corpulente un aspect compact, droit et digne. Le crâne chauve avait l'air poli, le visage n'affichait plus la mine harcelée et suante qu'il avait eue à midi, il était moins flou, les traits ressortaient davantage, la bouche était plus pleine, plus lippue. En outre, Kallimachos arborait à présent des lunettes aux verres jaune pâle, qui ombrageaient d'une manière ensoleillée ses yeux injectés de sang. En réalité, ce fut la cigarette sortant du milieu de la bouche que Steinbeck reconnut aussitôt. Il n'y avait qu'une seule personne pour fumer ainsi, sans même toucher au mégot ni le repousser au coin des lèvres.

« Vous me rappelez Orson Welles », dit Steinbeck en guise de salut.

Kallimachos ouvrit la bouche, si bien que sa cigarette tomba à terre, telle une tuile. Il fit derechef un baisemain à Steinbeck, murmura quelque chose au sujet de sa robe qui lui allait à ravir, et lui demanda ensuite de quel Orson Welles elle voulait parler.

« De l'acteur, répondit Steinbeck.

— Je voulais dire dans quel film ?

— Dans aucun film. Plutôt quand il a reçu son oscar d'honneur.

— Merci », fit Kallimachos, et il désigna de sa canne l'entrée de l'hôtel.

Concernant le *M 31*, on ne dira pas grand-chose et on ne se répandra pas en critiques. Pas plus qu'à propos du *Blue Lion*. Il existe en effet des endroits hideux, qui sont pomponnés comme s'ils cherchaient à tout prix à harponner un galant. C'est pénible, mais on n'y peut rien. Et les tarifs sont en conséquence.

Steinbeck crut s'apercevoir que Kallimachos n'était pas un inconnu en ces lieux. Moins parce qu'il était l'objet d'attentions que pour la raison inverse : il affichait une indifférence totale, qui s'adressait donc aussi aux gestes d'empressement et de servilité.

Ainsi protégés des importunités, Steinbeck et Kallimachos rejoignirent le bar, où ils s'assirent sur des tabourets surélevés. Le détective au prix d'efforts considérables, comme on peut l'imaginer. L'inventeur de ces chaises, quel qu'il soit, n'avait pas pensé aux Spiridon Kallimachos. La plupart des designers sont minces, Dieu sait pourquoi, et leurs meubles sont à leur image. Kallimachos réussit tout de même à s'installer. Certes, son postérieur débordait notablement du siège. Mais l'endroit se prêtait admirablement à une vision d'ensemble du restaurant bien rempli. Ni Steinbeck ni Kallimachos n'avaient envie de manger. Tous deux étaient des buveurs classiques, pas des alcooliques, des buveurs qui se satisfont de quelques Martini. Et il existe de très minces comme de très corpulents buveurs.

Steinbeck commanda ledit Martini, Kallimachos

un bourbon dont Steinbeck n'avait jamais entendu parler : *najmoHwl'* — ce qui signifie quelque chose comme « berceuse ».

« Et maintenant ? demanda Kallimachos.

— On attend. »

Ils parlèrent de Mannheim, mais la discussion ne décollait pas. Ils passèrent alors à Orson Welles, qui constituait manifestement un meilleur sujet. Entre-temps, le restaurant s'était complètement rempli. Beaucoup d'hommes d'affaires apparemment, en majorité des Grecs. Les messieurs plus âgés que les dames. On était assis sur des chaises qui avaient l'air de porter des peignoirs lie-de-vin. L'ambiance était bonne. Le personnel évoluait d'un pied léger dans les allées. L'ensemble avait quelque chose d'une aimable effervescence. Une effervescence de gourmets.

Derechef, Kallimachos évoqua l'absurdité de leur entreprise :

« En dehors du fait que nous ignorons totalement qui est notre homme et même à quoi il ressemble, il serait peu vraisemblable qu'il ait choisi ce soir pour venir ici.

— Je ne serais pas là si ce n'était pas vraisem-blable, répondit Steinbeck. D'ailleurs, je suis per-suadée qu'on me surveille. Pas seulement la police, mais aussi les gens qui ont eu l'amabilité de m'en-voyer un pervers d'homme masqué.

— Grotesque, siffla Kallimachos entre les brèches de sa bouche à cigarettes.

— Même le grotesque demande à être pensé et défini, expliqua Steinbeck. C'est comme ça que fonctionne notre société.

— J'espère que vous n'êtes pas une gauchiste, dit Kallimachos.

— J'espère que vous n'êtes pas une chauve-souris », rétorqua Steinbeck.

Ce qui lui donna une idée.

« Je reviens tout de suite », déclara-t-elle, et elle quitta la pièce pour se rendre aux toilettes des dames. Là, elle s'enferma dans une cabine, sortit son portable de son sac et composa le numéro que Stavros Stirling lui avait donné.

« J'ai une faveur à vous demander, commença-t-elle.

— Un instant », répliqua Stirling.

On entendait très distinctement les cris du petit Leon. Et la voix irritée d'Inula. Sur ce, on ferma une porte et les braillements s'affaiblirent.

« Que voulez-vous ? » demanda Stirling.

Lui aussi était irrité.

« Cessez de vous énerver, conseilla Steinbeck. Quand toute cette histoire sera finie, je vous montrerai comment calmer votre enfant.

— Pourquoi pas tout de suite ? fit Stirling, qui n'en croyait pas un mot.

— Parce qu'on ne peut pas tout faire en même temps. Alors écoutez. Appelez le *Blue Lion* dans cinq minutes et demandez un M. Batman. Expliquez que ce n'est pas une plaisanterie, que vous êtes de la police et qu'il s'agit d'une affaire urgente. Il est absolument certain qu'il y a au restaurant un homme de ce nom.

— Qu'espérez-vous ?

— Contentez-vous de faire ce que je vous dis.

— Bon, répondit Stirling, fatigué.

— Et n'oubliez pas, quand tout sera fini, je vous aiderai. »

Pour un peu, elle aurait cru elle-même à ses paroles.

Sans un mot de plus, elle mit fin à la communication, sortit de la cabine et se plaça devant le miroir, rajusta d'infimes détails sur l'édifice complexe de ses cheveux savamment relevés, puis regagna le bar où l'attendait déjà un autre Martini. Dans cette ville, l'alcool semblait littéralement s'évaporer.

« Très attentionné », reconnut-elle. Elle but une gorgée et se détendit. Mais seulement pour se retrouver, quelques minutes plus tard, dans un état d'extrême concentration. Kallimachos ne la dérangea pas, il voyait qu'elle avait à faire.

Un des serveurs — sans apporter de plat, sans avoir été appelé, affichant une attitude et un regard de désolation totale — était entré dans la salle et passait d'une table à l'autre pour demander aux clients s'il se trouvait parmi eux un M. Batman.

Steinbeck vit quelqu'un rire et répéter le mot « Batman ». Visiblement, ce n'était pas son nom. Ni celui de qui que ce soit d'autre dans la salle. Personne ne s'appelait Batman, ni même Bateman, comme le héros du roman *American Psycho*. Mais là n'était pas l'essentiel. C'était un message. Et le message parvint à son destinataire.

Leurs regards se croisèrent. Le regard de Steinbeck et celui d'un homme assis en assez nombreuse compagnie.

Le serveur était aussi passé à cette table en s'excusant, pour s'enquérir d'un M. Batman. D'un geste brusque, un homme grisonnant, dans les soixante-cinq ans, avait levé la tête et tourné les yeux vers Lilli Steinbeck. Il avait aussitôt compris son erreur, mais il était trop tard. Et comme il était bon perdant, il adressa un sourire à Steinbeck, hocha la tête d'un air appréciateur et appela le garçon d'une invite de l'index pour lui donner un ordre.

« Bon, dit Steinbeck avec satisfaction, maintenant nous avons enfin rétabli un peu de fair-play.

— Comment ça ? demanda Kallimachos.

— Quand on a deux personnes, il n'est pas juste qu'une seule d'entre elles connaisse l'autre sans que la réciproque soit vraie. »

Kallimachos ne comprit pas. Mais le garçon s'était déjà approché des deux clients du bar, il s'inclina comme s'il trempait son nez dans une mince coupe de champagne et transmit le message.

« On nous invite, traduisit Kallimachos. Le Dr Antigonis serait ravi que nous le rejoignions à sa table.

— Mais *oui** ! » s'exclama Steinbeck.

Le serveur fit un signe. Aussitôt on apporta deux chaises.

En l'occurrence, il se révéla fort utile que Kallimachos se déplaçât à une allure d'escargot, une main appuyée sur sa canne, l'autre s'accrochant à Steinbeck. Cela donnait le temps de parler de l'homme qui les attendait.

Qui était le Dr Antigonis ?

C'était une question à laquelle on ne pouvait répondre avec précision. L'homme était certes connu, mais d'une manière énigmatique. Il n'était

* Tous les mots en italique suivis d'un astérisque sont en français dans le texte.

pas de ceux qui monopolisent les gazettes. Au contraire. Son visage n'était pas familier du grand public. Les journalistes paraissaient l'éviter. On cultivait la discrétion. On ne forçait ni sur la louange ni, évidemment, sur la critique à l'égard du vaste empire industriel, diversifié jusqu'à en devenir méconnaissable, que dirigeait Antigonis. Le seul fait de notoriété publique, c'était que l'homme, tout grec qu'il fût, possédait une équipe française de football. Il n'était pas le président de cette troupe qui valait des millions, mais son propriétaire, comme on possède des chevaux de course ou une collection d'armes à feu dernier cri.

Il y avait aussi une femme, une épouse, mais que personne ne connaissait. On racontait qu'elle vivait retirée derrière les murs de sa propriété. Ajoutons que le Dr Antigonis n'avait jamais été vu avec une autre femme que celle avec laquelle on ne l'avait encore jamais vu.

Antigonis avait beau être un puissant homme d'affaires, il se tenait manifestement à l'écart de la politique grecque, comme de la française. On ne le voyait qu'avec des gens de son espèce, qui représentaient des ordres de grandeur impossibles à évaluer. Des personnes qui, par temps clair, restaient dans un épais brouillard. Même ce titre de docteur (docteur en quoi ?) demeurait mystérieux.

Le Dr Antigonis fit lui aussi un baisemain à Lilli Steinbeck. Il flottait sur cette affaire un parfum de XIXe siècle. Lilli le remercia en français de son invitation — après tout, il s'était approprié un sanctuaire du sport français. Puis elle présenta Spiridon Kallimachos. Les deux hommes se serrèrent la main en échangeant des regards de carnassiers bien élevés, qui ne commencent pas par arracher la tête à leur adversaire. Des carnassiers patients.

Les autres hommes firent un signe de tête, sourirent ; la seule femme présente, en revanche, ne broncha pas. Ce n'était pas une de ces pimbêches gloussantes qui fréquentaient habituellement le *Blue Lion*. Elle entrait plutôt, elle aussi, dans la catégorie des carnassiers, mais elle était plus sournoise que bien élevée. Sans doute secrétaire depuis un siècle.

« Je vous en prie, madame Steinbeck », dit Antigonis en invitant Lilli à s'asseoir à sa droite. Pendant ce temps, Kallimachos se laissait tomber, avec quelques halètements, sur la chaise de gauche. Il alluma une cigarette et, comme si l'on avait appuyé sur un bouton, sombra dans une petite phase d'inconscience, une sorte de coma officieux. En conséquence, sa cigarette se consuma jusqu'au filtre. La cendre forma un arc dangereusement courbe, mais stable. Un miracle arqué.

Pendant ce temps, on remplissait le verre de Lilli Steinbeck de quelque vin français atrocement vieux. Elle remercia, mais coupant court aux circonlocutions polies, demanda :

« Où est Georg Stransky ?

— *Mon Dieu** ! Très chère Madame ! N'est-ce pas un peu rapide ?

— Et *vous* ? Est-ce que vous avez attendu ? Je n'étais pas à Athènes depuis deux heures que je rencontrais déjà une chauve-souris. »

Les hommes assis à la table avaient repris leurs bruyantes discussions d'affaires, mi-sérieuses, mi-stupides. La carnassière se tourna vers son voisin.

Kallimachos resta plongé dans son coma. Steinbeck et le Dr Antigonis purent s'entretenir sans être entendus par les autres. Il en allait souvent ainsi. L'intimité et la sécurité n'étaient jamais mieux assurées qu'au sein du bruit et de l'activité, des raclements de fauteuils, des rires et du cliquetis des verres et couverts.

« Alors, répéta Steinbeck, où est Stransky ? Est-ce qu'il est encore vivant ?

— Je l'espère, répondit le Dr Antigonis. Croyez-le bien, nul n'a plus d'intérêt que moi à ce que M. Stransky échappe à la mort.

— Et pourquoi me collez-vous un pervers sur le dos ?

— Ce n'est pas vraiment ça. Voyez-le comme un test.

— Un test ? Ce type a failli me tuer.

— Mais non, je savais que notre police veillait sur vous.

— Pagonidis ? !

— Un abominable vantard, admit le Dr Antigonis. Mais on peut être sûr qu'il ne fera pas de quartier. Il préfère donner l'ordre de tirer plutôt que d'essayer d'évaluer la situation. L'évaluation, il la fait après coup. Une évaluation qui légitime sa décision de tirer. Cet homme a toujours été comme ça.

— Mais pourquoi tant de cérémonies ?

— Question de style, expliqua très sérieusement Antigonis. Le style justifie le déploiement d'effets. Sans style et sans effets, rien n'aurait de sens. La vie serait un sac de pommes de terre.

— Et Georg Stransky ? Pourquoi lui ? Puisque vous ne voulez pas me dire où il est.

— Je ne sais pas où il est, pas exactement, hélas. Il serait pourtant dans son intérêt que je le découvre rapidement.

— Je répète : pourquoi lui ?

— Parce qu'il m'a plu. Enfin, il m'a plu parce qu'il avait l'air normal. Et de fait, c'est quelqu'un d'on ne peut plus normal. Je choisis toujours des gens normaux. Leurs actes sont beaucoup plus prévisibles. Bien plus que ceux des individus qui se jugent exceptionnels. On ne peut pas se prononcer sur les mégalomanes. Même ceux qui sont des monstres se mettent soudain en tête de devenir des saints. Ces gens-là sont prêts à tout.

— Est-ce à dire que vous avez choisi Stransky au hasard ?

— Non, justement pas. À ceci près que ce choix n'est pas lié à un contexte immédiat. Stransky est un homme que j'ai croisé dans la rue et qui m'a plu visuellement. Et j'ai vite compris qu'il était allemand. J'ai un faible pour les Allemands.

— Pourquoi ?

— Eh bien, disons à cause de leur ténacité. Même les types normaux sont des coriaces. Ce n'est pas qu'un cliché. Mais je serai franc : si, dans les dix cas, j'ai choisi des Allemands, c'est par pur caprice. Tout comme j'admire les femmes rousses. J'ignore pourquoi. »

Steinbeck était rousse. Aussitôt elle précisa :

« En réalité, je suis brune.

— Cela n'a rien à voir avec ce qu'on est *en réalité* », répliqua le Dr Antigonis en regardant Steinbeck avec plaisir.

Elle était tout à fait son type, en dépit du nez. Car

101

il était futé, ce docteur en quelque chose, cet homme qui vivait dans son propre brouillard. Il n'était pas de ceux qui auraient eu l'idée d'offrir à Steinbeck une opération du nez.

« Les rousses et les chauves-souris. C'est ça votre style ? » demanda Steinbeck.

Elle avait du mal à oublier qu'Antigonis lui avait envoyé l'homme masqué.

« Il s'agit d'un symbole, madame Steinbeck. En ce qui concerne la figurine de Batman, j'entends.

— Stransky en a reçu une. Les autres aussi, je présume.

— Je vois que vous êtes bien renseignée.

— Pas autant que je le souhaiterais. Pourquoi Batman ?

— Si je vous révélais tout, très chère amie, vous cesseriez d'être ce que vous êtes, une criminaliste. Une exploratrice de mondes inconnus.

— Bon. Mais il faudrait tout de même que vous m'aidiez un peu », déclara Steinbeck en faisant un clin d'œil.

Ses cils vacillèrent comme s'ils voulaient déclencher une tempête de sable. Mais n'est-ce pas ce que veulent les cils ?

« Comme je l'ai dit, rappela Antigonis, j'ai choisi Stransky, mais je ne sais pas où il est. Du moins pas exactement. Et c'est bien dommage. Stransky est mon avant-avant-dernière chance. Pas étonnant que je sois un peu nerveux.

— Mais de quoi parlez-vous ?

— C'est un jeu, tout est un jeu. On a tendance à l'oublier.

— Quel jeu précisément ?

— Je vous passe les dessous de l'affaire. Voici ce dont il s'agit : en 1995, j'ai choisi dix personnes. Au fond, j'aurais tout aussi bien pu prendre dix noms quelconques dans l'annuaire téléphonique. Mais cela n'aurait pas été approprié à la situation. Ni au travail de la police, à *votre* travail, madame Steinbeck. La police a besoin de structures, c'est son droit. Et comme je ne suis pas un froussard, j'ai donné une structure à ce choix. Je n'ai retenu, comme je le disais, que des Allemands, des hommes, pas des touristes mais des personnes qui séjournaient à Athènes pour des raisons professionnelles, et, avant tout, des gens normaux. Et j'ai pris mon temps, quasiment neuf mois, pour aborder chacun d'entre eux et, au terme d'une soirée toujours agréable, faire à mon invité la surprise d'une figurine de Batman.

— On n'a retrouvé aucune figurine sur les cadavres, objecta Steinbeck.

— Bien sûr que non, même si chacune des victimes l'avait sur elle au moment de mourir. Mais ces figurines sont des pions : si, un jour, elles se retrouvaient toutes entre les mains de mon adversaire, cela signifierait que j'ai perdu. Et pas seulement moi.

— On dirait un jeu d'échecs.

— C'est un jeu d'échecs, confirma Antigonis. Il me suffirait de sauver un seul de ces dix hommes pour gagner. Ou, disons, pour ne pas perdre, ce qui revient parfois au même dans la vie.

— Il y a déjà sept chauves-souris qui ont disparu.

— Exactement. Et donc, chère madame Steinbeck, si je vous ai un peu effrayée, c'était aussi pour vous inciter à me trouver.

— Je me disais bien que vous vouliez être trouvé, déclara Lilli. C'est une de mes théories de prédilection. Que tous les criminels sont attirés par la police.

— Vous êtes de parti pris, répliqua Antigonis, cela me déçoit un peu.

— Ne perdons plus de temps ! l'exhorta Steinbeck. Que dois-je faire ?

— Trouver Stransky avant que quelqu'un d'autre n'y parvienne. Et le ramener chez lui avant qu'on ne le tue.

— Je le ferai volontiers, mais pas pour *vous*.

— Il faudra tout de même le faire un petit peu pour moi, que vous le vouliez ou non. Alors, que décidez-vous ? »

Steinbeck acquiesça. Une autre réponse aurait été déraisonnable. Finalement, elle n'avait rien en main contre ce Dr Antigonis. Du reste, les gens qu'on avait *en main* ne valaient pas grand-chose. Sauf si l'on désirait les torturer.

Antigonis, qui sirotait son verre de vin avec autant de soin que s'il calculait la trajectoire d'une orbite ou comptait les petits cailloux dans un des anneaux de Saturne, expliqua que Stransky, après son enlèvement, avait été conduit à Sanaa, la capitale du Yémen.

« Et pourquoi pas Gotham City ? » ironisa Steinbeck.

Mais le docteur précisa que le choix du lieu relevait encore plus du hasard que celui des personnes. Georg Stransky avait été laissé dans un endroit « tiré au sort ».

« Qui l'a laissé là ? demanda Steinbeck.

— Un arbitre impartial, disons. Quelqu'un dont la tâche consiste à organiser l'enlèvement, sans émotion mais non sans fantaisie, et à convoyer la victime jusqu'à son point de départ.

— Et ensuite ?

— Ensuite, l'arbitre se retire et abandonne l'homme — nous le surnommons, très logiquement, le Batman —, abandonne le Batman, donc, à son sort. Lequel consiste à être pourchassé par un groupe et protégé par un autre. Il faut commencer par le localiser. Les deux camps savent juste qu'il est à Sanaa.

— L'autre camp, votre soi-disant adversaire, va donc essayer de tuer Stransky.

— Oui, de ce point de vue, ils ont la tâche beaucoup plus facile. Quelques balles, et un nouveau pion de gagné. Nous, nous sommes chargés de reconduire l'homme chez lui. De le livrer à domicile, vivant.

— Qui ça, "nous" ?

— En fait, moi-même. Et toute une bande de gens dont je loue les services à l'occasion, des gens qui ne se soucient guère de savoir qui les paie, du moment qu'ils sont payés. Non que je sois satisfait de cette racaille mercenaire. Il y a eu sept morts. Ces types se prétendent gardes du corps, mais ils sont beaucoup plus doués pour tuer que pour protéger. C'est tout le dilemme de l'industrie de la sécurité. Comme si l'on pratiquait l'élevage de saumons en faisant appel à des aigles de mer. Difficile, extrêmement difficile. Voilà pourquoi, très chère, je m'entretiens avec vous.

« — Vous voulez que je travaille pour vous.

— Vous êtes en vacances, ai-je entendu dire. Et les vacances, on peut les passer aussi bien à Sanaa qu'à Athènes. Il y a autant de poussière là-bas qu'ici.

— Il y en a sûrement davantage à Sanaa. Et il y fait plus chaud.

— Pas nécessairement. Sanaa est située à deux mille mètres d'altitude. Les nuits peuvent être très froides. Vous devriez emporter une veste. Et peut-être aussi changer de robe.

— Allons bon ! Vous croyez que quelques trous sur le ventre provoqueraient un scandale ? »

Comme si la question avait été posée sérieusement, Antigonis expliqua qu'une étrangère qui respectait les coutumes du pays — qui ne se croyait pas obligée de se balader en jupe courte, ce qui, dans cette culture, équivalait à sortir en petite tenue —, qu'une femme avisée, donc, se débrouillait plus facilement qu'un homme lui aussi étranger, à qui certains domaines restaient fermés en dépit de l'hospitalité des Yéménites. Par exemple, la possibilité de parler aux femmes.

« Je ne sais pas, s'insurgea Steinbeck. Je n'ai jamais eu beaucoup de goût pour ce qui est arabe. Encore moins pour l'islamisme. Se représenter Dieu sous les traits d'un petit bourreau, c'est insultant — pour Dieu. Pas étonnant que là-bas, il garde ses distances.

— Ah, c'est intéressant ! s'étonna Antigonis. Vous croyez vraiment que Dieu habite quelque part ?

— Si c'est le cas, il vivrait dans un monde sécularisé où on ne l'humilie pas en permanence. Imaginez que vous soyez un grand mathématicien et qu'on vous apporte sans arrêt les équations les plus triviales. Vous n'aimeriez pas mieux un endroit où l'on ne fait pas de mathématiques, mais où l'on ne vous couvre pas non plus de honte ? »

Antigonis souffla par le nez. Puis il déclara :

« Peu importe. On ne vous demande pas d'écrire un guide de voyage sur le Yémen. D'ailleurs nous devrions nous hâter.

— Est-il certain, demanda Steinbeck, que Stransky soit encore vivant ?

— S'il était mort, je le saurais. L'autre camp ne perd jamais beaucoup de temps. On ignore encore où se trouve Stransky. Sanaa n'est pas un petit village.

— En tout cas, l'arbitre le sait, lui.

— Exact. Mais l'arbitre est intouchable. Vous savez sûrement ce qu'est un carton rouge.

— À éviter », répondit Steinbeck, bien informée.

Et comme elle savait aussi qu'il n'était pas conseillé d'accepter une passe quand on se trouvait derrière la défense ennemie, elle regagna sa place en disant :

« Bon. Je pars pour Sanaa.

— Parfait ! » s'exclama Antigonis, ravi.

Il remplit leurs verres, plongea la main dans la poche intérieure de sa veste et en sortit un porte-monnaie allongé en cuir noir, qu'il posa sur la table devant Steinbeck. Celle-ci avait de bons yeux. Elle distingua les contours du logo bien connu de la chauve-souris, dont le bleu très sombre se détachait sur le fond noir.

« Ces bandes dessinées m'ont toujours paru

innommables et répugnantes, commenta-t-elle tout en prenant le porte-monnaie et en le fourrant dans son sac à main. Au début, ces superhéros avaient l'air vêtus de pyjamas. Aujourd'hui, ils ont un uniforme qui fait sado-maso. Mais hier comme aujourd'hui, on est constamment dans le sexuel et le peu ragoûtant. »

Le Dr Antigonis garda le silence. Il ne céda pas à la provocation. Steinbeck passa donc aux détails pratiques :

« Quand dois-je partir ?

— Demain matin. Bien sûr, je pourrais vous faire voyager en jet privé. Mais ce serait voyant, et donc pas très raisonnable. D'ailleurs vous allez à Sanaa en tant que touriste, n'est-ce pas ? Vous ferez escale au Caire.

— Dommage. J'aurais bien aimé prendre un jet privé. J'aime le gaspillage de place, dit Steinbeck. Mais encore une chose. Comment pouviez-vous savoir que je serais ici ce soir ?

— Cela me paraissait vraisemblable étant donné que… Non, je n'en étais pas absolument certain. Mais si vous n'étiez pas venue, j'aurais au moins su que vous n'étiez pas faite pour ce travail. Cela demande tout de même de la vivacité. »

À ces mots, il jeta un bref regard au somnolent Kallimachos et déclara :

« Cet homme est inénarrable. Que comptez-vous faire de lui ?

— Je voudrais l'emmener. Au Yémen.

— Vous plaisantez.

— Pas du tout. M. Kallimachos est détective. C'est pour cela que je l'ai engagé.

— Mais parce qu'il est grec, j'imagine. À défaut d'autre chose. Et puis je vous ai déjà dit qu'au Yémen, un homme — même sans canne — serait un obstacle.

— C'est mon problème. M. Kallimachos m'accompagnera... ou je ne pars pas.

— Quel est le sens de tout ça ? rétorqua Antigonis.

— Vous en avez de bonnes ! C'est vous qui parlez de sens alors que vous jouez à un jeu abstrait avec des pions vivants ? »

Antigonis se déroba :

« Il faudrait que je réserve une place pour notre corpulent ami.

— Vous y arriverez, ne vous en faites pas. »

Steinbeck toucha brièvement la main de son interlocuteur comme si elle le flattait.

Le Dr Antigonis grimaça, adressa un ultime regard à l'homme qui dormait sur sa gauche, puis reconnut sa défaite.

Steinbeck déclara comprendre Kallimachos. « Moi aussi, je dormirais bien. »

Elle se leva, s'approcha du détective, lui posa la main sur l'épaule et pressa doucement, mais en même temps sans trop de douceur, l'extrémité de ses doigts sur le muscle recouvert de graisse. Kallimachos revint à lui en gémissant et saisit sa cigarette. L'arc de cendre se brisa enfin, car même les miracles ont leurs limites.

L'homme ainsi privé de cigarette se réveilla et cligna des yeux dans le jaune de ses lunettes. Il tourna la tête vers Steinbeck et demanda à l'instar d'un patient :

« C'est fini ?

— Oui, partons. Nous devons faire nos bagages. »

Kallimachos ne posa pas d'autres questions. Il se redressa à l'aide de sa canne, plus vite que d'ordinaire. Mais pas assez vite pour tranquilliser ne serait-ce qu'un peu le Dr Antigonis. Dans cette situation, le gros détective handicapé lui paraissait surréaliste. Banalement surréaliste, comme des montres molles ou des girafes en feu.

Le Dr Antigonis ne pouvait deviner à quel point il était proche de la vérité. Car à défaut d'être une girafe en feu, Kallimachos était une baleine ignifugée. On n'allait pas tarder à s'en apercevoir.

Bien trop tard à son goût, Steinbeck frappa chez les Stirling. Les braillements de l'enfant auraient pu servir de plaque sur la porte. Ce fut Inula qui ouvrit. Elle n'avait pas le nourrisson dans les bras, elle examina Lilli de très bas, comme si son regard devait se tordre en arrière pour passer sous un bâton de limbo avant de remonter jusqu'à l'Autrichienne. Oui, c'était le regard limbo d'une personne harcelée, fatiguée, furieuse, à qui l'on plaçait la barre de plus en plus bas.

Tout en regardant Steinbeck de la sorte, Inula se poussa légèrement sur le côté pour la laisser entrer. Lilli était suffisamment mince pour pouvoir emprunter l'étroit passage sans nuire à son allure distinguée.

Elle se rendit au salon, où Stavros était en train d'éloigner l'enfant hurlant de son épaule et de lui confectionner un siège à l'aide de ses paumes de main et de son avant-bras afin que le petit Leon pût observer son environnement. Mais il y avait tout bonnement trop de larmes pour qu'il fût possible de distinguer quoi que ce soit. Et c'est ainsi qu'un nouveau désastre s'ajouta au précédent, de sorte que seul l'épuisement total apparaissait désormais comme une solution. On en était encore loin.

« Passez-le-moi », ordonna Steinbeck. Ce fut un réflexe. Elle était tout sauf une nounou expérimentée ou aimante. C'était plutôt le réflexe d'une femme épuisée, prenant un problème en main au sens littéral du terme. Mais manuellement très malhabile. Elle tenait l'enfant comme un tonnelet de bière, et ce à l'instar de quelqu'un qui n'aime pas la bière. Aussitôt Inula se précipita et voulut lui arracher son petit. Leon fut encore plus rapide que sa mère. Il avait instantanément cessé de crier, mais pas, comme on aurait pu le penser, pour repartir de plus belle une fois surmonté le choc passager d'une odeur nouvelle, non, il laissa retomber sa petite tête, qu'il ne soutenait d'ailleurs plus qu'à grand-peine, contre la joue de Steinbeck, ferma les yeux et sombra avec un petit halètement — un minuscule halètement à la Kallimachos — dans un paisible et profond sommeil. Une libération ensommeillée.

Les parents restaient là comme frappés par la foudre. Pourtant, c'était simple. Il en allait comme avec ces chats qui préfèrent se blottir contre les gens qui n'aiment pas les chats. Non qu'ils les torturent ou les affament, c'est juste qu'ils n'éprouvent pas une grande sympathie à leur égard.

Lilli Steinbeck était dépourvue d'instinct maternel. Elle n'était rien d'autre qu'une enveloppe vide, un refuge transparent. Pour l'instant.

Après un moment de confusion, Inula et Stavros

Stirling acceptèrent cette faveur soudaine du destin, marmonnèrent quelque chose d'incompréhensible et se retirèrent dans leur chambre à coucher où tous deux — aussi promptement que leur enfant — s'endormirent.

Le monde dormait. Seule Lilli Steinbeck, la femme qui se couchait d'ordinaire à neuf heures, veillait sur lui.

« Est-ce que je suis folle ou quoi ? » se demandat-elle. Mais elle s'autorisa aussitôt un sentiment positif. La situation n'était pas si terrible. Elle s'installa sur le canapé rouge orangé, plaça l'enfant à côté d'elle de sorte que la petite tête reposait contre sa cuisse, s'essuya pour se débarrasser de la sueur et se couvrit d'un drap mince. Elle se renfonça dans son siège et appuya sa nuque contre le rebord mou et rond du dossier. Puis elle s'endormit à son tour.

Parfois, le monde s'éteint, tout simplement. Parfois, il règne une paix absolue.

En l'occurrence, la paix fut plutôt de longue durée. Quatre heures plus tard, l'enfant se réveilla en criant. Ce qui est coutumier chez les enfants de six mois. Pas de quoi se fâcher. Pas après quatre heures de bon, de vrai sommeil. Parfois ce sommeil est la meilleure chose que l'existence puisse offrir.

Lilli Steinbeck se sentait elle aussi reposée quoique ce fût la seconde fois de suite qu'elle s'était endormie ou plutôt qu'elle avait rattrapé son retard de sommeil en position assise. Inula était apparue dans la pièce avec un doux sourire — qui s'adressait aussi bien à son enfant qu'à Steinbeck —, elle avait récupéré Leon et lui avait donné le sein. Pour une fois, il était si reposé qu'il avait pu téter sans son agitation habituelle.

On prit ensemble le petit déjeuner, puis Lilli passa une bonne demi-heure sous la douche. Elle se masturba posément, dans le respect de son corps. Quand elle atteignit l'orgasme, elle éprouva le même sentiment que devant un appartement rangé.

« Il faut que j'aille à l'aéroport », déclara-t-elle en sortant de la salle de bains. Elle avait changé sa robe à trous pour un tailleur pantalon noir à col montant. Elle arborait une de ces paires de lunettes de soleil Chanel qui font des yeux de chouette, et un foulard rouge sombre et or vif avec un motif qui ressemblait à un palais fortement compressé. Autour du cou et des épaules, elle avait un fichu du même style, juste marqué de quelques rayures vertes : le parc du palais. Elle était chaussée de souliers noirs pointus, plutôt bas et solides, et portait des chaussettes noires. Au poignet, une montre qui ne se détraquait pas juste quand on soufflait dessus. Sur l'épaule, un sac de cuir couleur purée de pois cassés, dans lequel — outre l'habituelle flasque de whisky — elle avait rangé une paire de gants noirs en soie. Ainsi que le porte-monnaie de forme allongée que le Dr Antigonis lui avait remis. Elle avait aussi préparé une petite valise, une valise vraiment petite, comme celle que Grace Kelly montre à James Stewart dans *Fenêtre sur cour* pour le convaincre qu'elle a du sens pratique et dissiper sa prévention contre le mariage. Il va de soi que Lilli Steinbeck, à l'inverse de Mme Kelly, n'avait pas mis dans cette valise une insipide chemise de nuit, révélatrice d'un esprit borné, et de ridicules pantouflettes, mais quelques objets garantissant un minimum d'hygiène et de résistance aux intempéries.

On pourrait donc dire que Lilli Steinbeck était fin prête pour son séjour au Yémen. Cela répondait à un principe professionnel : mieux valait s'adapter trop tôt que trop tard à une situation nouvelle pour éviter ensuite de céder à une regrettable précipitation. Avant de monter dans l'avion à destination du Caire, elle n'aurait plus qu'à mettre une jupe. Elle n'avait pas pour autant l'intention de se voiler. À Dieu ne plaise. Il importait évidemment d'affirmer sa position d'Occidentale sûre d'elle, voire un brin autoritaire. Mais dans le cadre d'une étiquette qu'on pouvait plus ou moins respecter. Or Steinbeck tenait à la respecter au plus haut point. Après tout, elle n'était pas un démon envoyé par Allah pour mettre ses fidèles à l'épreuve.

Pourvue de son équipement yéménite, elle déclara :

« Il faut que j'aille à l'aéroport.

— Pourquoi donc ? » demanda Stirling.

À la lumière, ses yeux évoquaient une couche de glace sous laquelle luisait quelque chose qui pouvait être aussi bien un cadavre qu'un tronc d'arbre.

« Je pars pour le Yémen, à Sanaa. J'y trouverai peut-être Stransky.

— Au Yémen ?

— Ce n'est pas ce que vous pensez. Ce ne sont pas les Yéménites qui l'ont enlevé.

— Ah non ?

— Sanaa joue le rôle d'une sorte de trou de départ. J'espère seulement que Stransky n'est pas en train d'y crever pendant que je vous parle. »

Stirling expliqua d'une petite voix qu'il trouvait très dommage que Steinbeck les quitte, lui, sa femme et Leon, alors qu'elle s'entendait si bien avec l'enfant.

« Je ne m'entends pas bien avec votre enfant, Stavros. Quand vous aurez pigé ça, vous aurez fait un grand pas en avant.

— Peut-être, rétorqua Stavros d'un ton de défi. Mais votre départ soudain est un coup dur. »

Steinbeck se sentit comme une madone qui, hélas, ne peut pas être partout à la fois. Mais c'était un sentiment agréable. Elle se préférait en madone active plutôt qu'en criminaliste active. Ou alors en criminaliste madone. Elle dit :

« Je règle cette affaire et je reviens.

— À Athènes ?

— Oui, de toute façon, il faudra bien que je dépose Kallimachos.

— Quoi ? Vous le prenez avec vous ?

— Évidemment, je viens juste de l'engager.

— Mais…

— "Mais" rien du tout », trancha Steinbeck.

Elle embrassa Inula, embrassa le hurlant Leon, gratifia Stavros d'un regard d'encouragement maternel et quitta l'appartement.

La plupart du temps, bien sûr, le monde n'est ni mort ni en paix. Mais dans tous les cas, il reste d'une relative petitesse. L'après-midi de ce même jour, Lilli Steinbeck sortit des toilettes pour dames de l'aéroport du Caire où elle s'était rafraîchie avec un jet de 4711 et avait remplacé son tailleur pantalon par une longue jupe noire. Bien sûr, le pantalon aurait pu aussi cacher ses jambes, mais leur forme sûrement pas.

« À présent, vous êtes parfaite », dit Kallimachos, qui s'appuyait des deux mains sur sa canne et se dressait, telle une barrière, au milieu des passagers pressés. Il était vêtu d'un complet gris sombre, sous lequel semblait se manifester une légère ébullition. Toute l'eau de son corps bouillait et, avec elle, la viande. Bouillonnait à petit feu. Kallimachos était un consommé de bœuf ambulant. Sur son crâne glabre, il avait posé un chapeau noir de toile rigide. Ses yeux continuaient de regarder au travers de ses lunettes jaunâtres. Une chose manquait : la cigarette. Interdiction de fumer ! Ces aéroports étaient des lieux maudits. Un jour viendrait où l'humanité y entamerait son voyage en enfer.

Mais ce temps-là n'était pas encore venu. Le temps où les panneaux afficheraient « purgatoire » au lieu des patelins habituels. Dont Sanaa.

Steinbeck et Kallimachos furent les derniers à monter dans l'avion, une machine impeccable, où il n'y avait presque que des hommes d'affaires. On se rendit en première classe. Bien sûr, le siège était trop petit pour Kallimachos. Une chance que Lilli pût lui céder un petit bout du sien. Cela rappelait un peu les jours qui raccourcissent pour que les nuits rallongent. Il régnait là une certaine perfection.

Cependant Kallimachos demanda, sur un ton de mur écroulé :

« Vous croyez vraiment que c'est une bonne idée de m'emmener ? Je vous gênerai. En permanence. Nous arriverons toujours trop tard.

— Vous n'allez pas vous y mettre, vous non plus, protesta Steinbeck.

— OK. Je ne dis plus un mot. Nous transpirerons, nous gèlerons, nous nous décarcasserons pour dégoter une goutte d'alcool. Mais ainsi va la vie. »

Lilli Steinbeck eut un sourire amer. Oui, cette histoire d'alcool ne se présentait pas très bien. Du moins si l'on s'éloignait des hôtels. Cela étant, les vrais buveurs arrivaient toujours à leurs fins. Où que ce soit dans le monde.

Lilli prit une gorgée de café et regarda par la fenêtre. En bas s'étendait la côte ouest de la péninsule arabique, qui resplendissait comme une denture tout juste polie, où brillait çà et là une dent en or. Steinbeck ne connaissait cet endroit que par les photos-satellite. Un désert où l'on avait planté des tours de forage dont on tirait aux yeux du monde une légitimité discutable. Une existence pétrolifère. Mais avec Sanaa la yéménite, ce serait différent : située en altitude, entourée de montagnes, arriérée, culture du poignard recourbé et vieille ville magique. Et, quelque part, un homme nommé Stransky, qui s'étonnait sûrement de se trouver là où il était.

6

Au pays des grosses joues

Quand on sort d'un profond évanouissement, on se retrouve comme au jour de sa naissance. Qu'on ait glissé hors du ventre maternel, brisé un œuf ou qu'on se soit extrait d'un cocon. Que, depuis lors, on gagne péniblement sa croûte sous la forme d'un être humain, d'une tortue ou d'un papillon. Après un évanouissement, une anesthésie, c'est toujours comme au commencement. Le monde est flou. Ensuite, quelqu'un tourne les boutons, l'image s'éclaircit, le son se précise, l'air se rafraîchit. La vie entre en scène comme un de ces animateurs survoltés qui trouvent que tout est formidable et merveilleux. Et nous avons beau être encore ignorants, nous n'y croyons pas. D'emblée, nous doutons. Cela fait de nous, êtres humains, tortues ou papillons, des créatures sensibles, mélancoliques et tristes. Des pessimistes de la première seconde. Et ce qui est terrible, c'est que nous avons raison.

Tout était encore indistinct, l'image comme le son. Georg Stransky se sentait comme un plongeur dont le masque s'est embué. Il se débattit intérieurement et émergea enfin à la surface, hors du ventre, de l'œuf, du cocon. Le monde était un écran plat. En tout cas, la première chose sur laquelle tomba son regard fut une vitre oblongue où une troupe de petits points trottinait en formant sans arrêt de nouveaux aperçus de la réalité. Une réalité dépourvue de papillotements, qui montra tout d'abord un cyclone filmé de très haut, décrivant des cercles progressifs. Puis la catastrophe provoquée par le cyclone, le raz-de-marée, les inondations, les maisons détruites, les images familières de voitures emportées, tels des fétus, par des flots torrentueux. Toujours ces voitures, comme si rien n'était plus propre à manifester la disparition de la normalité. Il va de soi qu'une Ford Taunus, par exemple, nous parle plus qu'un mort inconnu. La Ford Taunus, nous la connaissons très bien, au moins de vue.

En bas de l'écran de télévision défilaient des signes écrits, nouvelles du jour, cours de la Bourse, températures, ce genre de choses probablement. Stransky crut rêver. Ce qu'il voyait, c'étaient des lettres arabes. En plus, la voix du commentateur avait cette rapidité et cette véhémence de feu d'artifice qu'un auditeur peu averti pouvait interpréter comme l'expression d'une excitation levantine. Des intonations explosives, évoquant la destruction par le feu d'un drapeau américain.

Stransky détourna les yeux de l'écran semblable à un miroir. Il se trouvait dans une pièce dont les murs blanchis à la chaux brillaient comme un marsouin encore humide. Le sol était littéralement pavé de tapis richement ornementés comme s'il n'y avait pas véritablement de sol, mais juste ce déploiement de tapis raides, de « tapis volants » si l'on veut, ce qui aurait justifié l'impression d'une absence de sol. Par une lucarne en demi-cercle pénétrait une lumière colorée, qui formait un petit feu au milieu de la pièce. De grandes nattes équipées de coussins et de couvertures avaient été poussées contre les murs. Sur les coussins et les couvertures, des hommes et des enfants. Quand les adultes virent que Stransky était réveillé, ils dirent quelque chose qui ressemblait à « Allah et ses vassaux ». Mais à coup sûr, ils parlaient arabe. Sans doute le saluaient-ils, tout simplement.

Ce qui déconcerta Stransky au plus haut point — outre le fait qu'il ne se trouvait manifestement pas dans son salon —, c'était que les visages sombres des hommes montraient une joue notablement enflée. Droite ou gauche, cela paraissait indifférent. Au début, Stransky crut y déceler quelque chose d'extraterrestre, des Martiens orientaux. Puis il pensa à une maladie. Mais tandis qu'il recouvrait peu à peu ses esprits, et donc sa faculté de concentration, et que la crainte le quittait, car après tout les hommes présents le regardaient d'un air amical, il distingua le mouvement de mastication qui élevait et abaissait ces joues nullement enflées mais plutôt bien remplies. C'est alors qu'il remarqua le sac plastique transparent qui contenait un fagot de branches feuillues. On vit son regard, on fut content. Il y eut des commentaires, qu'il ne comprit pas, bien entendu. Personne, en ces lieux, ne semblait maîtriser de langue étrangère. Pendant ce temps, les images télévisées avaient été ramenées à un rôle purement décoratif. Négligées, elles se fondaient dans une tapisserie murale abstraite, brodée d'or. Elles-mêmes devenues tapisserie. La réalité se réduisait à un motif dépourvu de signification.

Le voisin de Stransky, un vieillard juvénile, tira une branche du sachet et en ôta les feuilles. Il tambourinait brièvement contre chacune d'elles, comme s'il toquait à une porte minuscule. Il laissa tomber quelques-unes des feuilles, quant aux autres, celles qui paraissaient avoir réussi l'examen, il les tendit à Stransky.

« Khat, pensa Stransky, ça doit être du khat. » Dans le livre d'un collègue qui traitait des oiseaux du nord du Yémen, il avait lu un passage sur ce stupéfiant, sur ces feuilles minces et tendres qu'on mâchait et dont la sève, par l'intermédiaire de la salive, pénétrait à une vitesse appréciable dans le système nerveux central. L'homme qui se soumettait à ce traitement gagnait tout de suite en amabilité à l'égard de la vie. Et donc aussi à l'égard des épreuves diverses imposées par Allah. D'où cet éternel problème : Dieu, sous quelque forme et où qu'il se manifestât, était toujours entouré de fuyards. Quand les gens ne fuyaient pas dans l'alcool, l'argent, le sport, etc., ils avaient recours à des stimulants comme ce khat. Partout la fuite, même chez les fondamentalistes. Partout des gens qui se cachaient pendant que Dieu comptait jusqu'à mille.

Stransky dit : « Khat. »

Quelqu'un le corrigea, prononçant le mot d'une autre manière, plus compacte, plus massive, tout en faisant un signe de tête approbateur.

On encouragea Stransky à goûter la plante. Il eut un sourire semblable à un anneau — si l'on se représente la forme de l'anneau comme un sourire sans fin —, introduisit quelques feuilles dans sa bouche et mâcha prudemment. Elles avaient un goût... eh bien, elles avaient un goût de feuilles conçues pour être consommées par des chèvres.

Les hommes discutaient entre eux, mais s'adressaient aussi de façon répétée à Stransky, lui tendaient une bouteille d'eau. Il remerciait, les régalant de son sourire en anneau. Si désespoir il y avait, il nichait dans ses yeux. Mais les hommes ne voyaient pas ses yeux. À l'inverse des enfants, qui s'approchaient de lui à tour de rôle et le considéraient avec étonnement pendant que les adultes agitaient les bras. Stransky ne savait pas si c'était une façon de pousser les enfants vers lui ou de les chasser. Les petits garçons se comportaient un peu comme des poules, des poules joviales. En revanche, le visage des fillettes avait quelque chose d'insolent et de provocant. Et même si c'était une pensée qu'on n'avait pas le droit de penser *en ces termes*, pas quand on était un homme comme Stransky, celui-ci se dit que ce serait peut-être une bonne chose que ces regards disparaissent bientôt sous un voile. Cela étant, ces regards ne cesseraient pas pour autant d'exister. L'insolence pas plus que la provocation.

Non, on ne nourrissait pas de pensées de ce genre quand on était professeur dans une université occidentale. Encore moins lorsqu'on pouvait se prévaloir des expériences les plus satisfaisantes avec les femmes. Sa merveilleuse épouse, sa merveilleuse fille...

« Où suis-je ? » demanda Stransky en transférant les feuilles mâchées dans sa joue droite. Il répéta la question en anglais et en français. Ce faisant, il désignait de l'index le sol sur lequel il était assis, ou du moins le tapis qui constituait ce sol. En guise de réponse, il entendit quelque chose qu'il comprit aussi mal que ce qui avait précédé, mais où filtrait constamment le terme « Allah », un peu comme lorsque les acteurs de films américains soulignent toutes leurs phrases d'un « *fuck* », que les Souabes profèrent un « donc » superfétatoire, les habitants du Vorarlberg un « pas vrai ? » encore plus superfétatoire, tandis que les petits enfants appuient leurs commentaires d'un « hein » préalable.

Quoi qu'il en soit, le khat commençait à agir. Stransky songea qu'il participait sans doute à une expérience qui consistait à ne pas savoir qu'il s'agissait d'une expérience. Un de ces stupides pré-requis visant à placer les gens dans des situations extrêmes à la seule fin de découvrir qu'ils sont incapables de les affronter. Il avait dû se sentir une fois de plus dans l'impossibilité de dire non et se proposer comme cobaye avant qu'on ne truque sa mémoire. Pour tester le comportement d'un professeur méritant. Eh bien, ils s'y casseraient les dents. Stransky résolut de ne pas céder à la provocation, quelles que fussent les péripéties déconcertantes auxquelles il serait exposé. Car, cela va de soi, il fallait s'attendre à pire que de mâcher quelques feuilles et d'entretenir un dialogue de sourds avec des hommes portant de longues chemises, des foulards palestiniens et des petits poignards recourbés.

Dans un premier temps, toutefois, les enfants furent renvoyés de la pièce tandis que les hommes s'installaient sur les tapis pour prier. L'obscurité était tombée, quelqu'un avait allumé une lampe placée dans un récipient de laiton, qui dispensait la lumière comme s'il s'agissait d'une troupe d'elfes bourdonnants. À l'extérieur, on percevait les cris d'encouragement du muezzin. Ce beuglement traditionnel se trouvait en flagrante contradiction avec la recommandation du Coran d'adopter une voix mesurée. D'être un homme poli jusque dans son volume sonore. Bien sûr, si les appels à la prière étaient aussi bruyants, c'était pour que tout le monde les entende. Y compris Dieu, qui se trouvait sans doute quelque part dans le coin en train de compter jusqu'à mille, et à qui ces hurlements devaient casser les oreilles.

Mais cela ne semblait gêner personne. C'est pareil dans toutes les religions. On veut absolument se sentir quelqu'un de bien, et ce de la manière la plus simple, la plus facile et la plus banale possible. La prière est la boisson gratuite qu'on offre aux adeptes d'une confession.

Stransky ferma les yeux et ne pensa plus à rien pendant un moment. Désormais, le khat déployait tous ses effets. Stransky n'était pas habitué à cette substance, il avait l'estomac vide. Une douleur se répandit dans son crâne. Un point névralgique, qui étirait ses tentacules. Pas très agréable.

Mais cela passa. Comme la prière. Ensuite, on changea d'endroit. On monta à l'étage supérieur, dans une pièce similaire, mais qui n'avait pas de télévision. En revanche, le sol était couvert de plats en cuivre contenant des mets qui lançaient de vifs éclats. Des aliments composant un véritable tableau de commandes, une foule d'indicateurs de carburant et d'horloges de bord. Avec du riz et des galettes. Mais d'abord, on servit du thé. Stransky commençait à s'impatienter. Il voulait enfin manger. Il imagina qu'une partie de l'expérience consistait peut-être à le priver de nourriture solide. À lui en donner juste un aperçu.

Cette peur se révéla infondée. La pièce accueillit d'autres invités et, au bout d'un moment, on donna le signal du départ. Alors tout alla très vite, les hommes piochèrent dans les plats comme s'ils prélevaient des morceaux de corps. Des chirurgiens doués d'une grande dextérité. Dissection de masse. Stransky les imita, se servant uniquement de sa main droite. La nourriture était excellente, mais pas renversante au point de laisser craindre un piège. Son estomac se remplit, sa faim disparut. Ce fut un moment agréable.

Ensuite, encore du thé, encore du khat, et, plus tard, une dernière prière. Au moment de se coucher, on redescendit à l'étage inférieur. L'hôte fut invité à regagner la natte sur laquelle il était sorti de son évanouissement. De nouveau il était entouré d'hommes. Ceux-ci faisaient leurs préparatifs pour dormir. Avec tout cela, Stransky n'avait pas vu une seule femme adulte. Non, bien sûr. Les femmes logeaient dans une autre partie de la maison, elles s'occupaient des enfants, avaient préparé le repas, mâchaient du khat comme les hommes, discutaient, se querellaient et regardaient le monde extérieur sans elles-mêmes être vues. Oui, elles restaient invisibles. Leur invisibilité rendait en quelque sorte visibles leur fonction et leur importance. Comme ces nains qu'on ne voit jamais et qui rangent ou dérangent tout pendant la nuit. Fantomatique.

Aussi fantomatique que le fait, pour Stransky, de se retrouver seul au sortir d'un long sommeil. La pièce, toutefois, était la même. Il reconnut le téléviseur, la lampe, les tapis. La lumière du jour pénétrait par la lucarne et par les fentes des persiennes. Mais il n'y avait personne. Stransky percevait tout de même un brouhaha assourdi qui venait de l'extérieur, de la rue. Si effectivement il y avait une rue et non une salle d'expérimentation équipée de haut-parleurs diffusant une cacophonie orientale.

Il lança quelques « holà », puis se leva de sa couche. Ce ne fut pas sans mal, il porta la main à son dos comme une petite vieille et poussa un gémissement.

« Saleté de khat », songea-t-il. Mais il était injuste.

Au milieu de la pièce, il aperçut un sac à dos sur lequel était fixée une feuille de papier avec une inscription en grosses lettres maladroites, mais bien lisibles :

VA ! ET DIEU AVEC TOI

On avait sûrement voulu dire : et *que* Dieu *soit* avec toi. Stransky n'en sourit pas moins à l'idée d'être renvoyé en compagnie de Dieu.

Il ouvrit le sac à dos, un machin moderne comme on en trouve dans ces programmes de survie pour gens incapables de rester sur le sentier et qui se mettent sans arrêt en danger, souvent d'une manière passablement infantile. Par exemple en traversant des cours d'eau au plus mauvais endroit, en escaladant des montagnes par la face exposée aux intempéries, en provoquant des avalanches ou en excitant des bêtes sauvages et surtout en entreprenant des voyages dans des régions aux infrastructures catastrophiques, comme s'il n'était pas déjà suffisamment risqué de randonner dans le Tyrol ou l'Allgäu.

Il est vrai qu'en règle générale, dans le Tyrol et dans l'Allgäu, on n'a pas besoin d'arme. Or ce fut une arme que Stransky tira du sac à dos. Il ignorait tout de ces instruments. Mais le pistolet paraissait neuf et tout à fait à la page. Métal léger, display, crosse avec revêtement anti-transpirant, quelques petites options dont une mini-lampe de poche de la taille d'un briquet. L'objet portait un nom en lettres arrondies, bleu ciel : *Verlaine*. Verlaine ? ! Ce n'était pas le type qui avait tiré sur Rimbaud ? Qui l'avait blessé, mais sans le tuer ? Bizarre de donner à un pistolet le nom d'un tireur malchanceux.

Quoi qu'il en soit, la présence de cette arme déstabilisa Stransky. Après quelques tâtonnements, il constata que le chargeur était plein, ce que le display aurait pu lui apprendre, mais c'était comme avec ces montres digitales dont on ne savait jamais si elles indiquaient la pression atmosphérique, le degré d'humidité de l'air ou si elles essayaient juste de vous rappeler une date d'anniversaire. Sans parler de l'heure.

En tout cas, Stransky disposait à présent d'une arme professionnelle et prête à l'emploi. Le sac à dos renfermait aussi un couteau polyvalent, une boussole, un foulard avec un imprimé de La Mecque, un livre qui était sans doute un coran en langue arabe (très utile), une liasse de dollars retenus par une bande élastique, une bouteille d'eau, deux paquets de biscuits ainsi qu'un récipient contenant des choses séchées que Stransky, avec la meilleure volonté du monde, ne parvint pas à identifier — il referma aussitôt la boîte comme pour empêcher un esprit de s'échapper. Malheureusement, il n'y avait pas de téléphone portable.

Stransky remit les affaires dans le sac à dos en plaçant l'arme tout au fond. Avec la conscience d'agir de façon raisonnable. Puis il prit le sac. Il regarda une dernière fois autour de lui et reconnut sur l'écran toujours allumé, toujours privé de son, le visage d'une vedette anglaise de football dont on annonçait le transfert imminent dans un club français. Stransky s'attarda encore quelques instants, les yeux toujours fixés sur l'Anglais souriant, après quoi il quitta la pièce et l'appartement. Empruntant une cage d'escalier étroite, équipée de bouches d'aération de la grosseur d'un doigt, il rejoignit la rue.

7

En chaque Hollandais
se cache un Finlandais

Bon, manifestement, il ne s'agissait pas d'un
laboratoire expérimental. Mais d'une ville surmon-
tée d'une brume matinale argentée qui enveloppait
les sommets des vieux immeubles. Stransky savait
que les feuilles qu'il avait mâchées étaient d'un
usage courant au Yémen. Et logique oblige, c'était
une architecture d'origine arabe qu'il avait à présent sous les yeux. Des biscuits nappés de glaçage,
de superbes créations en pain d'épice. Il distinguait
aussi des minarets de mosquées d'une blancheur
éclatante qui égratignaient la brume. Brume qui se
dissipa une demi-heure plus tard, cédant la place à
un ciel bleu et à une journée torride.

Il ne vit aucun touriste qu'il aurait pu aborder,
dont il aurait pu solliciter l'aide. Solliciter l'aide
d'un touriste ? Il eut un rire involontaire. Les touristes se rendaient à l'étranger pour se faire aider
par des étrangers. Et non l'inverse. On l'aurait pris
pour un étudiant attardé, un toxicomane. Un type
complètement déboussolé.

Il y avait du mouvement dans la ville. Agitation
matutinale. L'habituelle présence d'hommes por-

tant turbans, poignards courbes et tuniques, mais aussi complets ou chemises de bûcheron. Rares femmes, fantomatiques. Plus fantomatiques encore que les animaux, qui restaient eux aussi dans le registre du sombre et du courbé. Et puis la poussière des 4 x 4 et des vélomoteurs.

Stransky avait l'impression qu'on l'ignorait, comme on ignore un client de restaurant au lieu de le jeter dehors. Cela dit, quand il entra dans un troquet où il y avait du monde, on ne fit pas comme s'il n'existait pas. Deux jeunes hommes lui cédèrent une table. Il les remercia de son sourire en anneau et s'assit.

Il lui fallait absolument un café. Or, ici, on en servait. Il passa commande en employant d'abord le terme allemand. Il cria « *Kaffee !* » comme s'il agitait un drapeau blanc.

Soudain, un homme surgit à ses côtés, un Blanc de grande taille au visage marqué par les excès, qui donna un ordre au patron. Puis, se tournant vers Stransky, il lui demanda — dans un allemand de Hollandais — s'il pouvait s'asseoir à sa table.

« Je vous en prie », l'invita Stransky en désignant une chaise libre. Il ajouta toutefois : Vous croyez peut-être que je ne suis pas capable de commander un café sans votre aide ?

— Parlez-vous l'arabe ?

— Non.

— Vous êtes bien mal préparé, constata l'homme, qui avait des cheveux blonds coiffés avec une raie et des sourcils presque blancs.

— C'est vrai, répondit Stransky. Pourtant, ce n'est pas dans mes habitudes.

130

— Rien à redire au sac à dos », déclara l'homme en examinant l'équipement high-tech.

Ses petits yeux fatigués paraissaient souffrir d'un excès de sable du désert ou de larmes. Disons plutôt de sable du désert.

« C'est un sac à dos d'excellente qualité », confirma Stransky en songeant que ce n'était sûrement pas un hasard si ce blondin entre deux âges l'avait abordé.

Le café arriva. Il était servi dans des tasses à moka dépourvues d'anse, sans sucre ni lait, mais mélangé à quelques herbes. La mixture sentait le cimetière, le cimetière européen, bougies et aiguilles de pin, terre fraîchement remuée, encens et compréhension tardive. Et elle avait un goût très amer. Amer, épicé et secrètement alcoolisé. En tout cas, après la première gorgée, Stransky se sentit redevenir un être humain. Il n'était plus un rat de laboratoire. Lui, le zoologue, était bien placé pour savoir de quoi il retournait.

Il réfléchit. Puis il ramassa le sac à dos, se leva et dit :

« Excusez-moi un instant.

— Il n'y a pas de toilettes ici, l'informa le blondin.

— Je voudrais juste téléphoner », répondit Stransky.

Monstrueuse ineptie, évidemment. On n'était pas à l'auberge des *Trois Betteraves* ni à la *Taverne de Herta*, avec un coin dédié à un appareil à pièces où l'on pouvait passer un coup de fil rapide chez soi. Le blond n'en acquiesça pas moins avec un sourire de compassion et s'abstint de tout commentaire.

« Connard », pensa Stransky. Il y avait une éternité qu'il n'avait pas eu ce genre de pensées. Mais cela le soulageait de pouvoir formuler intérieurement cette petite obscénité. Comme dans un film où proférer une grossièreté, c'était déjà faire la moitié du chemin.

Mais pourquoi se comporter ainsi ? Pourquoi fuir cet homme au lieu de lui demander de l'aide ? De s'enquérir où l'on était ?

Eh bien, premièrement, Stransky trouvait l'homme antipathique et, deuxièmement, il se croyait toujours — malgré la présence de la ville — dans une situation expérimentale. Dans un univers de laboratoire, en dépit de son réalisme. Et il va de soi qu'un cobaye se sent plus libre qu'un non-cobaye. Plus libre aussi de fuir alors que précisément, cette possibilité est exclue. Le cobaye ne prend rien au sérieux. En cela, il n'est pas très différent des électeurs.

Effectivement, le local n'abritait ni téléphone ni toilettes. Stransky atterrit dans une cuisine où un unique chef le regarda stupéfait avant de l'expulser avec un juron. Lui indiquant heureusement une porte sur l'arrière où Stransky accéda à une petite cour en pierre. Tout en haut, le ciel brillait.

« Ne le prenez pas personnellement, fit une voix à côté de lui.

— Je le prends on ne peut plus personnellement », répliqua Stransky, estomaqué par sa propre ironie.

Il faut préciser que le blond trapu, arrivé sans le moindre bruit par une minuscule ruelle, lui braquait un revolver sur la tempe.

« Bonne nuit, dit l'homme.

— Je ne suis pas fatigué, protesta Stransky.

— Moi, oui, ô combien ! Vous croyez que c'est drôle de flinguer les gens ? Au moins, quand il y avait des guerres…

— Mais il y en a encore, lui assura Stransky.

— Pas pour nous autres, répliqua le blondin.

— J'en suis navré pour vous.

— Vous vous foutez de moi ?

— Comment ça ? s'étonna Stransky. Je préférerais mille fois que vous soyez en train de faire la guerre plutôt que de braquer votre arme sur mon visage. Sans même que je sache pourquoi.

— Je vous l'ai dit, ça n'a rien de personnel.

— À quoi me sert-il de le savoir ?

— Vous en savez deux fois plus que ce qu'on sait généralement avant de mourir.

— Alors je devrais vous remercier de m'abattre sans rancune ? Vous êtes qui ? Un tueur dépressif ?

— Les autres m'ont toujours supplié de leur laisser la vie sauve.

— Quels autres ?

— Les autres, point barre.

— Et ça vous facilite les choses qu'on vous demande grâce en pleurnichant ? s'étonna Stransky, cherchant la caméra cachée qui enregistrait la scène.

— Oui. Les pleurnicheries, c'est énervant. Du coup, vous avez le sentiment de faire quelque chose de juste. Ou de pas complètement faux. Qui consiste à mettre un terme à des pleurnicheries.

— Désolé, dit Stransky, je ne pleurnicherai pas. Encore moins maintenant comme vous pouvez l'imaginer.

— Ç'a toujours été ma crainte, fit l'homme avec un soupçon de sanglot dans la voix. Il arrive un jour où l'on se retient d'appuyer sur la détente. Comme il arrive un jour où le médecin vous dit : cette fois, malheureusement, ça ne se présente pas bien.

— Vous n'en mourrez pas si vous n'appuyez pas sur la détente.

— Oh si !

— Alors vous devriez y réfléchir à deux fois », lui conseilla Stransky.

Il rappelait un de ces individus qui prennent sans broncher un serpent dans la main en croyant qu'on les a depuis longtemps privés de leurs crochets. Ce qui est faux. Le serpent est venimeux. Mais la non-chalance avec laquelle on le saisit impressionne l'animal, qui s'abstient de mordre.

« Comment vous appelez-vous ? » demanda Stransky.

Le zoologue voulait savoir s'il avait affaire à une couleuvre ou à une vipère.

Mais l'homme au revolver refusa de répondre. Pas tant, sans doute, pour des raisons pratiques que pour s'affirmer un peu face à sa victime. Une victime qui n'en était plus une car le blondin avait baissé son arme.

« Et maintenant ? demanda Stransky, qui n'éprouvait pas le soulagement attendu.

— Je n'ai pas tiré, constata l'homme, d'où il conclut : J'ai changé de camp. Par conséquent je dois vous protéger, et je ne serai même pas payé pour ça. On ne rémunère pas les imbécillités.

— Je pourrai peut-être m'acquitter sous peu de

134

ma dette. Je trouve nettement plus réjouissant d'être protégé que menacé.

— Vous avez un revolver ? s'enquit l'homme aux sourcils clairs, d'une blancheur de plumes d'oie.

— Dans le sac à dos, expliqua Stransky.

— Sortez-le de manière à pouvoir l'utiliser à tout moment. Et si je vous le demande, abattez-moi.

— Pourquoi devrais-je satisfaire à cette demande ? voulut savoir Stransky.

— Parce que *vous*, Stransky, on ne vous torturera pas. Si *vous* mourez, ce sera rapide.

— Plus rapide que notre conversation ?

— On ne se baigne pas deux fois dans le même fleuve, prophétisa le blondin. Dans mon métier, il n'y en a qu'un seul qui donne des signes de faiblesse. Jamais deux. Alors si on m'attrape, ça fera mal. Sacrément mal. Je m'en passerais volontiers. Par conséquent, si je n'étais plus en situation de m'assurer une fin rapide, vous seriez bien aimable de vous en charger dans la mesure de vos moyens. Pensez alors à ce que vous m'épargnez. Et à ce que vous me devez. Ma vie en échange de la vôtre.

— Je n'ai encore jamais tué personne.

— Je n'ai encore jamais laissé la vie sauve à personne.

— Jusqu'à aujourd'hui.

— Exact. Vous voyez qu'on change.

— Bon, s'il le faut, je le ferai, dit Stransky, comme on dirait : s'il le faut, je mettrai ça sur votre ardoise.

— Le revolver », lui rappela le blondin.

Stransky sortit l'arme du sac et se fit expliquer son maniement. Elle fonctionnait un peu comme un de ces appareils photo qui permettent au premier imbécile venu de réaliser un cliché potable. Bien sûr, il faut quand même choisir le sujet. Grosso modo.

« Et maintenant ? demanda Stransky en coinçant l'arme à l'arrière de sa ceinture de pantalon, où elle était dissimulée par la veste.

— Il faut que je vous ramène chez vous, expliqua l'homme. C'est de loin plus difficile que de vous tuer. Et de loin plus loin.

— Au fait, où sommes-nous ? »

Silence réitéré du blondin. Alors Stransky réactualisa une question antérieure. Celle qui portait sur le nom de son interlocuteur.

Le tueur qui avait changé de camp hésita. Il finit par répondre :

« Joonas Vartalo.

— Vartalo », répéta lentement Stransky.

Pour lui, ce nom évoquait désagréablement Waterloo. Il sonnait comme une funeste promesse.

« C'est flamand ? voulut-il savoir.

— Finlandais », expliqua le grand blond, dont les yeux inspectaient avec inquiétude les murs élevés.

Stransky fut surpris.

« Je vous prenais pour un Hollandais ou quelque chose d'approchant.

— Désolé, répondit Vartalo.

— Ce n'est pas grave », fit Stransky.

Il oublia de dire qu'il préférait de loin les Finlandais aux Hollandais. Stransky jugeait les Finlandais… il les jugeait un poil plus humains que les autres Européens. Pourquoi cela ? Parce que leur climat pouvait passer pour un châtiment ?

Il l'ignorait. Et n'eut pas l'occasion d'y réfléchir plus longuement. Joonas Vartalo le saisit par le bras et lui expliqua qu'il valait mieux ne pas s'attarder. En même temps, il glissa sa main libre sous sa chemise et en sortit un petit appareil, un émetteur ainsi qu'il le précisa. Un appareil qui indiquait sa position exacte aux gens pour lesquels il travaillait encore un instant plus tôt. Des gens qui n'étaient plus dans son camp et qui ne tarderaient pas à s'en apercevoir.

Vartalo poussa Stransky hors de la ruelle. Quand ils eurent retrouvé la ville et son animation, le Finlandais jeta le petit émetteur sur la plate-forme de chargement d'un camion qui passait et déclara :

« Bon, maintenant on peut y aller.

— Où ça ? demanda Stransky.

— Sur la côte. Nous devons quitter le pays. Il existe des endroits plus sûrs.

— Et si on prenait l'avion, tout bêtement ?

— Vous croyez qu'il s'agit d'une blague, hein ?

— Eh bien… c'est-à-dire…

— Attendez un peu, on va sûrement s'amuser », lui promit Vartalo.

Il conduisit Stransky jusqu'à une place de marché où ils montèrent dans un taxi. Une vieille Renault au volant de laquelle était installé un jeune gars dont les yeux sombres paraissaient avoir été polis au cirage. Sa joue droite abritait l'inévitable boulette de khat. Du rétroviseur pendait un bouquet de porte-bonheur. Peut-être le jeune homme conduisait-il à la grâce de Dieu.

Mais d'abord, il y avait quelques formalités à régler. Le chauffeur ne semblait pas d'accord. Vartalo ajouta un billet de banque à ceux qu'il avait étalés sur le tableau de bord. Cependant l'autre résistait. Sur quoi Vartalo reprit le dernier billet et le remplaça par un petit objet argenté. Assis à l'arrière, Stransky crut reconnaître un poisson, un cœlacanthe. En sa qualité de spécialiste des espèces prétendument disparues, il considérait un peu le cœlacanthe comme le porte-étendard d'une discipline qu'on aurait pu baptiser « Paléontologie, section des retrouvailles ».

D'un geste prompt, le chauffeur s'empara de l'objet argenté, il prit aussi les billets, réitéra son mécontentement, mais démarra la voiture.

« Qu'a-t-il, ce jeune homme ? s'enquit Stransky.

— C'est un comédien, expliqua Vartalo. Tous ces gens sont des comédiens. Tragiques, comiques… »

On partit. Ainsi qu'il fallait s'y attendre, le jeune homme conduisait comme si le monde, la rue et le moindre obstacle étaient un univers virtuel. Cela dit, cette ignorance du réel, du solide, se révélait d'une grande habileté. Il existe de bons joueurs de jeux vidéo. En plus, la radio diffusait un machin folklorique qui surpassait en étrangeté ce que des habitants de la Lune auraient pu produire. Le jeune homme chantait sur la mélodie, mais Vartalo l'arrêta en éteignant le poste d'un geste qui indiquait que c'était au bailleur de fonds de décider de l'accompagnement sonore.

On quitta la ville en direction du sud-ouest et on arriva dans un bassin entouré de montagnes. Désormais Stransky en avait la quasi-certitude : la ville qui disparaissait dans le rétroviseur était Sanaa, la capitale du Yémen, située en altitude et renommée pour son architecture.

Or Stransky n'était ni amateur d'architecture, ni orientaliste, ni même alpiniste. Il se pencha donc vers son guide finlandais pour l'interroger :

« Pourquoi Sanaa ? Qu'est-ce que je venais faire là ?

— L'endroit n'a aucune importance.

— Comment ça, aucune importance ?

— C'est le sort qui en décide.

— Le sort, répéta Stransky. Formidable. Je ne suis pas sûr de comprendre. Il s'agirait d'un jeu dont je suis le gagnant ?

— Le perdant, rectifia Vartalo.

— Allons bon !

— Ou plutôt une simple figure. Comment dit-on déjà ? Un pion.

— Un pion ? »

La voix de Stransky fit la culbute. Il était en colère. Ne l'oublions pas, il enseignait à l'université, publiait des livres entiers, était membre de divers comités, dont celui de sa paroisse. Il était habitué à ce qu'on lui témoigne du respect et de la considération.

Cependant les choses avaient changé. Contrairement à ce qu'il avait cru, il n'était pas un éminent sujet d'expérience qui s'était généreusement proposé, mais ce que l'homme qui n'était pas hollandais mais finlandais avait appelé un pion.

Le pion voulut alors savoir qui jouait contre qui.

« Des personnes qui ont les moyens de s'offrir ce genre de jeu, répondit Vartalo.

— Des personnes qui s'ennuient, conjectura Stransky.

— Je ne suis pas sûr que ce soit réellement de l'ennui. C'est sans doute plus sérieux. En tout cas, l'enjeu ne consiste pas uniquement à détruire une vie.

— Mais encore ?

— Je ne saurais dire. J'ignore même qui m'emploie en dernière instance. Ou plutôt qui m'employait. Cela étant, dans mon métier, ce n'est pas très important. Pour moi, tous les cochons se ressemblent. Ils ont tous un groin.

— Mais vous avez bien un chef, non ?

— Est-ce que ça vous aiderait si je vous disais que mon supérieur est un ancien membre des services secrets français ?

— Non.

— Voilà. Il y a longtemps qu'il n'est plus utile de savoir ce qu'a été Untel, où il a travaillé, pour qui, contre qui. Le monde a toujours été un jeu, mais ça devient de plus en plus évident. Tout comme l'insignifiance de ces prétextes qui ont pour nom "nation", "idéologie", "religion". Il n'y a que les moutons pour y croire encore. Quand une bombe explose quelque part, il y a une manœuvre derrière. Pas au sens figuré, au sens propre. On prend des pions, on les fait exploser.

— Alors vous aussi vous n'êtes qu'un pion, en déduisit Stransky.

— Oui, mais un pion qui s'est émancipé. Je suis

un pion surprise. Je n'ai pas sauté sur la case où j'aurais dû atterrir.

— Ma case.

— Exact.

— Et maintenant ?

— Je vous l'ai dit, si j'arrive à vous ramener vivant chez vous, auprès de votre femme et de votre fille, à vous rendre à la monotonie du quotidien, nous serons tous les deux sortis d'affaire. On nous laissera tranquilles. C'est la règle du jeu.

— Ah, la règle », répéta Stransky.

Ces derniers temps, il avait un peu tendance à répéter. Mais quel choix lui restait-il sinon celui de jouer au perroquet faute de comprendre ? La situation était nouvelle. Inhabituelle pour le scientifique qu'il avait été jusque-là. Métamorphose du scientifique en pion.

Le pion Georg Stransky se renversa sur la banquette et dut repousser son arme pour pouvoir s'asseoir confortablement. Il n'y avait pas pire qu'une arme dans un pantalon. Stransky secoua la tête et sourit sombrement. Tout cela n'était qu'une blague. Mais une blague réelle, malheureusement.

Quoi qu'il en soit, le paysage était magnifique. Par la vitre, Stransky voyait des cimes dentelées sur un fond de bleu intense qui semblait tout juste sorti d'un tube de peinture. Un bleu montagnard de toute beauté. Dommage qu'on ne fût pas en vacances. Car Stransky l'avait enfin compris : sa vie était en danger. Tout comme l'idylle de ce que le mercenaire finlandais avait appelé, non sans raison, la « monotonie du quotidien ». Stransky priait pour pouvoir retrouver cette monotonie, pour pouvoir oublier un jour qu'il avait, brièvement, été un pion.

Vœu pieux.

Les heures passèrent, telle une pâte qui lève. Le soleil dardait des piques horizontales et régulières lorsqu'on atteignit, à l'extrémité d'un flanc de montagne rongé de champs en terrasse, une petite localité déserte, accumulation défensive de tours en pierre établies dans la roche. La rue conduisait à une place circulaire, qui en constituait aussi la fin. À droite et à gauche se dressaient les bâtisses, dépourvues de tout ornement, en face la vue plongeait dans la vallée en contrebas. Le chauffeur de taxi gara sa voiture en plein milieu, comme s'il installait une fontaine sans eau.

Les trois hommes descendirent de la Renault cabossée. Le chauffeur s'appuya contre le capot et tira de sa poche un petit paquet de khat. Stransky et Vartalo franchirent la courte distance nécessaire pour contempler l'étroite vallée qui s'étalait à leurs pieds dans une brume blanchâtre.

« Qu'est-ce qu'on fait ici ? demanda Stransky.

— Une pause », expliqua Vartalo.

Il tendit à Stransky un paquet de cigarettes. Stransky avança la tête et lut le nom de la marque. Il eut un rire nasal. *Finlandia*. Seigneur, quel nom pour une marque de cigarettes, proposée par un Finlandais en plus ! Il y avait de ces coïncidences !

« Je ne fume pas, merci », dit Stransky en redressant la tête. Bien sûr qu'il ne fumait pas. Les gens de son espèce, qui menaient une vie parfaite, qui avaient toujours de la chance, s'interdisaient d'ingurgiter du poison. Se contentaient à l'occasion d'un peu de vin rouge. D'un peu de graisse lors des repas. Sans préjudice pour le règne de la santé.

Mais à quoi bon ? Stransky pressentait qu'au cours de ce voyage, il commencerait à fumer. Pour l'instant, il résistait encore, comme ces personnes qui prennent un comprimé effervescent dès qu'une grippe s'annonce. Pourtant on sait ce que valent ces comprimés. Ils font des bulles. En l'occurrence, le comprimé de Stransky consistait à refuser la cigarette offerte.

Vartalo haussa les épaules et alluma une Finlandia. Il inspira profondément la fumée, s'interrompit et l'expira tout aussi profondément sous la forme d'une pique horizontale. En réponse aux rayons du soleil. Puis il glissa la main dans la poche intérieure de sa veste de cuir et en sortit une arme qui était un peu plus simple que l'arme de poète ultramoderne de Stransky. Mais Vartalo était du métier, il utilisait un revolver qui obligeait à viser soi-même, à tirer soi-même sur la cible.

OK, fin du voyage, pensa Stransky. Le Finlandais ne l'avait donc conduit hors de la ville que pour le liquider là, dans cette localité déserte.

Stransky envisagea de sortir son arme. Mais c'eût été ridicule. Il préféra dire :

« Tout compte fait, je prendrais bien une cigarette.

— Plus tard, répliqua Vartalo.

— Plus tard quand ? » s'étonna Stransky.

Le Finlandais se dispensa de répondre, il se tourna à demi sur le côté, leva son bras armé et tira au centre de la place. La petite détonation qui sortit de l'intérieur du revolver résonna entre les murs comme une querelle confuse entre frères et sœurs. Le jeune chauffeur, qui était adossé à son taxi, bascula en arrière sur le capot puis rebondit vers l'avant. Avec un bruit mat, il s'affala sur la place la tête la première, sans avoir fait usage de ses mains pour amortir sa chute. Ses mains ne répondaient plus. Comme toute sa personne. Il resta à terre et ne bougea plus. Vartalo rangea son arme et reprit sa cigarette, qu'il avait déposée sur la rambarde. Très cool.

« Qu'est-ce que vous avez fait, bon Dieu ? s'exclama Stransky.

— C'est pourtant clair, non ?

— Vous avez abattu le gamin.

— Ce n'était pas un gamin, c'était un homme adulte », rectifia tranquillement Vartalo.

Il expliqua que le chauffeur de taxi était un membre de ce groupe pour lequel lui, Vartalo, travaillait encore il y a peu. Ce soi-disant gamin s'était étonné de devoir convoyer un Stransky bien vivant au lieu d'un cadavre. Qui plus est en direction de la mer Rouge, qui n'avait jamais été au programme.

« Votre *gamin*, railla Vartalo, n'aurait pas tardé à nous trahir.

— Pourtant il avait encaissé une belle somme, non ? rétorqua Stransky.

— Ce n'est pas pour ça qu'il nous aurait laissés tranquilles.

— Peu importe, vous n'auriez pas dû le tuer.

— J'aime le jugement des profanes, railla Vartalo. Quel est votre métier, monsieur Stransky ?

— Je suis zoologue.

— Est-ce que vous apprécieriez de discuter zoo-

144

logie avec moi ? Avec quelqu'un qui ne s'intéresse qu'aux animaux comestibles ? »

Stransky marmonna quelque chose d'incompréhensible, que lui-même ne comprit pas, et s'approcha du corps inerte. Il s'accroupit et contempla le grand trou qui s'étalait sur le front de la victime. Il en eut la nausée. C'était son premier mort. Tous les autres avaient été théoriques ou fictifs. Le cadavre le plus impressionnant qu'on pouvait voir à la télévision n'était rien comparé à la réalité. À ses pieds gisait un homme de vingt, vingt-cinq ans peut-être, qui avait cessé de respirer. Tout ce qui lui restait de vie était désormais caduc, tous les efforts déployés pour mettre cet individu au monde, pour l'élever, le nourrir et le protéger au moins pendant quelques années, apparaissaient à présent comme une entreprise inutile. Bien sûr, l'être humain était voué à mourir, mais quand cela survenait à un âge avancé, on avait affaire à un cercle qui se refermait de manière logique et correcte, un cercle, quoi. En revanche, un demi ou un quart de cercle, c'était une absurdité, un cercle qui n'était pas un cercle.

Agenouillé devant un de ces cercles absurdes, un de ces quarts de vie, Stransky éprouva un désespoir démesuré. Il se jugeait coupable de la mort du jeune homme. Son incapacité à expliquer ce sentiment ne l'atténuait nullement. C'était cette incertitude, justement, qui renforçait en lui l'impression d'être face à quelque chose de fondamental. Une responsabilité profondément enfouie dans son être même.

Ce qui n'était pas du tout le cas de Joonas Vartalo : lui faisait juste son boulot. Même si ce n'était plus celui pour lequel on l'avait payé initialement.

« Arrêtez de pleurnicher, l'exhorta Vartalo.

— Je ne pleurniche pas, répliqua Stransky, les larmes aux yeux.

— Comme vous voudrez », dit le Finlandais, ajoutant qu'il était temps de repartir.

Il saisit le mort sous les bras et le traîna jusqu'en bordure de la place, dans une zone d'ombre, laquelle, comme la plupart des ombres de ce pays, semblait littéralement engloutir les objets. Ces ombres rappelaient le goudron. Des rideaux de bitume.

Ressortant des ténèbres, Vartalo fit signe à Stransky de remonter en voiture. Lui-même prit place au volant et, arrachant la radio de son boîtier, il la jeta par la fenêtre.

« Vous ne trouvez pas que vous exagérez ? interrogea Stransky, faisant allusion au peu de goût de Vartalo pour les sonorités orientales.

— Ce que je trouve, c'est que vous êtes bien inconscient », rétorqua Vartalo.

Il savait que la radio avait été installée par ses anciens commanditaires.

Tandis qu'ils quittaient la bourgade déserte, qui désormais hébergeait un mort, Stransky remarqua le poisson. Le petit poisson d'argent suspendu à une fine chaînette que Vartalo avait passée et fixée dans le trou de sa poche de poitrine.

« Un cœlacanthe, observa Stransky.

— Quoi donc ? »

Stransky montra l'amulette et expliqua qu'il s'agissait d'une reproduction enjolivée de *Latimera chalumnae*.

« Ah ! fit le Finlandais sur le ton de l'ignorance.

C'est vous le zoologue, vous devez savoir de quoi vous parlez. »

Stransky était persuadé que Vartalo connaissait parfaitement l'animal suspendu à sa veste de cuir. Autrement pourquoi l'aurait-il repris au défunt chauffeur de taxi ?

Cela rappela à Stransky que lui aussi avait un pendentif. En règle générale, il ne raffolait pas de ces babioles qui pendaient aux ceintures ou déformaient les poches de pantalon. Il n'en possédait pas moins un objet de ce genre, auquel il n'attachait pas de clé. Et il constatait qu'il l'avait toujours sur lui, ce qui était assez mystérieux car il n'avait jamais aucun souvenir de l'avoir mis dans sa poche. L'objet était là, tout simplement. À sa place.

N'était-ce pas fou de croire qu'une figurine en plastique représentant un héros de bande dessinée, en l'occurrence le multimillionnaire de Gotham City, l'homme chauve-souris, qu'une pareille figurine, donc, pouvait être un porte-bonheur ? Un ange gardien ? Un objet magique ?

Stransky sortit la figurine de sa poche et la soupesa. Il l'aurait volontiers échangée contre le poisson. Celui-ci était plus joli et plus maniable, et plus approprié en tant que talisman.

Le regard de Vartalo tomba sur le Batman. Le coin droit de sa bouche se releva en un sourire et il dit :

« Ah, voilà la clé.

— La clé ? Quelle clé ?

— Dix Batman morts donnent une clé, au même titre qu'un Batman vivant. Mais pas neuf Batman morts. Vous constaterez que, dans ce jeu, la vie est dotée d'une grande puissance. Une chose encore :

cette clé, *votre* clé si jamais vous survivez, ne permet pas d'ouvrir quoi que ce soit, mais elle ferme beaucoup de choses.

— Suis-je censé comprendre ce que vous me racontez ?

— S'il faut que vous compreniez, expliqua Vartalo, alors vous comprendrez. »

Avec un soupir, Stransky remit le pendentif dans la poche de son pantalon. Puis il demanda une cigarette.

Un jour mémorable. Son premier mort. Sa première cigarette. Parfois la vie y allait vraiment fort.

8

Reine à l'enfant

« Merde ! Merde ! Merde ! » beugla Henri Desprez. Il aurait volontiers hurlé vingt fois ce mot dans son portable. Mais trois fois, ça suffisait. Dire ou faire une chose plus de trois fois en ce bas monde, c'était excessif. Écrire plus de trois livres, se marier plus de trois fois, devenir champion du monde une quatrième, voire une cinquième fois… Combien de fois voulait-on devenir champion du monde ? Jusqu'à ce que les gens n'en puissent plus ? Ce n'est pas pour rien qu'un homme aussi intelligent et cultivé que Mohamed Ali s'est contenté de trois titres de champion du monde et qu'il a sans doute fait exprès de perdre contre Larry Holmes alors qu'un Lance Armstrong ou un Michael Schumacher accumulent abusivement les victoires, passant et repassant sur leur portrait jusqu'à le rendre méconnaissable.

Non, trois « merde » suffisaient amplement. Le type qui se trouvait à l'autre bout du fil avait fort bien compris la nature extrêmement déplaisante de l'information qu'il venait de communiquer à son chef.

Desprez était plutôt petit et très mince, avec un visage gris argenté qui avait l'air artificiel. Comme sculpté, mais sans éclat, sans surfaces réfléchissantes. Du bois imitant le métal, passablement froid. Et des cheveux couleur de terre humide, labourée, mais lisses et coiffés avec méticulosité. Il portait un complet miel de qualité supérieure et de petites chaussures brun clair, des souliers délicats, comme si, en réalité, il était une geisha métamorphosée. Il avait beau paraître dur et froid, il n'en donnait pas moins une impression de fragilité, de cette fragilité qu'on voit chez les statues et les geishas.

Il approcha derechef le portable de sa bouche et de son oreille — il l'avait éloigné sous l'effet de la colère — et ordonna qu'on empêchât Stransky de quitter vivant le Yémen. Puis il raccrocha, ainsi que l'on disait autrefois quand on pouvait réellement raccrocher.

Certes, rien n'était encore perdu, même si Vartalo parvenait à extraire Stransky de la péninsule arabique. Il leur restait encore la moitié du globe à parcourir. Cependant Desprez sentait que, cette fois, ce serait un peu plus difficile. Typique : il suffisait de s'engager dans la dernière ligne droite pour que les erreurs surgissent sans crier gare. Stransky était le huitième pion du jeu. Le huit était toujours problématique. Une fois qu'on lui avait réglé son compte, le neuf et le dix suivaient sans problème. Comme du gibier qui tomberait presque de lui-même. Qui succomberait de lui-même. Mais on n'en était pas encore là. D'où la nervosité de Desprez. Sans compter qu'il lui fallait transmettre la mauvaise nouvelle à Sa Majesté.

Il se trouvait aux toilettes, l'endroit où il se rendait habituellement pour téléphoner. Un de ses hommes bloquait la porte pour assurer sa tranquillité. Les toilettes étaient le seul lieu où Desprez se sentait en sécurité. Il ne s'asseyait pas sur une lunette de W.-C., il ne se soulageait pas dans un de ces urinoirs promus au rang d'œuvre d'art par un certain Marcel Duchamp. Non, comme on l'a dit, Desprez était une statue, animée il est vrai. Il n'urinait pas. Il téléphonait.

Il s'exhorta au calme, fit une grimace dubitative, rangea son portable, sortit des toilettes, adressa un signe à son homme et regagna la grande salle de restaurant.

Un restaurant chinois, aurait-on dit, ce qui était vrai puisqu'il était tenu par des Chinois. D'un autre côté, il était bien trop chic, bien trop à la mode pour avoir un quelconque rapport avec les kitscheries dragonesques et la pitance au glutamate qu'on connaît tous. Il affichait plutôt l'élégance de toilettes design conçues non pour uriner, mais pour téléphoner. Cependant on y servait aussi à manger et, de ce point de vue, c'était un restaurant on ne peut plus traditionnel.

Desprez avait grandi à Paris, il aimait cette ville et se considérait comme le *nec plus ultra* de l'authenticité française. L'élitisme qu'il incarnait, qu'il avait toujours incarné, surtout en qualité de chef d'une unité des services secrets français — une unité des plus secrètes et des plus spéciales —, cet élitisme ne lui avait jamais paru arbitraire mais nécessaire. Cette liberté dont on parlait tant, il ne s'agissait pas seulement de la défendre, à l'intérieur comme à l'extérieur, il fallait l'enfermer dans le corset qui lui permettait d'exister. Sans corset, pensait Desprez, la liberté s'effondrait. Le temps des révolutions était passé, il n'y avait plus désormais que la barbarie des masses, un chaos sans rime ni raison, le dynamitage de la culture, le dynamitage de la liberté, le dynamitage de la France.

Desprez n'était pas un homme de droite ni un fasciste. En tout cas, il ne se voyait pas comme tel. Il vénérait Marat, aimait les surréalistes, considérait Simone de Beauvoir — en dépit de tout — comme la dernière grande dame et se détendait en lisant des « nouveaux philosophes » comme Glucksmann ou Baudrillard, dont la réflexion stimulait la sienne. Le conservatisme de la grande bourgeoisie lui répugnait. Il reconnaissait et acceptait l'idée d'un monde moderne, en mutation. La grande bourgeoisie, la « fausse classe » comme il la surnommait, faisait à ses yeux figure de fossoyeuse. Parce qu'elle cultivait la demi-mesure, parce qu'elle prétendait qu'il suffisait d'un demi-corset. Grave erreur ! Un corset se devait d'être parfait, parfaitement adapté, pour ne pas glisser. Tout le reste était absurde, se montrer libéral, c'était mentir. Pouvait-il exister un avion équipé d'une seule aile ? Un taureau à une corne ? Un demi-poème ? Une journée finissant à midi ?

Desprez avait tué. Au service de l'État. Cela ne lui posait aucun problème. Cependant, il n'avait jamais torturé. Il jugeait la torture obsolète. Le fait d'y avoir recours, pensait-il, était un signe de défaite. Torturer était un acte rétrograde, motivé par des considérations personnelles, pathologiques et surtout anti-économiques. Beaucoup de souffrance, beaucoup de parlotte, beaucoup de cinéma pour un profit nul. Cette vision des choses lui avait coûté son poste. Au lieu de torturer le délinquant concerné, un membre de l'ETA, il l'avait liquidé sans autre forme de procès. Certes, cela figurait au programme, mais pas sous cette forme.

Desprez avait été viré. Et avait atterri dans le privé. Dans le secteur des jeux. Des jeux qui avaient bien plus d'influence sur la réalité que Desprez n'aurait pu l'imaginer. Et ce depuis la nuit des temps apparemment. Toujours les hommes avaient joué à grande échelle et considéré le monde entier comme un échiquier qui offrait de multiples possibilités et une quantité innombrable de pions dociles. Les joueurs sont mégalomanes, ce n'est pas nouveau. Ce qui l'est, peut-être, c'est que ça marche.

Autour d'une table ronde en plastique d'un blanc éclatant était assis un groupe bruyant d'hommes et de femmes qui riaient. Le centre de cette assemblée était manifestement une femme de grande taille, âgée d'une trentaine d'années. Elle était extrêmement robuste — robuste, pas replète —, avec des épaules larges, une poitrine généreuse et des pommettes légèrement saillantes dans un visage clair sans être blême. Ça non, vraiment pas, elle affichait plutôt le teint de ceux qui passent la matinée au parc. Elle avait de beaux yeux graves. Graves et beaux parce que tristes, d'une tristesse dépourvue de sentiment. Une tristesse ancrée en elle-même. Sans rapport avec de mauvaises expériences. Ou qui aurait pu exister en l'absence de mauvaises expériences.

La femme portait un ample survêtement gris clair, délavé, ce qui n'empêchait pas qu'on la considérât d'emblée comme la personne la plus importante de la ville. Mais qu'est-ce qu'une ville ? Sur ce point, cette femme avait une opinion bien différente de celle de son employé Desprez. Paris ne lui apparaissait pas comme le centre du monde. Le centre du monde, c'était elle. Par conséquent, un lieu ne devenait essentiel que si elle lui donnait une signification, un restaurant n'était important que si elle y déjeunait. Elle s'appelait Esha Ness, d'où que lui vînt ce nom. On la croyait d'origine roumaine. Son accent le laissait supposer — à ce qu'affirmaient les Roumains qui la connaissaient. Cependant Henri Desprez n'accordait pas grande foi aux propos des autres, surtout quand ils étaient roumains. Il soupçonnait plutôt Esha Ness d'avoir adopté un accent roumain pour égarer ses « biographes » sur une fausse piste. En direction de liens familiaux inexistants.

Quand on entendait le nom « Ness », on pensait généralement à deux choses : premièrement à Eliot Ness, le brave petit policier des *Incorruptibles*, et deuxièmement au célèbre monstre lacustre écossais. Esha Ness n'était assurément pas un brave petit policier, en revanche elle se rapprochait davantage du monstre. D'ailleurs à quoi les monstres sont-ils censés ressembler ? Si l'on n'a pas encore découvert le monstre du Loch Ness, ne serait-ce pas qu'on cherche une bête féroce, un long et disgracieux serpent de mer, au lieu de prêter attention à la jolie ondine qui fend les flots ?

Encore une chose : même les monstres se reproduisent. Et il n'est pas rare qu'ils s'occupent de leurs petits.

Esha Ness avait un bébé dans les bras, un nourrisson de cinq mois. Lorsqu'elle se leva pour se rendre au buffet de salades, on put remarquer avec quelle perfection elle tenait l'enfant, avec quelle aisance le petit porteur de couches-culottes était assis sur le promontoire de la hanche et observait le monde de ses grands yeux. Un monde de salades composées.

Oui, Esha Ness était de ces femmes qui préfèrent porter elles-mêmes leurs enfants plutôt que de les fourrer dans des poussettes semblables à des cercueils ou, pire encore, de les confier à des grands-mères ou à des bonnes d'enfants, personnes auxquelles il est impossible de se fier, même avec la meilleure volonté du monde. Étrangement, de jeunes mères qui ont passé des années à vilipender leur propre mère, sans doute à raison, se montrent soudain toutes disposées à livrer leur progéniture adorée à ces mêmes femmes. On ne peut s'empêcher de voir dans ce sacrifice de l'enfant un signe de suprême paresse. Ou d'incompétence. Esha Ness, ce monstre séduisant, n'était ni paresseuse ni incompétente. Sûrement pas.

Voilà pourquoi, tout en portant l'enfant, elle réussissait à s'approvisionner en salade. Personne n'aurait osé lui proposer son aide. Le petit, il s'appelait Floyd, observait sa mère avec une attention extrême tandis qu'elle empilait les tas de salade sur son assiette. Tout à son attention, Floyd s'endormit. Un peu comme sous hypnose.

Presque au même moment, mais sans avoir regardé

son fils, Esha transféra son poids sur sa jambe droite pour faire basculer la tête de Floyd sur son sein gauche. Elle conserva cette légère inclinaison en retournant à sa table. Le bruit des conversations baissa instantanément. Moins pour éviter de réveiller Floyd, qu'un feu d'artifice n'aurait pas tiré de son sommeil, que par respect pour Esha, même si ce respect découlait exclusivement de la peur. Car ces gens avaient beau compter au nombre des amis proches d'Esha et jouir des privilèges réservés aux membres de la famille, cela ne les empêchait pas d'avoir terriblement peur. Et même la décontraction qui avait prévalu jusque-là était l'expression de cette peur. Chacun s'efforçait de contenter Esha. Sans vraiment savoir comment y parvenir.

De ce fait, Henri Desprez ne nourrissait aucun doute. Ni même l'espoir qu'Esha Ness pût accueillir la nouvelle qu'il lui apportait d'un haussement d'épaules ou avec indifférence. Jamais de la vie.

« Esha, excuse-moi ! » Il interrompit la femme blonde aux cheveux mi-longs et aux vigoureux sourcils brun sombre. Une femme qui, en dépit de son corps athlétique, n'avait rien de masculin. Il suffisait de se rappeler qu'autrefois les femmes avaient chassé le mammouth. Les hommes d'aujourd'hui qui manifestaient un tempérament guerrier, puissance sans lourdeur, énergie sans grossièreté, n'étaient pas sans évoquer ces femmes-là.

La reine qui avait chassé le mammouth dans une vie antérieure leva la tête, s'adossa à son siège, finit tranquillement de mâcher, installa la tête de Floyd dans le creux qui se trouvait entre son épaule et son sein, déglutit et demanda à Desprez ce qu'il voulait.

« Nous avons un problème, expliqua le fier petit Français.

— Un problème... Tu sais ce que je pense des problèmes, Henri.

— Qu'on ne doit pas en parler.

— Ce n'est pas ce que j'ai dit. Alors, de quoi s'agit-il ?

— Nous avions Stransky.

— Nous l'*avions* ?

— Oui, notre homme... ne l'a pas liquidé. Au contraire. Il semble vouloir l'aider à quitter le pays. Il le protège. Il a déjà tué quelqu'un, un chauffeur de taxi qui était des nôtres. Désormais, le contact est rompu. Nous ne pouvons même pas dire où ils se dirigent. Juste émettre des hypothèses.

— Qui est cet homme qui prétend sauver Stransky ?

— Vartalo, un Finlandais. Il travaillait pour nous depuis le début. Un homme fiable.

— Tu trouves ?

— Jusqu'à tout récemment.

— C'est encore pire, répliqua Esha Ness. Il doit en savoir beaucoup, ce Finlandais, s'il nous servait depuis le début. Voilà le genre de négligences que je déteste. Faire confiance à quelqu'un uniquement parce qu'on le connaît depuis une éternité.

— On ne peut pas voir à l'intérieur des gens.

— Vraiment ?

— Formulons les choses autrement, se justifia Desprez. Je n'ai pas le temps de fouiller l'âme de tout un chacun. D'ailleurs j'ai peine à croire que l'autre camp ait acheté Vartalo. Ce serait contraire aux règles.

— Bien sûr qu'on ne l'a pas acheté. Il a chuté, tout simplement. Or quand quelqu'un est sur le point de chuter, ça se remarque. Quand une feuille va tomber de l'arbre, ça se voit, non ? Le premier enfant venu le sait pour peu qu'il ait appris à distinguer l'été de l'automne.

— Un mercenaire n'est pas une feuille, objecta Desprez.

— Mais si ! Il faut juste un peu d'attention, Henri. C'est pour ça aussi que je te paie, pour que tu sois attentif. Pour que tu saches faire la distinction entre l'été et l'automne.

— Je doute que Vartalo et Stransky aillent bien loin.

— Pourquoi dis-tu ça ? Pour m'apaiser ?

— Je pense de manière positive, expliqua Desprez. Cela étant, je ne crois pas qu'on puisse éviter de rencontrer des problèmes avec la huitième figurine. C'est toujours la plus difficile.

— Ridicule, répliqua Esha en abaissant le regard sur les fins cheveux blonds tout ébouriffés de Floyd. La huitième pièce n'est pas plus difficile que les autres. C'est de la superstition. S'il y avait eu un problème avec la troisième, on aurait prétendu que la majorité des accidents se produisent le troisième jour. Vraiment, c'est grotesque. Ta vigilance a été prise en défaut, Henri, voilà tout. Et je me demande si tu n'es pas trop vieux pour ce job.

— Je ne suis pas trop vieux.

— Tu as la peau grise.

— J'ai toujours eu la peau grise, expliqua Desprez.

— Vraiment ? Pauvre Henri.

— Ça ne m'empêche pas de vivre.

— La peau grise, peut-être pas, mais l'échec, c'est moins sûr.

— Je n'échouerai pas.

— Dans le cas contraire, il ne me servirait à rien de te punir après coup. Je ne veux pas punir, je veux gagner. Et l'exemple de notre M. Vartalo montre à quel point il est important de changer de collaborateur au bon moment.

— Je pars pour le Yémen, déclara Desprez. Je prendrai moi-même la direction des opérations. J'ai peut-être la peau grise, mais je ne suis pas pour autant une feuille d'automne.

— C'est vrai, reconnut Esha. Tu n'es pas une feuille, tu es une pomme. Une Boskop.

— Une Boskop ?

— Une pomme d'un éclat grisâtre, qui a l'air d'avoir vieilli avant l'âge.

— Bon, si tu veux, je suis une Boskop, mais une Boskop bien accrochée à sa branche, fit Desprez, et il réitéra son souhait de partir sur-le-champ pour le Yémen.

— Je devrais envoyer quelqu'un d'autre, dit Esha, songeuse, plus à l'adresse de Floyd que de Desprez.

— Je suis le meilleur, proclama le Français — en bon Français qu'il était.

— Ah… j'ai toujours cru qu'en devenant mère, on s'endurcissait, déclara Esha. Mais il semblerait que ce soit l'inverse. Je m'attendris. »

Elle n'alla tout de même pas jusqu'à soupirer. Mais sur son visage se lisaient un doute et une inquiétude sincères.

« Est-ce que ça signifie que je peux y aller ? s'enquit Desprez.

— Dégage », répondit la femme qui était une reine.

Une reine à l'enfant.

Quand l'enfant s'éveilla, une demi-heure plus tard, il suçotait déjà le mamelon. Il s'éveilla en tétant car Esha avait coutume de lui donner le sein pendant son sommeil. Elle n'était pas de ces mères qui pensent qu'un bébé doit exercer sa voix, développer sa capacité à crier afin de pouvoir s'imposer ultérieurement dans la vie. Non, Esha savait qu'il valait mieux pour Floyd, mais aussi pour elle, que la journée se déroulât sans ces manifestations de détresse. Ballonnements et dents de lait jouaient déjà leur rôle, inutile d'en rajouter.

Après que Floyd eut tété et que, placé sur l'épaule, il eut émis une série d'aimables rots, Esha se leva et se rendit dans une pièce séparée. Un homme assis sur une chaise bondit sur ses pieds et désigna un ordinateur sur l'écran duquel se détachait un visage de femme brillant sous une lumière crue. La femme inclinait légèrement la tête comme si elle regardait l'objectif en évitant un rayon de soleil. Derrière elle se dressaient des montagnes exotiques.

Esha s'installa et annonça :

« Desprez arrive.

— Bien, *madame** Ness, répondit la femme.

— Il est votre supérieur, rappela Esha. C'est lui qui décide de la marche à suivre. Mais dès que Stransky sera mort — et j'espère pour vous que ce sera rapide —, il faudra liquider Desprez. Sur-le-champ, sans tergiversations ni grands discours. J'entends par là sans dernière cigarette et autres âneries de ce genre.

— Desprez est un homme de valeur, si je puis me permettre, objecta la personne sur l'écran.

— Voulez-vous partager son sort ? s'enquit Esha Ness.

— Bien sûr que non, *madame** Ness.

— Alors ne cherchez pas à me donner mauvaise conscience, s'il vous plaît.

— Ce n'était nullement mon intention.

— Dans ce cas, brisons là. Fin de la discussion. »

Esha Ness se leva et adressa un signe à l'homme qui attendait debout dans la pièce. Un signe évoquant la chute d'un couperet de guillotine. Elle avait l'air incroyablement seigneuriale et implacable, royale en un mot, même si, précisons-le, il entrait là une grande part de pose. Non qu'elle ne pensât pas ce qu'elle disait. *Coupez-lui la tête* signifiait réellement *coupez-lui la tête*. Cependant ce type de décision pouvait se formuler de façon moins martiale ou avec une plus grande économie gestuelle. Mais alors personne n'aurait pris Esha Ness au sérieux. Si elle avait donné à ses gestes et à ses ordres une tonalité douce et lyrique, sa royauté serait restée ignorée. Les gens n'entendent que ce qu'ils comprennent. *Coupez-lui la tête*, ils comprennent, mais *décapitez la fleur*, ça non !

Au moment où une reine implacable décidait de la mort de son général en chef, un restaurateur d'œuvres d'art passait un chiffon humide sur une tache déparant une peinture murale aux trois quarts rénovée. Celle-ci s'étirait sur toute la largeur d'un vaste hall. D'un hall de gare qui, en fait, n'abritait pas des guichets mais un café équipé de coins de tables disposés à l'image de jardins ouvriers. Au bout du compte, cet aménagement était plutôt de bon goût. Néanmoins il était contrarié par un long et disgracieux comptoir où l'on se servait soi-même. Le comptoir était aussi récent que le libre-service — terrible d'avoir à jongler avec une tasse de café jusqu'à sa table. En général, la soucoupe terminait noyée et le client taché. Un client qui n'avait plus de client que le nom. Le libre-service est une triste chose, le signe non équivoque d'une décadence de la société.

Le restaurateur se trouvait sur un échafaudage roulant, étroit, composé de plusieurs étages. En dessous, flanquée de palmiers, était installée une table de roulette desservie par un unique croupier. Deux femmes et un homme y étaient assis, les yeux fixés sur la cuvette. La boule se déplaçait à toute allure dans la bande extérieure. Le bourdonnement de sa trajectoire montait, telle une odeur âcre, jusqu'au restaurateur, qui s'acharnait sur la zone rebelle. Une zone plus résistante que les autres. Il frottait, frottait, mais sans succès. Il avait plutôt l'impression de polir la tache que de la réduire ne fût-ce que d'un millimètre. Ce qu'il y avait en dessous demeurait quasi invisible, mais le restaurateur était persuadé que cette « surface aveugle » cachait une chauve-souris. Il en avait déjà mis sept au jour. Drôle de tableau pour un café de gare. Cela étant, l'œuvre datait de l'époque symboliste. Et les chauves-souris faisaient d'excellents symboles.

Pour être honnête, ce tableau était une véritable croûte. Mal composé, mal peint. Le restaurateur le savait. Mais il fonctionnait comme la partie d'un tout. Et à cet égard il fonctionnait à merveille. À l'inverse de ce hideux comptoir libre-service. La table de jeu s'intégrait nettement mieux, même si elle aussi était un ajout tardif, une sorte de centre périphérique, un soleil, un soleil marginal, placé près des portes qui donnaient sur le hall d'entrée.

Le restaurateur baissa les yeux vers la plaque tournante de la cuvette. La boule venait juste de quitter sa trajectoire idéale, elle heurta un des petits obstacles en forme d'étoile, survola le cercle de chiffres, hésita un instant au-dessus des petits tombeaux qui s'ouvraient devant les trente-six nombres et un zéro surdimensionné, puis s'immobilisa enfin dans la fosse située devant le numéro 5.

Il va de soi que le restaurateur était trop haut pour pouvoir distinguer l'endroit exact où la boule avait atterri. Il le savait parce qu'il avait consulté l'affichage électronique. Le 5 n'était pas un des chiffres qu'il aimait. Il avait quelque chose d'imprécis, de flou. Imaginons cinq cavaliers surgissant à l'horizon d'un western spaghetti. S'il y en avait huit, neuf ou plus, on sautait immédiatement sur sa mitrailleuse. Avec un, deux ou même trois, on sortait son colt. Mais cinq ?... Ce chiffre était inepte.

Le restaurateur revint à son tableau, dont il aurait été incapable d'expliquer la signification. On y voyait un paysage avec de grands arbres et de hautes herbes, baigné par la lumière jaunâtre d'une lune de dimensions surnaturelles, collée sur un ciel nocturne rose sale, moins lune que géant gazeux.

Les chauves-souris voletaient à mi-hauteur, l'une derrière l'autre, en direction d'une fente arquée qui s'ouvrait parmi les arbres. Derrière la fente brillait un feu, qui semblait flotter dans les airs. Au-dessus du feu, on distinguait une épée, qui, elle, flottait à coup sûr. Visiblement, l'épée avait été engendrée par les flammes. Mais quelle était la fonction des chauves-souris ? Pur décor ? Simple élément servant à inspirer un sentiment d'horreur ? Auraient-elles pu être remplacées par des corneilles ? Le restaurateur l'ignorait. Et personne ne s'en enquérait. Sa tâche consistait à nettoyer le tableau, pas à disserter dessus. Or voilà que soudain, le nettoyage rencontrait un obstacle. La saleté résistait. Comme marquée au fer rouge.

Le restaurateur laissa retomber son chiffon. Il allait falloir recourir à des méthodes plus musclées.

9

Pink Lady

Steinbeck et Kallimachos ne virent pas grand-chose de Sanaa. À l'aéroport, on les invita à monter dans un hélicoptère. Un appareil militaire dont on pouvait penser tout ce qu'on voulait sauf qu'il était capable d'assurer la sécurité de ses passagers. Ce coucou se déplaçait comme s'il avait trop bu. Le pilote était d'excellente humeur, à l'image d'un fantôme jovial qui n'aurait rien à perdre, en tout cas pas la vie.

On survola la capitale, qui, vue d'en haut, paraissait saupoudrée de sucre, et on gagna les montagnes en frôlant parfois exagérément les parois rocheuses. Le pilote riait. Il voulait que ses passagers en aient pour leur argent. L'homme qui avait accueilli Steinbeck et Kallimachos finit par lui tapoter l'épaule en lui signifiant que cela suffisait. Le pilote éloigna son engin des cimes dentelées, choisit la voie directe et atterrit enfin sur une place située au milieu d'une ancienne forteresse. Il fallut une petite éternité pour extraire Spiridon Kallimachos de l'hélicoptère. Enfin rendu à la terre ferme, il alluma une cigarette et l'abandonna dans sa bouche, conformément à sa bonne vieille méthode, avant de sombrer dans un état de transpirante inconscience. En station debout.

Sur la place était garée une voiture surveillée par deux hommes armés d'un pistolet-mitrailleur.

« Le chauffeur est là-bas », indiqua l'homme qui s'appelait Belmonte, un Arabe on ne peut plus occidentalisé. Il désigna une des tours et expliqua qu'on y avait découvert le corps du chauffeur de taxi.

« Un des nôtres ? s'enquit Steinbeck.

— Justement pas », répondit Belmonte.

Il semblait que le camp adverse eût retrouvé la trace de Stransky. Ce qui, logiquement, aurait dû entraîner la mort de ce dernier. Mais dans ce cas, on l'aurait su. Dans ce jeu, la mort ne restait jamais ignorée. Pas même une seconde. Non, apparemment Stransky était encore en vie. Comment avait-il fait ? C'était plus que surprenant.

« Vous ne savez donc pas où est Stransky ? s'informa Steinbeck, revenant à ses préoccupations immédiates.

— Nous le cherchons, fut la réponse de Belmonte — ou plutôt son absence de réponse.

— Vous pensez qu'il est seul ?

— Impossible. Il ne pourrait pas faire un pas s'il n'était pas aidé.

— Et qui l'aide ? »

Belmonte leva les mains. Comme s'il soupesait une portion d'air équivalant à un ballon de football.

« Bon, dit Steinbeck. Il a donc quelqu'un à ses côtés. On ne va pas s'en plaindre. Sans cette personne, il serait mort, affaire classée. Ce type qui

s'occupe de Stransky, où pourrait-il raisonnablement le conduire ?

— S'il était raisonnable, il n'aiderait pas
Stransky.

— Ma question portait sur leur destination.

— Le plus simple serait de rejoindre la mer Rouge.
Al Hudaydah. Mais ce serait trop simple pour être
prudent.

— Et Aden ?

— L'endroit rêvé pour commencer un tour du
monde. Cependant je présume que M. Stransky
préférerait regagner l'Europe. Dans ces conditions,
le canal de Suez l'emporte face à une traversée de la
mer d'Oman. D'un autre côté, on peut aussi choisir
l'itinéraire compliqué.

— Il évitera les aéroports.

— C'est sûr. Ainsi que la voie de terre. L'Arabie
Saoudite n'est pas un endroit où l'on puisse voyager
discrètement. Non, l'ange gardien de M. Stransky
essaiera sûrement de lui faire prendre un bateau.
Ou une fusée. Mais au Yémen, il n'y a pas de
fusées... »

La mention d'une fusée à cet instant précis se
révéla d'une ironie proprement délirante. Belmonte
pensait bien sûr aux fusées civiles qu'on lançait
dans l'espace, navettes spatiales sur le dos, satellites
dans les bagages et scientifiques à bord, animaux de
compagnie inclus. Oui, ce genre de fusées, descen-
dantes de la famille Apollo, n'était pas vraiment
monnaie courante dans le pays. En revanche...

Belmonte n'avait même pas terminé sa phrase sur
les fusées qu'il vit venir celle qui fonçait sur eux
depuis un des plus hauts sommets. Elle se déplaçait

naturellement à grande vitesse, engin étroit, comète élancée à la queue bouillonnante comme du lait battu. Belmonte la devina plus qu'il ne la vit. Il empoigna Steinbeck, la jeta à terre et lui fit de son corps un bouclier. Il sentit sa constitution osseuse, crut respirer son parfum, lavande sauf erreur. D'un autre côté, il n'eut même pas le temps de se demander pourquoi il agissait de manière aussi absurde : protéger quelqu'un sans être payé pour cela. S'il avait essayé de sauver Stransky, passe encore, mais cette femme... Un réflexe ? Assurément. Le réflexe idiot d'un homme qui avait grandi en Angleterre, étudié en France et appris à aider les dames en manteau. Pauvre Belmonte.

La fusée, un missile qui datait un peu mais n'en était pas moins guidé avec une grande précision, s'écrasa sur l'hélicoptère dans un fracas assourdissant. L'explosion fut si violente que le taxi fut projeté en l'air avec les deux hommes qui le gardaient. Le pilote, resté dans le cockpit, eut encore le temps de rire une dernière fois. Des paquets de feu fusèrent. Ce qui n'avait pas explosé tout de suite sauta quelques secondes plus tard. Vacarme, chaleur, ces fusées n'étaient décidément pas très amicales.

Certaines personnes restent indemnes en toutes circonstances. Non que les soucis, les projectiles et les éclats de bombe ricochent sur eux. On serait dans la bande dessinée ou la parodie. Il semblerait plutôt que les choses elles-mêmes, soucis, projectiles, éclats, les évitent, ne veuillent pas avoir affaire à elles, préfèrent rentrer la tête dans les épaules plutôt que d'atterrir sur elles. Par peur ou dégoût, allez savoir, comment se mettre dans la peau d'un éclat de bombe ? Mais cela existe. Ces gens qui inspirent de l'antipathie aux choses survivent, ils sortent sains et saufs de puits de mine effondrés et d'avions écrasés, dorment pendant les catastrophes, se trouvent toujours hors d'atteinte dans les fusillades — comme si ces dernières se refusaient à les atteindre. Cependant ils ne sont pas, ainsi que voudrait nous le faire croire le film avec Bruce Willis, *incassables*, ils sont *intouchables*. Il y a une différence. Ce n'est pas leur chair qui les rend invulnérables, c'est l'esprit de leur chair.

Spiridon Kallimachos appartenait à cette catégorie de gens.

Au moment de l'explosion, le Grec n'était pas beaucoup plus éloigné de l'hélicoptère que les deux hommes armés qui avaient succombé sur-le-champ. Et il en était nettement plus proche que Lilli Steinbeck et son bouclier nommé Belmonte. Pourtant il ne fut ni atteint par un projectile, ni renversé par l'onde de choc. Pas parce qu'il était un Superman de poids, mais parce que l'onde de choc l'avait contourné pour l'éviter. Kallimachos se trouvait dos à l'hélicoptère, les yeux mi-clos, et dans un premier temps, il ne s'aperçut de rien. Seule sa cigarette fut catapultée hors de ses lèvres, tel un bouchon de carabine à air comprimé. Et peut-être fut-ce cette projection de cigarette qui arracha Kallimachos à son rêve éveillé. Se retournant, il vit l'incendie faire rage devant lui, il en fut d'abord un peu surpris, puis désagréablement affecté. Son secret n'en était pas un pour lui. Il était bien informé, quoique ce fût le premier missile auquel il survivait. Mais il avait connu pire. Il se savait donc différent. Il savait qu'on ne pouvait pas le tuer — pas par les moyens usuels.

Malheureusement, l'homme qui s'appelait Belmonte avait eu moins de chance. Couché sur Steinbeck, il ne bougeait plus. Sa tête gisait de biais sur la poitrine de Lilli. Du sang gouttait de sa bouche, il avait le regard fixe, ses yeux écarquillés brillaient comme de vieilles pièces de monnaie et son dos fumait. Un projectile brûlé, un fragment d'hélicoptère, l'avait mortellement blessé. Steinbeck dut mobiliser des efforts considérables pour repousser le corps. Elle-même était indemne. Pas pour cause d'invulnérabilité, mais parce qu'elle était une dame et qu'un monsieur s'était sacrifié pour elle. La survie de Kallimachos constituait un miracle de la nature, celle de Steinbeck un miracle de la culture.

Dissimulée par la fumée, Steinbeck courut jusqu'au détective. Un peu estomaquée, elle constata qu'il n'avait pas eu besoin d'un Belmonte pour s'en sortir, se ressaisit promptement et déclara qu'il fallait se hâter de filer avant l'arrivée du missile suivant.

« Vous savez bien que je ne peux pas courir », protesta Kallimachos, regrettant de devoir se contenter de sa canne en l'absence du déambulateur.

Steinbeck ignora l'objection et poussa Kallimachos, elle lui donna littéralement un coup de pied aux fesses. Il s'ébranla, lentement mais sûrement. On atteignait la porte d'un des bâtiments en forme de tour quand un deuxième obus frappa. Steinbeck courut se réfugier dans l'obscurité, à l'abri des murs. Kallimachos, quant à lui, s'immobilisa sous le porche et alluma une cigarette. Parfois, il avait juste envie de se tester. De fait, il ne fut même pas effleuré par un grain de sable. Comme d'habitude.

Il s'enfonça alors dans le bâtiment à la suite de Steinbeck et ne tarda pas à le regretter. Car il avait beau être invulnérable, il n'en restait pas moins un vieil homme fragile, qui avait peine à marcher sur un sol inégal, surtout quand il n'y voyait rien. Ce qui était le cas. L'obscurité était devenue impénétrable. C'est alors qu'il sentit la poigne de son employeuse... Oui, ne l'oublions pas, Kallimachos travaillait pour cette femme. Trébucher dans d'impénétrables obscurités faisait donc partie de son job si tel était le bon vouloir de Lilli Steinbeck. Voire descendre un escalier. Il distinguait tout de même le rougeoiement de la cigarette qu'il avait à la bouche.

« Là-bas, dit Steinbeck.

— *Là-bas* quoi ? demanda le Grec.

— La lumière.

— Je ne vois aucune lumière.

— Je vous guide.

— Oui, s'il vous plaît. »

Au-dessus d'eux s'amoncelait le vacarme des murs qui explosaient. Manifestement, les agresseurs avaient suffisamment de missiles pour pulvériser le patrimoine culturel. En réalité, c'était une violation des règles du jeu : les poursuivants d'un Batman n'avaient pas à attaquer ses protecteurs en l'absence du Batman à poursuivre et à protéger. D'ailleurs, s'il avait été présent, les missiles ne seraient pas entrés en action. Hors de question de réduire un Batman en bouillie. Il fallait un cadavre présentable. Et la figurine porte-clés qui l'accompagnait.

Bras dessus bras dessous, Steinbeck et Kallimachos descendaient à présent une pente dépourvue de marches. En fait, ils se dirigeaient vers un ovale de lumière qui s'agrandissait et rejoignirent enfin l'extérieur. Ils se trouvaient au pied des falaises où s'élevait la petite forteresse, laquelle — sous l'effet du bombardement de missiles — s'était transformée en ruine.

Devant la policière et le détective se déroulait un étroit sentier conduisant dans la vallée. Étroit, pierreux et relativement abrupt.

« Vous auriez dû me laisser chez moi, se lamenta Kallimachos. Que voulez-vous que je fasse maintenant ? Que je roule jusqu'en bas de la montagne ? Je ne bougerai pas d'ici, compris ? Je vais m'asseoir sur cette pierre et mourir. »

En gémissant, il s'installa sur un rocher et se mit à fumer. D'où pouvait-il bien tirer toutes ces cigarettes ? D'ouvertures secrètes pratiquées dans son corps comme s'il était son propre distributeur automatique ?

Steinbeck s'assit à côté de lui, sortit sa fiole de whisky de son sac et la lui tendit.

« Vous en espérez des miracles ? » demanda Kallimachos.

Ce qui ne l'empêcha pas d'en prendre une bonne rasade.

« On verra bien », répondit Steinbeck.

Ils fumèrent, ils burent et le soleil finit par se coucher derrière les montagnes. Nouveau problème.

« La nuit, il fait sacrément froid ici, rappela Kallimachos.

— Je croyais que vous vouliez mourir, rappela de son côté Steinbeck.

— Je n'ai jamais parlé de mourir de froid.

— Alors de quoi parliez-vous ? »

Pour toute réponse, le gros homme se leva, penchant le torse en avant à l'instar d'un groin. Peut-être cherchait-il effectivement la chute. Mais le sentier n'était tout de même pas si abrupt. Et quand Kallimachos avait résolu de faire quelque chose, il le faisait. Or il était résolu. Son vrai point faible semblait être la froideur nocturne.

Parvenus au bout du sentier, ils tombèrent sur une route goudronnée. Un camion s'arrêta et les conduisit jusqu'à la localité voisine. Là, le supertéléphone miniature qu'Antigonis avait offert à Steinbeck se remit enfin à fonctionner. C'était moins un téléphone qu'un poudrier avec miroir, le parfait accessoire de dame. Sur le mini-écran ovale en forme de miroir apparut le visage soigné de vétéran du magnat grec. Sa voix était si claire qu'il aurait pu se trouver au coin de la rue. Cependant il paraissait être au *Blue Lion*.

« Heureux que vous soyez en vie, dit le docteur à sa policière en guise de salut. Où êtes-vous ? »

Steinbeck indiqua le nom de la localité, précisant que Kallimachos se portait bien, lui aussi, à l'inverse de Belmonte et des autres. Antigonis était déjà au courant. Il savait aussi que Stransky avait échappé à ses poursuivants. Sans l'aide de ses protecteurs officiels.

« Vous devriez être satisfait, conseilla Steinbeck.

— Je ne le suis que modérément, répondit Antigonis. Je suis surtout étonné. Le fait que votre ami obèse soit toujours à vos côtés contribue du reste à mon étonnement. »

Sans relever la remarque, Steinbeck demanda s'il y avait du neuf.

« Il semblerait que Stransky se trouve avec l'homme qui était censé le liquider.

— Un transfuge ?

— Ce n'est pas le bon terme. Je ne pense pas que l'homme veuille travailler pour nous. Il s'appelle Vartalo, c'est un Finlandais, un ancien de la Légion étrangère. Probablement un tueur qui se prend pour un génie. Souvenez-vous de ce que je vous ai dit : ces gens-là sont capables de tout. Même de sauver leur victime désignée parce qu'ils s'ennuient.

— Bon, mais quelles sont les intentions de Vartalo ? À l'égard de Stransky, j'entends.

— Il veut sans doute le ramener sain et sauf chez lui.

— Parfait.

— Ce n'est pas son rôle. Il perturbe la partie. Il embrouille tout. C'est bien plus qu'une infraction aux règles du jeu.

— Peu m'importe, déclara Steinbeck.

— Je dois vous mettre en garde contre Vartalo : cet homme a fondé son propre camp.

— Ne vous inquiétez pas, je lui ferai passer ce besoin de reconnaissance. Mais il faudrait déjà que je le trouve. Lui, ou plutôt Stransky.

— Je vous envoie un nouvel hélicoptère », promit Antigonis.

On aurait dit qu'il les tirait d'une pochette-surprise.

« Et ensuite ?

— Allez dormir. Je vous recontacterai demain. Bonne nuit.

— Bonne nuit », répondit Steinbeck.

Elle ne connaissait pas plus belle formule de congé.

Le lendemain, il y avait devant la porte un hélicoptère qui évoquait nettement moins que son prédécesseur une guerre perdue depuis longtemps. Les enfants faisaient cercle autour de lui comme s'il s'agissait d'un drôle de dragon. Il était rose, ce qui était bien plus joli que ces motifs de camouflage qui anticipent la grisaille et la saleté du combat. Le mimétisme des appareils militaires fait penser aux mouches qui se confondent avec le tas de fumier sur lequel elles sont posées. Alors autant le rose.

« Joli, l'hélicoptère, commenta Steinbeck.

— Voyons comment il vole. Et *qui* le fait voler », répliqua Kallimachos.

Le vol fut court et agréable. On conduisit Steinbeck et Kallimachos dans une petite localité située au sud de Menaacha. Apparemment, Stransky et Vartalo y avaient passé quelques heures, sans doute pour se reposer et manger. Ils étaient repartis avant la tombée de la nuit.

Dans l'intervalle, Steinbeck avait appris que Vartalo se débrouillait parfaitement dans le pays et savait s'arranger avec les autochtones. Autrement dit, dans l'immédiat, Stransky était entre de bonnes mains. Il était donc inutile de s'efforcer de rattraper les deux hommes au plus vite, il fallait juste rester sur leurs talons. Instaurer une proximité raisonnable.

« Si Dieu le veut, déclara Steinbeck, nous aurons le temps. Dans le cas contraire, il ne sert à rien de se presser.

— Voilà une philosophie qui me plaît », répondit le détective.

Il y avait tout de même du travail. Pendant que Kallimachos se retirait avec le pilote de l'hélicoptère pour prendre un café, Steinbeck inspecta la pièce où avaient séjourné Vartalo et Stransky. Après tous ces événements peu ordinaires, Lilli retrouvait enfin la routine d'une occupation policière qui, malgré sa simplicité, exigeait de la concentration : la recherche d'objets perdus.

Quand quelqu'un se trouvait dans une pièce, il y avait toujours quelque chose qui se perdait. Dans la rue aussi, bien sûr, mais dans la rue, on pouvait compter avec le vent et la pluie. Les pièces, en revanche, constituaient le domaine d'action des mères et des femmes de ménage rémunérées. En l'occurrence, aucun de ces facteurs n'avait joué. La misérable cahute que Steinbeck était en train d'inspecter gardait pour ainsi dire encore l'odeur des deux hommes qui l'avaient occupée le jour précédent.

Il s'y entassait une foule de déchets, qui ne provenaient assurément pas tous des derniers hôtes. Steinbeck s'intéressa moins à ces déchets, aux cheveux et aux fibres, qui pouvaient avoir les origines les plus diverses, y compris les chèvres de la région, qu'à la petite bibliothèque placée entre les deux couchettes. En haut était posé un coran. En dessous, trois livres illustrés, deux en arabe, un en anglais. Le livre en anglais datait des années soixante et montrait des vues de la péninsule arabique, des photographies couleur granuleuses dont beaucoup avaient été colorisées *a posteriori*. Nombre de pages étaient aussi sombres que de la viande fumée. On aurait hésité à les utiliser comme papier toilette. Pourtant, quelqu'un avait feuilleté le livre, Steinbeck s'en aperçut immédiatement. La poussière des ans avait été dérangée. Et visiblement, ce dérangement était récent.

Steinbeck examina chaque page. Il ne lui fallut pas longtemps pour découvrir ce qu'elle avait secrètement espéré trouver : une note. Une note en langue allemande, écrite en petites lettres à l'inclinaison irrégulière mais parfaitement formées et bien lisibles, qui occupait une page entière et recouvrait une photo assez claire représentant des commerçants sur un marché. Cette écriture était faite pour les lecteurs. Autrement dit, elle voulait et devait être lue même si, à cet égard, l'auteur montrait une certaine ambivalence.

Je ne m'attends pas vraiment à ce qu'on lise ces lignes. Et sans doute vaudrait-il mieux pour moi qu'elles ne trouvent pas de lecteur plutôt que d'être lues par la mauvaise personne. Car il y a des gens qui essaient de me tuer. Sans que je puisse comprendre pourquoi. D'ailleurs il ne semble pas y avoir de raison au sens habituel du terme. Personne ne m'en veut, personne ne souhaite se venger de moi ou me voler quelque chose. Je ne possède pas de microfilm, je n'espionne pas pour le compte d'un État voyou, je ne connais aucune formule susceptible de tenter un voyou. Rien de tout cela. Dans cette affaire, je ne suis qu'un pion, comme le serait n'importe qui d'autre. Mais il se trouve que c'est moi qu'on a choisi.

Je voudrais qu'on sache que j'aime ma femme et

ma fille. Je ne vois pas ce qu'il pourrait y avoir de plus important. Chez une créature dont l'unique fonction consiste à se reproduire, cela n'a rien de surprenant. Le reste n'est que diversion et ornement superflu.

À l'image de ce qui m'arrive. C'est du théâtre, pourrait-on penser. Mais en vérité, j'aimerais bien survivre à la pièce. Il s'en est déjà fallu de peu que je ne meure : l'homme qui devait me tuer a décidé au contraire de me sauver. Il s'appelle Vartalo. Je le trouve angoissant et étrange. C'est un tueur — dépourvu de respect à tous égards.

Ce tueur est résolu à me ramener chez moi. Dieu sait pourquoi. Mais pas par la voie directe, ni en avion, ni en passant par l'Égypte. La voie directe, prétend-il, nous mènerait droit en enfer. L'enfer pour lui, une mort rapide pour moi. Nous ferons donc un détour. J'ai convaincu Vartalo de commencer par l'île Maurice. Je connais très bien l'endroit. Je suis un spécialiste des animaux disparus. Et de ceux qui auraient dû disparaître. D'où le choix de l'île Maurice. J'y ai déjà effectué plusieurs séjours. Notamment à cause du dodo, qui s'est éteint moins d'un siècle après sa découverte. J'aime ces oiseaux si éphémères, Grands Pingouins et dodos, impropres à voler, univitellins (j'entends par là qu'ils ne pondent qu'un œuf), audacieusement pacifiques, pris au dépourvu par les volte-face inopinées de la vie, par les êtres humains. Telle est parfois la nature, éprise d'elle-même et contradictoire, univitelline et aveugle, tout entière dans l'improvisation.

L'île Maurice donc. J'y ai quelques petits contacts. De là il sera plus facile d'établir une rampe de lance-

ment vers l'Europe. Une rampe de lancement efficace, espérons-le.

Si j'écris ces lignes, c'est que je ne vois aucune possibilité de m'adresser à ma famille. Ce serait trop risqué. D'ailleurs il faut que je les tienne à l'écart. J'écris comme on écrit à Dieu dans la détresse en Lui ouvrant son cœur.

Georg Stransky
En un lieu où je ne resterai pas assez longtemps
pour qu'il vaille la peine
d'apprendre à écrire son nom et à le prononcer.
Désormais, cela risque d'être souvent mon lot.

Lilli Steinbeck trouva ce point de vue plutôt inhabituel pour un naturaliste. S'épargner la peine de retenir le nom d'une localité parce qu'on y réside trop peu de temps. Manifestement, Georg Stransky avait complètement révisé sa manière de se comporter à la suite des récents événements. Place à l'utile. De fait, le nom de l'endroit où Stransky avait passé l'après-midi et la soirée et où Steinbeck venait d'arriver, ce nom ne présentait aucun intérêt. À l'inverse de l'information selon laquelle Stransky et son « garde du corps » Vartalo se dirigeaient vers l'île Maurice. La route était longue. D'un autre côté, sur une carte géographique, l'île Maurice se trouvait presque au coin de la rue. Au coin de la Somalie.

Lilli Steinbeck arracha sans façons la page manuscrite et la rangea dans son sac à main. Quant au livre, elle le referma et l'emporta — simple précaution. Elle voulut s'en débarrasser dans une poubelle rongée par la rouille, mais comme celle-ci était complètement vide, elle jeta l'objet dans un fossé où s'accumulaient d'autres détritus. Là, personne ne le remarquerait, il finirait par s'agglomérer au sol. Du reste, ce n'était qu'un livre auquel il manquait une page. Mais Steinbeck était prudente.

Elle attendit dans la rue, postée à côté de l'hélicoptère. Femme et machine. Quelques gamins l'entouraient en gloussant. Comme sortis d'un *Muppet Show* arabe, deux vieillards la fixaient stupidement d'un air courroucé. Rien d'étonnant à cela : le tourisme étant inexistant en ces lieux, pourquoi se priver de manifester son courroux quand on était courroucé ? Steinbeck se montra stoïque. Elle avait connu pire que quelques vieillards mécontents.

« Vous avez trouvé quelque chose ? s'enquit Kallimachos quand il fut sorti du petit salon de thé en compagnie du pilote.

— On part pour Aden, fut la réponse de Steinbeck.

— Est-ce un bon endroit pour se cacher ?

— Non, mais pour prendre la mer, oui.

— Qui a prévu de prendre la mer ?

— Je pense que c'est l'intention de Stransky et de Vartalo. S'ils arrivent jusque-là.

— Et pour aller où ?

— À l'île Maurice.

— Comment le savez-vous ? demanda Kallimachos.

— À cause des dodos qui vivaient là autrefois.

— Ah bon ! » répondit Kallimachos.

Il n'était pas de ces gens qui n'en finissent pas de poser des questions et qui ont besoin de tout comprendre. Il lui suffisait de comprendre quand il était temps de comprendre. Or visiblement, ce temps-là n'était pas venu. Kallimachos cracha sa cigarette et se traîna humblement jusqu'à l'hélicoptère rose vif, qui disposait d'un accès relativement praticable. Un accès pour civils.

Quelques instants plus tard, l'engin se hissait dans les airs. Ascension d'une lady un peu vulgaire mais joviale. D'une Pink Lady.

10

Des doigts

C'était vraiment un beau voilier, racé, impeccable, un objet hypermoderne en fibre de verre, une sorte de pendant de ces restaurants chinois qui ressemblaient à des toilettes design aérodynamiques. Dans les vingt-cinq mètres de long, ostensiblement blanc, plus blanc que blanc, traversé par une ligne bleu ciel et pourvu d'un coffrage couvrant qui ne s'élevait pas plus que nécessaire. C'était visiblement un bateau rapide, comme on en voyait à la télévision lors de la Coupe de l'America, manifestation sportive difficilement compréhensible pour l'individu moyen. Tout ce déploiement d'activité, toute cette célébrité à laquelle on pouvait accéder en hissant quelques voiles, tout cet argent... Cela rappelait les compétitions professionnelles de golf. Ces gens étaient des champions, cela ne faisait aucun doute. Mais leur métier était tellement intime, tellement malaisé à approcher, même par écran interposé ! Que pouvait-on voir quand une balle minuscule traversait les airs ou qu'un bateau naviguait des heures durant sur des vagues qui avaient plutôt tendance à se ressembler ? Tous ces hommes qui cultivaient le loisir pour ainsi dire à temps plein pratiquaient avec le golf, la voile et le cricket une activité presque sectaire, en tout cas incroyablement élitiste, mais ils n'en étaient pas moins des héros des médias. L'« homme du commun », l'homme de la rue aurait été bien en peine d'expliquer pourquoi. Le football, d'accord, mais la voile ?...

Georg Stransky naviguait de temps à autre sans que cela fût une passion. Mais il s'y connaissait. Voilà pourquoi il déclara : « Sacré bateau. »

Vartalo renchérit : « Exactement ce qu'il nous faut pour aller à l'île Maurice. »

Tous deux étaient assis dans un petit bistrot du port qui montrait des traces du passé communiste du sud du Yémen. Un passé qui se traduisait aujourd'hui par des murs délabrés.

Vartalo et Stransky observaient la passerelle où étaient amarrés quelques bateaux. Il était surprenant de voir ce genre de yacht mouillé dans ce genre d'endroit. À l'est d'Aden, dans un petit village de pêcheurs à moitié en ruine.

À la poupe du navire pendait un drapeau anglais, qui, de loin, ressemblait un peu à un gâteau aux myrtilles rayé. Devant, sur la passerelle, se tenaient deux hommes à la musculature outrancière sous la minceur du maillot. Ils auraient mieux fait de renoncer à la moitié de leurs muscles. C'eût été plus coquet et plus raffiné que d'afficher des cuisses surdimensionnées et des fesses minuscules propres à effrayer les indigènes.

Stransky fit remarquer :

« Je doute qu'on nous invite à bord.

— Oui, je crois que nous allons devoir agir.

— Vous voulez les abattre ?

— Ce serait la solution la plus simple. Mais vous savez ce qu'il en est de la simplicité. Non, nous passerons par la voie diplomatique. Attendons le retour de ces messieurs-dames. »

Les messieurs-dames, deux hommes et deux femmes, plus tout jeunes mais indubitablement sportifs et dynamiques, arrivèrent dans la soirée en taxi. Ils avaient chargé des provisions. Leurs visages brunis, comme lissés par de petites bretelles invisibles, brillaient à la lueur rouge crémeux du soleil couchant. Les deux dames se débarrassèrent de leurs foulards. Leurs cheveux crépitèrent et lancèrent quelques étincelles. Toutes deux possédaient la blondeur d'un lingot d'or décoloré, elles ressemblaient à Tippi Hedren, plutôt minces, pas laides, mais un peu crispées, osseuses, comme après trop de vent, le vent du large par exemple.

Des gens du village montèrent les paquets à bord. Debout sur le pont, les deux gardes du corps surveillaient l'opération.

« C'est le moment », décida Vartalo en se levant. Stransky le suivit. Tous deux avaient également dépassé la prime jeunesse. Ils ressemblaient à des routards qui auraient pris de l'âge. Des vétérans d'InterRail depuis vingt ou trente ans.

À peine avaient-ils mis le pied sur la petite passerelle que les deux malabars sautèrent du bateau et leur barrèrent le chemin. La noble compagnie se tenait à l'extrémité de l'embarcadère, contemplant la mer en buvant l'apéritif comme si l'on n'était pas au Yémen, mais à Plymouth.

« Je me demande, déclara Vartalo d'une voix suffisamment forte pour être entendu de tous, comment on peut partir en mer avec deux punching-balls. »

Les deux punching-balls ne comprirent pas tout à fait. Les quatre navigateurs, en revanche, se retournèrent.

« Qu'est-ce que vous voulez ? » demanda un des hommes.

Il était blanc de haut en bas, des cheveux aux chaussures. Un Anglais de la classe supérieure, comme en témoignaient sans équivoque les quelques mots qui s'étaient échappés d'une bouche plutôt mince, tels de petits rouleaux à la crème empoisonnés. L'anglais de scène des Britanniques de la haute société est très agréable à entendre, mais il pourrait bien receler de la méchanceté. Aucune bassesse, mais de la méchanceté.

Toutefois il en fallait plus pour impressionner un homme comme Vartalo que des postérieurs microscopiques ou des pâtisseries empoisonnées. Il était plutôt du genre extraterrestre, à l'instar de cette femme robot de *Terminator 3*, qui dit : *I like this car. I like your gun* — avant de s'emparer de ce qui lui plaît. Et de fait, Vartalo déclara :

« J'aime votre bateau.

— Dégagez », répondit l'Anglais.

On aurait dit qu'il vidait la poubelle contenant les restes de poisson du jeudi précédent.

« Désolé, répliqua Vartalo, imperturbable, mais nous avons besoin d'un moyen de transport en état de naviguer. Et en dehors de votre beau bateau, je ne vois que du matériel complètement rouillé datant de l'époque socialiste. Or je ne suis pas assez socialiste pour avoir envie de couler avec une de ces embarcations.

— Pourtant il faudra bien que vous preniez ce risque », riposta l'Anglais et il eut un claquement de langue.

Ses deux molosses se gonflèrent encore un peu plus d'importance et avancèrent sur Vartalo et Stransky.

« Mais où vous croyez-vous ? À Miami ? » demanda Vartalo en secouant la tête.

Un examen superficiel aurait pu laisser croire que ce hochement de tête fut la seule et unique cause de la chute des deux corps, projetés à droite et à gauche avant de tomber à l'eau. Personne n'aurait su dire comment Vartalo avait procédé. Aucune action spectaculaire, pas de boxe ni de karaté. Plutôt quelque chose comme du tai chi ou une gymnastique respectueuse des articulations, une simple élévation des bras, une tête qui se tourne prudemment, une inspiration-expiration plus qu'une véritable action. Le fait est que les deux molosses tombèrent entre les bateaux et se mirent à patauger de manière passablement désordonnée. À la façon des chiens.

« Qu'est-ce que ?… »

L'Anglais leva les bras. Non que Vartalo eût dégainé son arme.

« Je ne vous veux aucun mal, ni à vous ni à vos amis, répliqua Vartalo. À quoi cela me servirait-il ? Je vous demande juste de nous convoyer un bout de chemin avec votre bateau. »

L'Anglais voulut dire quelque chose, sans doute qu'il n'était pas une entreprise de transport ni un loueur de bateaux, mais il réfléchit et demanda :

« Où voulez-vous aller ?

— À l'île Maurice.

— L'île Maurice ?

— Si vous voulez de l'argent, je vous en donnerai volontiers. Mais je crois que vous êtes plutôt du genre à payer qu'à être payé.

— Est-ce à dire que vous voulez aussi de l'argent ?…

— Non, bien sûr que non, je veux juste que vous nous conduisiez, mon ami et moi, jusqu'à Port… Comment s'appelle l'endroit, Stransky ?

— Port-Louis.

— Exact, Port-Louis. M. Stransky tient à s'y rendre. Pour des raisons personnelles.

— Mais nous mettons le cap sur l'océan Indien, les Maldives », protesta l'Anglais.

Un soupçon de désespoir et de défensive accompagna les petits rouleaux qui sortaient de sa bouche.

« L'île Maurice ou les Maldives, la différence est minime.

— Sauf votre respect…

— Bon, d'accord, il y a une différence. Mais le détour n'est pas énorme. »

Les deux molosses étaient sortis de l'eau et remontaient sur la passerelle. Tous deux glissèrent la main dans leur dos, sans doute pour attraper leurs revolvers, n'attendant qu'un ordre de leur patron pour dégainer. Vartalo se tourna à demi vers eux, très brièvement, puis reporta son regard sur son interlocuteur et lui dit :

« Croyez-moi, je tire mieux que ces deux zigotos.

— Nous vous croyons », répondit l'Anglais.

D'un geste, il ordonna à ses hommes de garder leur calme. Puis il s'efforça de convaincre Vartalo que le bateau était trop petit pour accueillir deux passagers supplémentaires. C'était un yacht sportif, pas un rafiot.

« Alors débarquez les deux poids lourds, suggéra Vartalo. Ces hommes sont incapables de vous protéger, vous le voyez bien.

— Ce sont des matelots, pas des casseurs.

— Des matelots ? Vous plaisantez. On dirait plutôt des ceintures de plomb ambulantes.

— Je ne peux vraiment pas... »

Jusque-là, Stransky avait adopté l'attitude d'un employé d'hôtel entré par mégarde dans la mauvaise chambre. Avançant d'un pas, il se tourna vers l'Anglais tout en désignant de la main gauche la poupe du bateau : « Où sont les deux autres ? »

Quoi encore ? Visages interrogateurs.

Cependant l'homme en blanc eut un brusque sourire et dit :

« Je vois que vous vous y connaissez.

— En mythologie grecque, rectifia Stransky, pas en bateaux. »

(La mythologie grecque est sans doute l'un des pires domaines d'étude qui soient. Ceux qui s'y intéressent, la plupart du temps avec passion, n'en sont pas conscients. Cette passion les rend complètement cinglés, ce qui ne les empêche pas de se croire parfaitement sains d'esprit.)

Pour le zoologue Stransky, la mythologie grecque n'était qu'une discipline remontant à ses études. Il avait su arrêter au bon moment d'établir des relations entre les dieux d'autrefois et la politique d'aujourd'hui, et pouvait manger une tartine au miel sans penser aux quatre infortunés héros qui avaient pénétré dans la caverne aux abeilles de Zeus pour en ressortir métamorphosés en oiseaux. Cependant il se souvenait très bien des multiples racontars qui concernaient le dieu. Il savait donc quoi penser en voyant un yacht baptisé *Aglaé* — nom inscrit en lettres d'or sur la poupe carrée.

« Les deux autres mouillent à Melbourne », expliqua l'Anglais.

L'Australie ne représentait probablement à ses yeux qu'un assez vaste embarcadère.

« *Euphrosyne* et *Thalie* », ajouta Stransky, citant les noms de bateaux qu'il n'avait jamais vus.

L'Anglais afficha une expression radieuse, s'approcha de Stransky et lui serra la main. Il fit de même avec Vartalo. Mais uniquement pour la forme.

L'Anglais s'appelait Ogmore. Pour être plus précis, il était gallois, un *lord*, ainsi qu'il apparut — cela sentait un peu son fantôme de château hanté. Un fantôme passionné de mythologie grecque.

Stransky savait qu'Aglaé était née des amours de Zeus et de la nymphe marine Eurynomé, qu'elle formait avec ses deux sœurs le groupe des trois Grâces, qu'elle était la plus jeune et la plus belle et que le poète Hésiode lui avait attribué Héphaïstos pour époux. Le fait qu'il sût tout cela impressionna bien plus Ogmore que l'élimination quasi sans gestes des deux balèzes aux allures de punching-balls.

Pour compléter, Stransky ajouta :

« Aglaé, la beauté, Euphrosyne, la joie, et Thalie, l'abondance.

— Oui », approuva Ogmore.

Il précisa que lui aussi préférait associer Thalie au concept d'abondance plutôt que de la surnommer la « florissante », ainsi qu'on le faisait généralement. Il expliqua ensuite que sa *Thalie* était un yacht de haute mer assez puissant. Une image de l'abondance.

« Plutôt destiné aux réceptions, si vous voyez ce que je veux dire. Massif. Ventru. Très éloigné de la grâce de notre *Aglaé*.

— Et *Euphrosyne* ?

— Un catamaran. Un catamaran hypocondriaque. Pour des raisons que j'ignore, ce bateau a constamment besoin de réparations. »

Compte tenu du fait qu'Euphrosyne incarnait la joie, Stransky déclara en une allusion transparente :

« C'est pas la joie.

— Exactement, répondit Ogmore. Les filles du ciel sont parfois de sacrées pimbêches. Mais pas *Aglaé*. Vous verrez.

— Comment cela ? demanda Stransky.

— Vous ne vouliez pas vous rendre à l'île Maurice ? »

Une des deux blondes s'interposa :

« Mais, Will, ces gens…

— Ces gens, l'interrompit Ogmore, sont nos amis, n'est-ce pas ?

— Absolument », répondit Vartalo, se manifestant de nouveau.

Cependant la dame craintive poursuivit :

« Écoute, Will, je ne mettrai pas les pieds sur ce bateau si tu…

— Voyons, trésor, évitons l'hystérie, d'accord ? »

Ogmore adressa un clin d'œil à son trésor. Un

clin d'œil méchant, signifiant que ledit trésor pouvait tout aussi bien rester là, dans ce village en ruine où l'on ne voyait pas d'*Intercontinental* à des kilomètres à la ronde.

Le trésor comprit le message. Tous comprirent le message : pour Ogmore — qui était encore plus bourgeois cultivé que lord —, il n'y avait rien de plus attirant qu'un individu qui connaissait ses dieux de l'Olympe sur le bout des doigts.

Ils montèrent donc tous à bord, y compris les deux gros bras, qui étaient effectivement d'irremplaçables matelots. Il y avait toute la place voulue sur ce bateau. Un yacht de vingt-cinq mètres de long, ce n'est pas un appartement de vingt-cinq mètres carrés.

Grâce au moteur, on gagna tranquillement le large. Du reste, l'absence de vent interdisait l'usage de la voile. La mer était exceptionnellement calme. En disparaissant à l'horizon, le soleil se refléta à la surface de l'eau comme sur un revêtement de béton gelé. Ogmore et ses hôtes, tous ses hôtes, demeurèrent encore un bon moment sur la brillante enveloppe extérieure de ce navire aux allures de zeppelin à contempler l'eau. Le ciel restait clair, mais les premières étoiles scintillaient déjà. La nuit s'annonçait splendide.

Puis on gagna l'intérieur du bateau. Un intérieur équipé à ses deux extrémités de petites unités, cabines, station radio, cuisine, toilettes, le tout hélas à la mode britannique : du laiton, du bois sombre et lisse, coûteux et sans goût, mais confortable. Au milieu s'étendait la pièce principale avec tout son déploiement de luxe. Dont un tableau de Matisse.

« C'est un original ? s'enquit Stransky.

— Oui. À vrai dire, ma compagnie d'assurances était contre. À cause de l'humidité. Et des pirates. Mais moi, je trouve que lorsqu'un tableau a de la valeur, il faut l'utiliser, non ?

— Les assureurs sont des esprits bornés, déclara Stransky.

— À qui le dites-vous ! approuva Ogmore. J'ai moi-même dirigé une compagnie d'assurances. J'en étais propriétaire. En dépit des gains, je n'en ai retiré aucun plaisir. On est constamment obligé de gruger les clients, c'est le propre d'une compagnie d'assurances. Détestable. Bien trop détestable pour un homme seul. Alors je l'ai vendue.

— Et maintenant ?

— J'essaie de dépenser les intérêts du produit de la vente. Mais avant toute chose, j'écris un livre, un livre sur les dactyles, les curètes et les corybantes... Je me permettrai de vous en donner quelques pages à lire... Il s'agit d'un travail bien étayé. J'ai beau être autodidacte, je ne suis pas un profane. »

Stransky avait craint quelque chose de ce genre. Pas étonnant que l'Anglais eût cédé si vite et les eût accueillis sur son bateau, Vartalo et lui. Un livre, donc. Seigneur !

Mais d'abord on dîna. Repas préparé par un des gros bras. Absolument succulent, il faut le reconnaître. Et l'ambiance n'était pas si mauvaise. Tippi Hedren, la dame qui s'était si fort effrayée, paraissait s'entendre à merveille avec Vartalo. C'était un flirt en bonne et due forme. Ogmore ne voyait rien. Ou ne voulait rien voir. Il avait mieux à faire. Il préparait Stransky à la lecture de son livre, expliquait comment il était conçu, soulignait l'importance des dactyles, etc. Il se montrait intarissable.

Après le repas, on ressortit sur le pont, on but, on fuma et on contempla un ciel étoilé de qualité supérieure. Un de ceux qui vous rappellent immédiatement le temps écoulé depuis votre dernière visite au planétarium.

Ogmore leva le bras, désigna un point dans l'univers et dit : « Les Pléiades. » Bon, il aurait pu montrer n'importe quel point, même Stransky n'avait aucune idée de l'endroit exact où se trouvaient les Pléiades. Constellation du Taureau ?

« On distingue même une septième étoile », ajouta Ogmore.

Ce qui signifiait donc qu'en général, il fallait se contenter de six de ces anciennes vierges qui avaient été métamorphosées en colombes avant de devenir des astres.

Ogmore était transporté, émerveillé. Un peu comme tous les autres, du reste. Même les gros bras, qui contemplaient le ciel, main dans la main. Ils étaient frères, pas gays. Sans doute des titans déchus, pensa Stransky. Il se sentait d'humeur cynique.

Mais son cynisme ne lui fut d'aucune utilité. Tard dans la soirée, il lui fallut se retirer avec Ogmore dans un coin de canapé pour réceptionner le manuscrit et subir quelques explications supplémentaires. À aucun moment on n'avait évoqué le fait que Stransky s'intéressait aux *vraies* colombes, pas à celles qui résultaient d'une transformation malveillante. Il était zoologue, pas historien des religions. Mais Ogmore ne semblait guère avoir besoin de questionner la légitimité de Stransky en tant que destinataire potentiel de son livre sur les dactyles. Il avait trouvé le lecteur idéal. Point barre !

Les dactyles ! Les accoucheurs de Rhea. L'affaire était la suivante : il y avait ce Cronos, un des titans qui, après l'habituel coup d'État, était devenu maître de l'univers à la suite d'Ouranos. Mais les coups d'État se répètent. Voilà pourquoi, lorsqu'il fut averti qu'un de ses futurs enfants le détrônerait, Cronos éprouva une peur justifiée. Les enfants sont ingrats, c'est bien connu, quant aux pères, ils ne sont là que pour être vaincus. C'est leur rôle et leur destinée. Les pères sont une maladie nécessaire, qu'il faut surmonter — une « maladie infantile » à proprement parler.

Or au lieu d'accepter humblement la fatalité à laquelle même les dieux étaient soumis, le révolutionnaire Cronos crut pouvoir s'y dérober et dévora par mesure de précaution les enfants que lui donnait Rhea, sa sœur et épouse. Mais lorsque Rhea fut sur le point d'accoucher de Zeus, elle se rendit en Crète et termina sa grossesse dans une caverne de montagne. Durant les douleurs de l'enfantement, elle enfonça ses ongles dans le sol et de ses dix doigts naquirent dix créatures, les dactyles. Ceux-ci l'aidèrent à accoucher et veillèrent ensuite, au moyen de diverses petites ruses, à ce que Cronos ne découvre pas le pot aux roses, par exemple en entendant les cris du nourrisson. La suite est connue. Un coup d'État de plus.

Il existe à ce sujet une foule de mythes et de versions, mais lord Ogmore s'était concentré exclusivement sur l'importance des dactyles ou « doigts idéens ». Et ce avec un sérieux inégalé, comme si l'on pouvait réellement déterminer s'il y avait eu trois ou dix, ou encore vingt doigts à la main droite et trente-deux à la main gauche. Comme si même la mythologie grecque recelait une vérité à côté de nombreux mensonges. Et que l'on pouvait y distinguer les faits des légendes.

Voilà en quoi consistait la perspective ogmoresque, dont l'ironie était totalement absente. Étudier la mythologie en se livrant à une analyse critique de la manière dont s'écrivait l'histoire. On aurait pu parler de journalisme d'investigation.

Peu à peu, Stransky trouvait de l'intérêt au texte, quoique celui-ci fût passablement tordu. Assis à côté de lui, Ogmore fumait et lui fichait enfin la paix.

En revanche, ce qui était plutôt perturbant — du moins pour Stransky —, c'étaient les bruyants ébats sexuels qui se déroulaient quasiment dans la pièce. Car le yacht avait beau être vaste, ce n'était pas un paquebot pourvu d'innombrables cabines mais une minuscule île mobile en pleine mer. Quand donc une femme, les doigts crispés, gémissait, criait et haletait comme si elle était sur le point de donner naissance à un troupeau de dactyles — des gens comme Acmon, l'enclume, ou Kelmis, le couteau —, on ne pouvait pas ne pas l'entendre.

Stransky abominait les femmes qui gémissaient et beuglaient pendant les relations sexuelles. Qui se comportaient comme si elles perdaient la raison. Une raison qui leur faisait manifestement défaut. Effrayant ! Stransky eut une pensée nostalgique pour Viola, qui accueillait toujours ses orgasmes avec retenue et n'aurait assurément jamais adopté une attitude inconvenante en réponse à une réaction physiologique imaginaire ou réelle. Il existait d'autres manières de souligner ces moments de bref ravissement que de marteler une innocente cloison et de crier stupidement « oui » et « non ».

Malheureusement, Tippi Hedren l'ignorait. Quant à Joonas Vartalo, il semblait y aller sans le moindre frein, ce qui justifiait ses cris. Cela n'en finissait pas. Ou plutôt, cela ne semblait plus jamais devoir finir. Un engrenage de performances et contre-performances, animé d'un mouvement perpétuel. Comme dans un porno fleurant la comédie. Sans doute est-ce là l'expression même de la réalité sexuelle : l'intensification des représentations pornographiques jusqu'à la dérision, jusqu'à la parodie. Bien des gens en savent quelque chose.

Ce n'était pas le cas de Stransky, qui éprouvait plus que jamais la nostalgie de Viola, de sa maison, de la normalité de ses quatre murs.

Et Ogmore dans tout cela ? Quand Stransky, agacé, releva la tête, il dit :

« Continuez de lire.

— Je ne peux pas, c'est intolérable.

— Alors changeons d'endroit », suggéra Ogmore.

Il conduisit son hôte dans le poste radio, situé à l'autre bout du yacht, un lieu idéal pour la lecture, un cabinet accueillant où les deux hommes purent s'installer à l'abri des nuisances sonores. Stransky pour lire, Ogmore pour contempler le lecteur. L'auteur et son destinataire, l'arbre et le champignon. (La plupart des champignons ne sont pas cultivables, c'est un fait notoire. Pas davantage que la majorité des lecteurs. Il faut les contraindre à la symbiose.)

Très logiquement, donc, les deux hommes s'endormirent au même moment, accédant de la sorte à un niveau de partenariat bien supérieur à celui de Joonas Vartalo et de la femme qui avait paru vouloir exploser de plaisir. Un peu ennuyée, celle-ci était à présent étendue au côté du Finlandais ronflant et toussant, se demandant avec inquiétude si Ogmore reconnaîtrait son acte pour ce qu'il était : un petit écart.

Indubitablement. Cet enseignement, Ogmore l'avait retiré de l'histoire des dieux. Il valait mieux éviter de s'énerver pour la moindre bagatelle et laisser agir le temps.

Il va de soi que sur un voilier, on fait de la voile. Ce qui advint le jour suivant. À cette occasion, les deux matelots et la fine compagnie quadricéphale se révélèrent une équipe parfaitement rodée. Ils étaient tous comme métamorphosés, sérieux, adroits, concentrés, extrêmement souples — même les deux gros bras. Sans compter que le vent était favorable. On volait littéralement sur l'eau. À la vérité, on ne faisait pas que voler, on atterrissait aussi sur la surface dure au creux des vagues. Ajoutons à cela une gîte parfois considérable, que les compagnons navigateurs, penchés de tout leur long au-dessus de la rambarde, appréciaient au plus haut point. Vartalo et Stransky, en revanche, avaient pris place sur un banc à la poupe du navire, de part et d'autre du drapeau anglais qui flottait au vent, et se tenaient comme ils pouvaient, les doigts crispés, sans pourtant engendrer de dactyles.

« Ils naviguent comme des cochons, commenta Vartalo, ajoutant : Il y a d'autres façons de faire de la voile. »

« Il y a d'autres façons de baiser », aurait volontiers riposté Stransky, mais il s'abstint.

Peu importe. On atteignit Port-Louis sans événement notable — tempête, crise de rage…

« Alors, mon ami, dit Ogmore à Stransky tandis qu'on entrait dans le port. Qu'en dites-vous ?

— J'ai beau apprécier l'intérieur de l'île…

— L'île ? Je parlais de mon livre, des dactyles.

— Bien sûr… On pourrait penser que vous croyez à ce que vous écrivez.

— Je l'espère bien !

— Milord, plaisanta Stransky, vous affirmez dans votre ouvrage que les dactyles ont réellement existé. Et qu'ils ont des descendants parmi les Pygmées d'Afrique centrale. C'est une théorie complètement loufoque.

— Je vous en prie, le pressa Ogmore, comment trouvez-vous le livre ?

— Vous devriez le publier », conseilla Stransky.

Ce n'était pas un jugement clair et net. Mais c'était exactement ce qu'Ogmore souhaitait entendre.

« Je suivrai votre conseil », répondit l'Anglais qui était gallois en manœuvrant l'*Aglaé* parmi la foule de yachts qui mouillaient dans le port. Le parking était manifestement de haut vol.

« Quand j'étais enfant, raconta Stransky, j'imaginais que l'île Maurice se composait exclusivement d'un bureau de poste. Quelques palmiers et un bureau de poste. Avec un employé des postes et un timbre unique. J'aimais cette idée. Cette idée de solitude et de réduction. Et la haute valeur financière qui en découlait.

— Bienvenue dans la réalité, répliqua Ogmore.

— À qui le dites-vous », fit Stransky.

Vartalo et lui prirent congé et quittèrent le bateau. Personne ne formula de remerciements ni de reproches. Tout le monde semblait avoir reçu son dû.

Quelques semaines plus tard, l'*Aglaé* allait chavirer dans une violente tempête tandis que l'équipage sombrerait corps et biens. Quant à la compagnie d'assurances, elle ferait l'innocente en prétendant n'avoir jamais entendu le nom de Matisse.

De nouveau le 5. Pour la troisième fois consécutive, la boule atterrit sur le 5 rouge. Les gens qui se tenaient autour de la table — des voyageurs attendant un train et tentant leur chance en coup de vent, comme s'ils tiraient un coup vite fait — hochèrent la tête. Personne ne jouait le 5. Et tous étaient convaincus que la série allait s'arrêter, s'arrêterait forcément. Était-ce bien le cas ? Combien de fois un même chiffre pouvait-il sortir ? Sans qu'on eût à soupçonner de fraude ? Or de fraude il ne pouvait être question dans ce lieu des plus officiels, au cœur de la ville, dans une des grandes gares du pays, bien loin des tripots et autres établissements du même acabit.

Le restaurateur hocha la tête à son tour. Pas à cause d'un chiffre qui se répétait, mais parce que même la mixture baptisée *Öckerös Sugpapper* échouait à traiter la tache. *Öckerös* n'était pas sans risque, sans risque pour le tableau. Il arrivait en effet que le nettoyage n'épargnât pas la peinture. Que l'élimination du parasite entraînât celle de l'hôte. Comme il est si fréquent.

Certes, le tableau en question n'était pas un chef-d'œuvre renommé dont la détérioration aurait à jamais entaché la réputation du restaurateur. Qui plus est, celui-ci aurait eu les moyens artistiques de copier des fragments de chauve-souris, ou plutôt d'effacer purement et simplement l'animal pour le remplacer par du paysage. Cependant la première chose à éliminer, c'était la tache sombre que le restaurateur ne voulait pas se risquer à recouvrir. Il n'irait pas jusque-là.

Mais que faire ? La salissure persistait en dépit de l'énorme quantité d'*Öckerös Sugpapper* employée à son encontre. C'était en soi déjà très inhabituel. Aussi inhabituel qu'un tiercé de 5 à la roulette. Fait que le restaurateur enregistra en regardant l'affichage électronique. Après quoi il lança un coup d'œil inquisiteur sur la table de jeu et observa le croupier. Un homme antipathique, avec une moustache ultrafine, qui se comportait comme s'il travaillait dans le meilleur casino du monde et pas dans un café de gare.

Cela faisait des semaines que le restaurateur voyait cet homme, et réciproquement. Parfois aussi on se rencontrait à hauteur d'yeux quand le restaurateur quittait ou rejoignait son poste de travail. Non qu'on évitât de se saluer : on détournait délibérément le regard.

« C'est mon ennemi », pensait le restaurateur sans vraiment pouvoir l'expliquer. Mais il le sentait, il sentait l'hostilité du croupier. À présent, celui-ci exhortait les joueurs à faire leurs jeux. Sa voix possédait l'arrogance d'un morceau de savon qui vous glisse des mains. À l'évidence, ce croupier méprisait les joueurs qui se trouvaient à sa table, des voyageurs, des hommes avec des cravates de travers, des femmes avec de l'alcool dans le sang.

Le restaurateur retourna à son travail.

Enfin ! Le produit semblait vouloir agir ! Il se passait quelque chose — comme on dirait : l'été est enfin là.

Hum... En fait, la tache ne réagissait pas comme prévu. Au lieu de se dissiper, elle se modifiait. Elle prenait une forme.

Une forme ? !

Billevesées ! Une tache ne pouvait pas prendre de forme, en tout cas pas une forme concrète. Pas plus qu'un cratère lunaire ne donnait de visage ou que des chemins de terre et des champs de maïs piétinés n'indiquaient l'existence d'une piste d'atterrissage pour extraterrestres. À quoi bon cet étalage ? Rester caché pour ensuite livrer des signes spectaculaires de son existence ? Il n'y a que des êtres humains pour avoir pareille idée. Des gens qui entretiennent une relation hystérique avec les champs de maïs.

Et pourtant... Le restaurateur ne pouvait s'empêcher d'interpréter le changement de contour de la tache comme l'apparition d'un visage. Un visage de profil. Un nez saillait distinctement, ainsi qu'un menton. La bouche et le front, en revanche, contrevenaient aux règles. L'occiput, quant à lui, était beaucoup trop pointu pour avoir l'air naturel. En outre, certaines des transitions avec le fond étaient très floues. Cependant la tache n'en rappelait pas moins une silhouette découpée, un portrait, raté, certes, mais un portrait. Et elle n'avait plus rien de commun avec la forme dépourvue de signification qui avait précédé l'entrée en action d'*Öckerös Sugpapper*.

« Je débloque, pensa le restaurateur. Dans mon métier, on débloque tous un jour ou l'autre. C'est à cause de tous ces produits chimiques qu'on se prend constamment dans le nez. Quand le nez tombe malade, le reste suit. »

Il saisit ledit nez et proféra avec détermination : « Il n'y a de visages sur un tableau que ceux qu'on y a peints. Est-ce clair ? »

Et pour échapper à ce visage qui n'existait pas, il se détourna, s'appuya contre la perche de l'échafaudage et reprit son observation de la table de jeu. Il crut remarquer que la boule avait atterri une fois de plus dans le compartiment du 5. Il s'effraya. Mais s'aperçut aussitôt que l'affichage indiquait le 3.

Dieu soit loué ! Le 3 était un bon chiffre. Avec une arme en état de marche et en étant fin tireur, on pouvait facilement abattre *trois* hommes à cheval.

créer des lapins ou des Alsaciens à trois têtes, ou un Cerbère à une tête.

Il baissa la vitre. C'était le pompon ! Autant s'exposer à un sèche-cheveux. Il la remonta en la laissant juste entrebâillée. Puis il alluma une cigarette. Une Gauloise sans filtre entre les doigts, quel plaisir ! C'était peut-être un cliché, cette Gauloise entre les doigts d'un Français. Mais pouvait-on imaginer plus beau cliché ?

Voilà pour la beauté.

Desprez n'était encore jamais allé à l'île Maurice, mais il connaissait la Réunion, « département français d'outremer », comme disaient les Français. Parfois, les gens préfèrent dormir à l'étranger, cela leur permet de faire quelques bricoles dont ils n'auraient même pas le droit de parler à la maison. Quoi qu'il en soit, Desprez s'était rendu à la Réunion vingt ans plus tôt sur ordre de la DGSE, le service français de renseignement extérieur. Il n'aimait guère y repenser. À cause de la chaleur, certes, mais aussi du désastre qui avait suivi son séjour là-bas.

Bon, vingt ans : de l'eau avait coulé sous les ponts. En revanche, Desprez détestait toujours autant les non-Français qui parlaient français. Cela le fichait en rogne que le premier Indo-Mauricien ou Créole venu s'adressât à lui comme à un compatriote. Il n'avait jamais compris pourquoi les Anglo-Saxons souhaitaient tellement que chacun, sur cette planète, maîtrisât leur vilaine petite langue. Il était tellement plus agréable de garder sa langue pour soi. Comme on devrait le faire avec une religion, un rituel, une blague, un partenaire, une marque de vin. Croyait-on réellement rendre le monde meilleur en généralisant le cabernet sauvignon ?

Hélas, c'était bien ça. Le chauffeur de taxi avait salué Desprez en français et lui expliquait à présent combien la chaleur était inhabituelle pour la saison. On était encore en hiver. Enfin, ce qu'on appelait l'hiver sur l'île Maurice.

« C'est bon, dit Desprez, contentez-vous de rouler. »

Le chauffeur ne parut pas avoir compris, il continua à parler, du temps, du prix de l'alcool. Desprez aurait bien aimé lui loger sans préavis une balle dans le crâne. Mais s'attaquer à un chauffeur de taxi, c'est risqué. Mieux vaut garder son calme et essayer de survivre à la course.

Desprez garda son calme et descendit du taxi dans une petite rue latérale du quartier chinois de Port-Louis. Après un bref coup d'œil alentour, il entra dans le restaurant devant lequel le chauffeur l'avait déposé. D'une certaine façon, il n'avait fait que quitter un restaurant chinois en plein Paris pour un restaurant chinois en plein océan Indien. Celui-ci ne possédait pas le chic du premier et il était tout à fait conforme à l'image que des millions de non-Chinois consommateurs de porc à la sauce aigre-douce pouvaient avoir d'un restaurant chinois. Dragons et serpents aux murs. Bière Tsingtao.

Il n'y avait qu'une seule table occupée. Une douzaine d'hommes et de femmes y étaient assis, qui se levèrent à l'entrée de Desprez. On accueillit le « commandant » et on lui adressa un salut militaire.

« Nous ne sommes pas en guerre, répliqua Desprez. Pas encore. Où est Stransky ?

— Sans doute ici, à Port-Louis, répondit une femme, du genre ne-vous-y-frottez-pas.

— Quelle est la source ?

— Notre informateur, expliqua la femme.

— A-t-on quelque chose de plus précis ? »

La femme rapporta que deux personnes travaillant vraisemblablement pour le Dr Antigonis, un détective grec et une policière allemande, étaient arrivées à Port-Louis. Cela ne pouvait pas être un hasard. En outre, on savait qu'un yacht anglais avait débarqué deux hommes correspondant à la description de Stransky et de Vartalo. Or ce bateau était opportunément parti d'une localité voisine d'Aden.

« Quel détective ? Quelle policière ? s'enquit Desprez.

— L'homme s'appelle Kallimachos, la femme Steinbeck.

— Spiridon Kallimachos ? »

Desprez ouvrit de grands yeux, on aurait cru une momie tirée de son sommeil.

La femme haussa les épaules.

« Arrêtez de hausser les épaules, je vous prie », aboya Desprez.

La femme baissa ses mécaniques et reprit :

« Oui, c'est un peu bizarre. Ce Kallimachos est un vieil homme obèse, qui se déplace avec difficulté. Dans un premier temps, nous nous sommes demandé s'il faisait réellement partie de l'équipe d'Antigonis. Sa place serait plutôt dans une maison de retraite.

— Ne croyez pas cela, répliqua Desprez. S'il

s'agit bien de Spiridon Kallimachos, nous n'avons plus droit à l'erreur.

— À propos d'erreur, dit la femme, nos agents de liaison au Yémen prétendent avoir chopé Belmonte.

— Comment ça "chopé" ?

— Apparemment, il serait mort.

— Formidable ! Nous payons ces gens pour qu'ils tuent Stransky et ils s'en prennent à Belmonte. »

Tout en se retenant de hausser les épaules, la femme répondit :

« L'erreur est humaine.

— Oui ! Et un jour, soi-même on y passe. Par erreur. »

Cette fois, la femme haussa les épaules. Desprez laissa courir. Il n'avait plus envie de s'énerver. Il voulait prendre les choses en main pour en finir avec toutes ces erreurs.

Kallimachos, donc. Pas bon, ça. Pas bon du tout. Il n'avait pas revu ce fichu Grec depuis bien longtemps, cependant il était au courant de sa déchéance physique et de l'étonnement que suscitait sa situation de détective. Mais cet étonnement n'était que l'effet de l'ignorance...

« Si jamais nous tombons sur Kallimachos, dit Desprez, laissez-moi lui parler. Et n'essayez surtout pas de le flinguer. On ne peut pas le flinguer.

— On peut flinguer n'importe qui, objecta la femme.

— Une erreur de plus, répliqua Desprez.

— Comme vous voudrez », fit la femme, donnant à son inévitable haussement d'épaules une expression verbale.

Elle rapporta ensuite que l'informateur dont on disposait à Port-Louis venait juste d'appeler. Il avait d'autres renseignements et les attendait à *La Perfection du monde*, un bistrot du port.

« Qu'est-ce qui porte ce nom ? Le bistrot ?

— Oui. Désirez-vous parler personnellement à l'informateur ?

— Pourquoi pas puisque je suis là ? » railla Desprez.

Il voulut savoir qui était ce type auquel on s'en remettait.

« Un drôle d'oiseau, répondit la femme. Espèce locale. Petit, mais malin. Un peu effronté en matière d'argent. Mais bien informé.

— Bon, allons écouter le ramage de cet oiseau. »

On quitta le café et on se répartit dans deux minibus équipés de vitres teintées dans lesquels régnait une agréable fraîcheur. Une fraîcheur qui poussa Desprez à demander pourquoi on lui avait envoyé un taxi minable. Non, pas un taxi : un four.

« Si nous vous avions reçu avec les honneurs militaires, expliqua patiemment la femme, votre arrivée ne serait pas passée inaperçue.

— Épargnez-moi vos sarcasmes, riposta Desprez. La prochaine fois, j'exige une voiture climatisée. Camouflez-la en tas de ferraille si vous voulez, l'important c'est qu'elle soit fraîche et confortable. Vous avez compris, *Mademoiselle** ?

— Je m'appelle Palanka », répondit Mademoiselle.

Précisons que ce n'était pas la première fois qu'on se rencontrait.

« Je m'en fiche, répondit Desprez. Faites correctement votre travail, c'est tout. Pour ça, pas besoin de nom. »

Tel était Desprez. Il n'avait jamais essayé de se montrer sympathique à l'égard de ses subordonnés. Ni de les motiver. Un homme motivé, pensait-il, n'avait pas besoin qu'on le récompense sans arrêt d'un susucre. Et s'il n'était pas motivé, c'était tout aussi bien : les surmotivés mouraient plus vite que les non-motivés. Entre les deux se déployait la moyenne raisonnable de ceux qui appréciaient simplement d'être à l'extérieur plutôt qu'au salon.

Le quartier où l'on arrivait à présent était encore plus laid que celui qu'on venait de quitter. Du reste, Port-Louis n'avait pas grand-chose de la beauté d'un célèbre timbre-poste. Nulle part on ne voyait de bâtiment rappelant le charme magique d'un bureau de poste unique en son genre. La ville dégageait quelque chose d'équivoque. Un cactus sans épines. Des épines sans raison.

Cette équivoque, ce mélange d'impressions contradictoires étaient flagrants lorsqu'on arrivait à *La Perfection du monde*. Devant l'entrée traînaient de jeunes Créoles. En dépit de la chaleur, certains portaient de grosses vestes — des choses hideuses, ballonnées — ainsi que des chaussures de tennis dans lesquelles une martre ou une belette aurait pu s'établir confortablement. Mais le temps des martres et des belettes n'était pas encore venu.

Desprez détestait ces jeunes, indépendamment de leurs origines et de leurs revendications. À ses yeux, ils incarnaient la saleté. La saleté qui ne devient jamais propre, parce que tel est le propre de la saleté. On ne peut pas la nettoyer, autrement ce ne serait plus de la saleté. Non, ces gamins n'avaient pas été corrompus ni empoisonnés, ils l'étaient par nature. À l'instar des champignons ou des serpents, qu'on ne peut pas convaincre de cesser d'être venimeux. Il est absurde de croire qu'il suffit de promettre à ces jeunes un avenir meilleur, des places d'apprenti, des emplois, un foyer agréable. Comme s'il s'agissait de cela.

(Stransky aurait rétorqué que les grenouilles arboricoles, par exemple, qui sont extrêmement toxiques, perdent leur poison dès qu'elles se trouvent dans l'espace protégé d'un terrarium dépourvu d'ennemis. Mais Desprez n'était pas homme à se laisser impressionner par ce type d'argument.)

« C'est sympathique, ici, commenta Desprez, on se croirait au fin fond d'une cité de banlieue parisienne. »

Quand les jeunes virent les individus qui descendaient des minibus, ils se ratatinèrent un peu et s'écartèrent ostensiblement. L'équipe de Desprez se composait de gens qui ressemblaient à des jouets guerriers, dont on se rappelait à quel point ils étaient mauvais pour la santé. Seule Mme Palanka, quoique peu commode, montrait une touche d'élégance. Jusque dans sa démarche, en dépit des lourdes bottes. Et sa dureté ne l'empêchait pas d'avoir un joli visage. Ses yeux avaient quelque chose d'une eau immémoriale enclose dans un cristal. Une eau capable de s'émouvoir. Avec ces yeux-là, Palanka savait sans doute rire quand l'envie lui en prenait.

Cependant on n'était pas venu là pour s'amuser,

dans cet établissement qui ne méritait guère son nom. Du moins si l'on se représentait la perfection comme une belle et harmonieuse réussite. En ces lieux, atteindre le sommet s'apparentait à une punition. C'était là que le monde connaissait sa faillite définitive.

Le long comptoir ressemblait à un train qui se serait écrasé en plein milieu du bistrot ; quant aux hommes installés au bar, on aurait pu les prendre pour des passagers grièvement blessés. Visiblement, les pompiers n'étaient pas parvenus à dégager ni à désincarcérer épaves et victimes. Il y a des accidents qui se prolongent dans l'éternité.

« Là-bas », indiqua Palanka en désignant un coin de la salle. Assis à une table ronde dont le plateau de bois cabossé supportait une bougie à la flamme oblique, placée dans un bocal de cornichons, se trouvait un homme d'aspect si sombre qu'on l'aurait cru enduit de terre noire. C'est à peine si on le distinguait dans l'obscurité de cette partie de la salle. La lueur de la bougie tressaillait, tel un ver luisant, laissant l'homme quasiment dans l'ombre.

« J'irai seul », ordonna Desprez en faisant signe à Palanka et aux autres de patienter.

Et il alla s'asseoir à la table du soi-disant informateur.

« Je ne parlerai qu'à Palanka, déclara celui-ci dans un français aux sonorités espagnoles.

— Pardon ? demanda Desprez. Vous voulez que je vous crève les yeux pour que vous me preniez au sérieux et que vous chassiez Mme Palanka de vos pensées ?

— Hé, vous...

— Oui ? »

Desprez passa sa langue sur ses lèvres d'un air provocant.

« Qui êtes-vous ? » demanda l'homme sombre en avançant légèrement le visage.

On voyait à présent qu'il s'agissait d'un Blanc. D'un Blanc qui n'avait absolument rien de blanc. D'un de ces hommes qui absorbaient toute la clarté autour d'eux et en eux. Jusqu'au blanc de leurs yeux.

« Qui je suis ? »

Desprez répéta la question et la renvoya sur-le-champ à son interlocuteur.

« À votre avis ?

— Ça suffit comme ça, trancha l'homme assis dans le noir. Filez-moi le fric. »

Desprez lui tendit une enveloppe que l'autre ouvrit fébrilement, comme s'il s'était agi d'une bouteille de gin. Il en sortit les billets et les compta. Puis il leva les yeux, pinça les lèvres et dit :

« Ce n'est pas ce que Palanka m'avait promis.

— Je serai juge de la valeur de vos prétendues informations, déclara Desprez.

— On ne marchande pas avec moi », riposta l'homme en faisant mine de se lever.

Desprez tapota la table du doigt et ordonna très tranquillement :

« Restez assis. Et cessez de m'énerver. S'il vous plaît ! »

Le *s'il vous plaît* eut l'air de convaincre. Il résonnait, ce *s'il vous plaît*, comme une paire de ciseaux traversant un papier en ligne droite et emportant au passage, par inadvertance, un ongle quelconque. Par inadvertance… ou pas.

Tout en se rasseyant, l'informateur expliqua :

« L'homme que vous cherchez, ce Stransky, il a repris un bateau. Il ne tient pas en place.

— Quel bateau ?

— La *Lulu*.

— Lulu ?

— Un machin destiné à la recherche. Un engin hypermoderne, on ne peut plus moderne. Il est la propriété des Français, mais les Allemands sont aussi de la partie. C'est pour ça que Stransky le connaît. »

L'informateur, qui semblait gagner en consistance au fil de son récit, rapporta que Stransky était un ami du responsable d'un organisme français de recherche installé à la Réunion et qui accueillait des zoologues, des biologistes marins, des météorologues, des géologues et des marins. Le travail de ces gens consistait, entre autres, à embarquer de temps en temps sur la *Lulu*, notamment pour se rendre dans les territoires français du sud de l'océan Indien. Afin de fouiner sur quelques îles perdues, de prélever des échantillons, de dénombrer les pingouins, de mesurer la force du vent et autres activités de ce style.

« La *Lulu* est arrivée hier de la Réunion et elle est repartie ce matin, dit l'informateur. Officiellement, elle se rend à l'île Nouvelle-Amsterdam. Mais sa destination réelle est Saint-Paul, à quatre-vingt-dix kilomètres au sud de Nouvelle-Amsterdam. Une drôle de petite île, si vous voulez mon avis. »

Desprez cligna imperceptiblement des yeux. Puis il demanda :

« Que lui trouvez-vous de comique ?

— Sept kilomètres carrés, c'est plutôt drôle, non ? Aussi drôle qu'un chien nain ou une planète minuscule ou une lune encore plus minuscule ou un astéroïde superminuscule. Ou ces arbres japonais…

— C'est bon… Une petite île, donc.

— Oui, une île bonsaï », renchérit l'homme.

Il reconnut cependant qu'en dépit de sa faible superficie, cet îlot possédait une envergure certaine. Au nord-est se dressait un cratère monumental, doté de parois abruptes de deux cents mètres de hauteur. Du côté de la mer, un pan entier du volcan s'était effondré. Le fond du cratère était donc immergé. Une lagune s'était formée, une lagune pourvue de sources d'eau chaude. Il existait aussi quelques cratères voisins plus petits, comme Les Quatre Collines, qui étaient encore en activité. On évoquait également la présence de sources d'eau douce. Une, peut-être deux. Disons plutôt qu'il courait un bruit à ce sujet, un bruit d'eau douce.

À cette vieille rumeur, expliqua l'informateur, s'en ajoutait à présent une nouvelle.

« C'est-à-dire ? s'enquit Desprez.

— Une rumeur concernant un oiseau, répondit l'homme qui engloutissait la lumière.

— Pourrait-on être plus précis ?

— Il semblerait que quelqu'un ait vu un dronte.

— Un quoi ?

— Un dronte. C'est un oiseau qui vivait autrefois ici, sur l'île Maurice, et à la Réunion. Un oiseau de grande taille, incapable de voler. Il n'a pas tenu longtemps. Il a disparu à la fin du XVIIe siècle. Mais apparemment, le mort a refait surface. Sur Saint-Paul.

« — L'île est habitée ?

— Plus depuis longtemps. Il y a eu des pêcheurs. Pêche et conservation de la langouste. Une centaine de gens dans les années trente. Mais quelque chose a mal tourné. Tous ces types sont tombés malades ou devenus fous. Les deux sans doute.

— Qui prétend avoir vu ce dronte ?

— Un de ces navigateurs qui font le tour du monde. Ouais, ce ne sont pas les types les plus fiables.

— Il est donc possible d'aborder sur l'île ? s'enquit Desprez, feignant l'ignorance.

— Il y a surtout de la falaise, mais la lagune est praticable. »

Desprez voulut savoir s'il était absolument certain que Stransky et son compagnon Vartalo fussent à bord de la *Lulu*.

« Quel degré de certitude voudriez-vous avoir ? demanda l'informateur.

— Disons les choses comme ça : si vous essayez de me faire gober une histoire dont seule une moitié est vraie — la mauvaise moitié qui plus est, celle du dronte, par exemple —, j'ordonnerai à mes hommes de vous mettre définitivement hors circuit. Comprenez-moi bien : je ne vous menace pas de souffrances interminables, juste de mort. Sans effets spectaculaires. Vous n'en êtes pas digne. Alors ?

— Je vous ai dit la vérité. Votre homme est sur ce bateau. Lequel fait route pour Saint-Paul à cause d'un imbécile d'oiseau qui n'existe même plus.

— Et ? poursuivit Desprez. Y a-t-il autre chose que je devrais savoir ?

— Non, je vous ai tout raconté. Et ça vaut plus

que ce qu'il y a dans cette enveloppe. Avancez la rallonge. Je…

— Espèce d'insolent petit salopard ! s'exclama Desprez en se levant. Il est temps qu'on vous apprenne à vivre. Et sans délai ! »

Desprez était furieux. Pas seulement parce que ce genre de crétin, d'indic minable, le dégoûtait. Mais parce que toute cette histoire lui déplaisait. Comme s'il ne suffisait pas que Stransky eût quitté le Yémen ! Il fallait que le voyage se poursuivît à Saint-Paul. Comme par hasard ! Desprez connaissait l'île comme on connaît une femme à qui l'on doit une gentille petite maladie. Il s'y était rendu vingt ans plus tôt. Et n'aurait jamais pensé devoir y remettre les pieds. Cette nécessité lui causait irritation et maux de tête. Quand les choses se répétaient, c'était un mauvais présage. La répétition était un signe. Elle s'inscrivait dans les destins individuels comme un petit panneau d'avertissement auquel il eût été bon de prêter attention. Ce qu'on ne faisait jamais.

Desprez non plus, évidemment. Il était obligé de suivre Stransky. Mais tenait au moins à manifester son irritation. Il déclara :

« Soyez content que je vous laisse la vie sauve. »

Ce qui signifiait qu'il n'était pas question d'augmenter les honoraires de l'informateur. Desprez se détourna et abandonna l'homme lésé à sa sombre malédiction.

Ayant rejoint sa collègue Palanka, Desprez déclara :

« Nous avons besoin d'un avion. Et de parachutes. »

Il se trouvait que tous les hommes présents étaient des parachutistes confirmés, sans oublier la femme, et Desprez bien sûr. Ils avaient appris qu'il n'existait pas d'endroit au monde où l'on ne pût atterrir avec précision. Dans un jardin pendant un anniversaire d'enfant comme en haut d'une tour. De ce point de vue, une île de sept kilomètres carrés, c'était une broutille même si les vents qui tournoyaient autour de Saint-Paul avaient mauvaise réputation.

« Un avion, très bien », répondit Mᵐᵉ Palanka. Comme un pharmacien dirait : Une aspirine, très volontiers.

Quand Desprez et son équipe eurent quitté *La Perfection du monde*, l'homme qui tenait à présent une enveloppe — une enveloppe qui avait perdu toute sa blancheur — commanda un double rhum en pestant dans sa barbe contre ces salauds de Français.

Une heure passa pendant laquelle il fixa la flamme de la bougie en avalant verre sur verre. Une fois l'heure écoulée, la porte s'ouvrit, un homme et une femme entrèrent. La femme portait une robe courte, légère mais ajustée, dont les rayures, en dépit de leurs couleurs, produisaient un effet compact. Cette femme avait l'air de sortir de la douche. Son compagnon, en revanche, vacillait dans la tempête de chaleur. Ses halètements couvraient les bruits de déglutition des hommes accoudés au bar.

Lilli Steinbeck et Spiridon Kallimachos balayèrent la salle du regard. L'homme qui était assis dans l'obscurité s'éventait avec l'enveloppe.

« Le voilà », dit Steinbeck.

Elle prit Kallimachos par le bras, le conduisit

jusqu'à la table. On s'assit et on commanda aussi du rhum. Du rhum maison.

« Vous avez l'argent ? demanda l'informateur.

— Vous avez les informations ? demanda Steinbeck.

— L'argent d'abord. »

Steinbeck eut un sourire de pitié :

« Enfantillages. »

En même temps, elle posa une bourse sur la table. L'informateur s'en saisit, l'ouvrit, compta l'argent, se montra satisfait. Il servit alors au mot près l'histoire qu'il avait racontée une heure plus tôt à Desprez, sans rien omettre ni ajouter. Mais quand il eut terminé, il déclara :

« Une dernière chose : vous n'êtes pas seuls.

— Non, assurément pas, confirma Steinbeck.

— Je veux dire qu'il y a une heure, j'ai raconté à quelqu'un d'autre ce que je savais sur Stransky, Vartalo, la *Lulu* et l'île Saint-Paul.

— À qui ?

— La femme s'appelle Palanka, l'homme, je ne sais pas. Un petit Français répugnant. Très désagréable.

— Vous trouvez malin de jouer double jeu ?

— Du moment que seul un des deux camps est au courant, ça va.

— Bien, alors bonne chance », répondit Steinbeck.

Elle aida Kallimachos, qui n'avait pas prononcé un mot ni posé une seule question, à se redresser. Il dégageait une odeur de siphon ouvert. Comme à l'accoutumée, il paraissait inconscient, les yeux mi-clos.

218

Une fois sortie, Lilli leva les yeux vers la longue inscription en néon :

« Quel nom ! fit-elle, puis : Cette histoire de dronte est forcément un gag. »

Kallimachos alluma une cigarette et proféra :

« Hôtel. »

Il entendait manifestement se reposer avant la suite du voyage. Car suite il y aurait.

Saint-Paul, 38° 43' de latitude sud, 77° 32' de longitude est. Un endroit vraiment isolé, du genre de ceux où les balles de golf s'égarent.

12

La réalité est une fiction fossilisée

La *Lulu* était une vraie merveille, l'*Aglaé* des navires d'expédition si l'on veut. Une navette spatiale futuriste, pas un de ces bâtiments malcommodes à plusieurs étages dotés d'un millier de boutons et d'un ordinateur fou, mais un bateau élégant de couleur anthracite dont la forme rappelait celle d'un bombardier en tenue de camouflage. La science comme option militaire. De fait, ce bateau était une commande de l'armée française. Même les gens qui se trouvaient à bord évoquaient plutôt des agents bien entraînés que des biologistes et des météorologues — ce qu'ils étaient, mais ils en incarnaient la variante agent spécial.

Il va de soi que ce bateau disposait des moyens techniques les plus modernes, mais, contrairement à ce qu'on pouvait imaginer, cette technique ne prenait plus la forme d'un réseau d'innombrables petites lampes, d'écrans et de régulateurs. Non, le flamboyant feu de cheminée de l'avenir marquait le pas. Le confort avait disparu, il s'était éteint. Bauhaus.

On ne se nourrissait pas non plus de petites saucisses et de haricots en boîte, on grignotait des biscuits japonais high-tech, qui contenaient à peu près tout sauf de la nicotine et de l'alcool. Exit donc la typique odeur de cambuse ainsi que la puanteur de l'essence et des toilettes défectueuses. Il n'y avait pas non plus d'écoutilles. La poussière disparaissait avant même qu'on pût la remarquer. Le bateau avançait comme sur des rails. Il fallait sortir sur le pont pour s'apercevoir qu'on était en pleine mer. La *Lulu* était une construction astucieuse, mais comme la plupart des astuces, elle signait la mort du romantisme. L'astuce est venue au monde pour flinguer tout ce que nous aimons, tout ce que nous trouvons sacré. Ou tout ce que nous détestons.

L'ami et collègue de Stransky, un certain *Monsieur** Legrand, qui dirigeait l'expédition, avait été quelque peu étonné lorsque Stransky s'était manifesté par l'intermédiaire du poste radio de la britannique *Aglaé* pour annoncer son arrivée à Port-Louis. Occupé aux derniers préparatifs du voyage à Saint-Paul, Legrand n'avait su quoi penser des propos confus de son collègue allemand. Stransky avait parlé d'une urgence sans s'étendre davantage. Et expliqué qu'il regagnait son pays par l'itinéraire le plus compliqué. Évitant les endroits connus, ou plutôt les contournant par derrière. Oui, ainsi s'était-il exprimé : « en les contournant par-derrière ».

Legrand s'était demandé si Stransky n'avait pas un peu perdu les pédales. Mais après réflexion, il avait songé que c'était peut-être un instinct mystérieux qui conduisait son collègue vers l'île Maurice au moment même où quelqu'un affirmait avoir vu un oiseau qui faisait plus que ressembler à un dronte : inapte à voler, pourvu d'un gros bec, nullement farouche, l'air un peu niais, doté de pattes jaunes et de courtes ailes, possédant la taille d'un dindon, cet oiseau était indubitablement un représentant de l'espèce *Raphus cucullatus*, également appelé dodo. L'information émanait d'un navigateur et ornithologue amateur bien connu. Quelqu'un à qui l'on pouvait se fier. Même si, bien sûr, il y avait — il devait y avoir erreur. Mais cette erreur, il fallait l'élucider. Or c'était le moment que choisissait Georg Stransky, réputé pour son flair à l'égard des animaux prétendument disparus, pour faire son apparition et réclamer confusément qu'on l'aidât dans sa tentative de « contournement par l'arrière » à regagner l'Allemagne.

Comme M. Legrand ne voyait aucune raison de taire une information qui ne pouvait être qu'erronée, il avait évoqué cette histoire de dronte et invité Stransky à participer au voyage à Saint-Paul — pure expédition de routine. Peut-être aussi parce que l'arrivée inattendue mais singulièrement opportune de Georg Stransky s'apparentait à un signe venu d'en haut et qu'elle alimentait un espoir audacieux : que la prophétie de l'erreur se révélerait elle-même une erreur et qu'il y aurait du vrai dans cette histoire de dronte.

On ajoutera qu'on soupçonnait Saint-Paul d'avoir autrefois abrité un oiseau de la famille des canards inapte à voler, sur lequel on ne savait absolument rien. Un bruit de plus. Bientôt une cacophonie.

Certes un canard disparu, ce n'était pas un dronte ressuscité, et pourtant... On flairait là quelque chose.

Ça sentait le brûlé, mais un brûlé agréable. Du genre croustillant plutôt que calciné.

La présence du Finlandais Joonas Vartalo, en revanche, plaisait beaucoup moins à Legrand. Ce Vartalo était visiblement un personnage douteux. L'insistance de Georg Stransky, homme intègre s'il en était, à se faire accompagner de cet individu désagréable et inculte demeurait un mystère.

Ou était-ce l'inverse ?

On parla peu. Stransky se montrait discret sur les raisons de son apparition impromptue. Cependant, lui aussi fut passionné par la mention d'un oiseau semblable à un dronte en dépit du caractère improbable de l'information car le dodo n'avait vécu que sur l'île Maurice et à la Réunion. Ce columbidé assujetti à la pesanteur n'aurait pas eu les moyens de franchir un millier de milles marins pour s'établir sur une île volcanique de sept kilomètres carrés. L'argument selon lequel des marins auraient autrefois emporté quelques dodos en se rendant à Saint-Paul ne tenait guère dans la mesure où l'on ne pratiquait pas l'élevage de ces oiseaux, on se contentait de les consommer. Et puis on pouvait considérer que l'île Saint-Paul avait été explorée.

Mais pas explorée *à fond*. L'île était très isolée, relativement insignifiante et plutôt impraticable. Même la question des sources d'eau chaude n'avait pas vraiment reçu de réponse. Quant à la faune aviaire, elle passait pour inhabituelle — très endémique. Cela tenait au fait que Nouvelle-Amsterdam et Saint-Paul étaient relativement proches des îles subantarctiques, tout en étant situées dans la zone climatique plutôt tempérée des eaux subtropicales.

Circonstance qui avait conduit des espèces ayant quitté la rigueur des mondes insulaires glaciaires pour venir s'installer sur ces îles à s'adapter de manière très spécifique : au lieu d'abandonner, comme à l'ordinaire, le confort pour l'inconfort, elles avaient échangé un habitat non chauffé contre un logis avec chauffage. Or nous savons tous à quel point un appartement chauffé peut réconcilier avec la vie. Car la vie, bien sûr, n'est pas chauffée. Forçons le trait : les oiseaux marins de Nouvelle-Amsterdam et de l'île Saint-Paul étaient des oiseaux heureux. Jouissant d'un bonheur endémique.

Or le summum de ce bonheur aviaire aurait sûrement été que cet oiseau géant nommé dronte, qui incarnait comme nul autre une extinction rapide et sans gloire et ne jouait plus qu'un rôle secondaire dans *Alice au pays des merveilles* ou *Les Aventures au pays de Slumberland*, que cet oiseau donc eût survécu sur la lointaine île Saint-Paul. Quelle que soit la manière dont il serait venu de la timbrée île Maurice.

Dans son malheur, Stransky éprouvait donc un grand bonheur puisque les circonstances exceptionnelles de son rapt et de son transfert, de son quasi-assassinat et de son évasion assurée par son quasi-assassin, l'avaient conduit précisément dans cette région et sur ce bateau. S'il y avait un fond de vérité dans cette histoire d'oiseau, il serait le premier à le savoir. Avec Legrand. Et cette fois, il ne s'agirait pas d'un piaf insignifiant, resté terré pendant quelques années et dont la résurrection laissait tout le monde de marbre. Non, le dronte était du niveau d'un cœlacanthe. Un dronte, c'était la célébrité assurée.

Stransky recherchait-il donc la célébrité ?

Oui, cela lui était venu brusquement. D'une certaine manière, on le sommait de choisir entre la célébrité et la mort. D'où Saint-Paul. D'où les espoirs qu'il fondait sur un dronte qui s'appelait dodo.

Tandis que Stransky, debout sur le pont noir brillant de la rapide *Lulu*, rêvait d'une célébrité fatidique, Desprez, Palanka et huit autres membres de la bande pénétraient dans un petit bâtiment extrêmement propre et clair situé à la périphérie de l'aéroport international de l'île Maurice. En fait, on se serait cru dans la salle d'attente d'une star de la gynécologie. Colonnes blanches, tableaux blancs, chaises blanches, grandes baies vitrées donnant sur l'aéroport. Seule la dame siégeant à l'unique comptoir introduisait une note de couleur. Même l'emblème de la compagnie aérienne représentait quelque chose de blanc sur un fond blanc. Il fallait s'approcher pour pouvoir distinguer le motif d'anneaux de largeurs différentes, allant du blanc foncé au blanc clair. Il ressemblait à une clé musicale écrite à l'encre sympathique qui, prise de folie, s'apprêtait à disparaître.

« Oceanic Airlines ? interrogea Desprez, lisant les lettres turquoise qui surmontaient le logo. Ce n'est pas possible. Cette ligne… n'existe pas ! »

Effectivement, Oceanic Airlines était une compagnie aérienne fictive inventée pour les besoins du cinéma, les compagnies réelles répugnant à voir leur nom et leur logo dans les films catastrophes. Dernièrement, Oceanic Airlines avait été utilisée dans une série télévisée américaine intitulée *Lost*. Elle représentait une compagnie d'aviation sujette aux crashs, qui affichait un slogan publicitaire involontairement ironique : « *Taking You Places You've Never Imagined !* » Comment se faisait-il qu'ici, sur l'île Maurice...

« Désormais elle existe vraiment, expliqua Palanka.

— Vous plaisantez.

— Non. Sauf à croire que nous aussi, nous sommes fictifs. »

Desprez réfléchit. Si lui, Palanka et tous les hommes présents étaient fictifs, à l'instar de cette compagnie aérienne, alors il y aurait — nécessairement — un accident car la compagnie n'avait été inventée que pour fournir un nom aux avions de cinéma qui s'écrasaient.

Il valait donc mieux que lui, Palanka et les autres ne fussent *pas* fictifs et que la compagnie en question, bien réelle, se fût simplement inspirée d'une invention. Sans aller jusqu'à faire tomber ses appareils pour se conformer à son modèle filmique.

La vraie Oceanic Airlines s'était spécialisée dans les petits avions circulant entre l'île Maurice, la Réunion, Madagascar et le continent africain. Plus exactement, on pouvait louer une de ces machines avec pilote et personnel de bord.

C'était justement ce qu'avait fait Palanka. Elle connaissait à présent leur destination. Savait qu'il était prévu de sauter en parachute sur l'île Saint-Paul, raison pour laquelle on avait affrété un ancien appareil militaire adapté à ce genre d'interventions. Un avion qui resplendissait du blanc caractérisant la vraie compagnie, sans oublier les lettres turquoise et le logo féerique en forme de clé musicale.

Tandis que les personnes qui étaient à la solde d'une certaine Esha Ness se rendaient en attirail de parachutistes sur le terrain d'aviation et s'approchaient de l'appareil, Desprez montra qu'il n'était pas complètement dépourvu d'humour. Modifiant légèrement le slogan de la compagnie fictive, il déclara : « *Taking you places you never like to imagine !* »

À peu près au moment où Georg Stransky contemplait le sud sur une mer d'huile persistante et où Desprez, s'approchant de son avion, formulait un sinistre pressentiment, le restaurateur, qui n'avait toujours pas réussi à mettre au jour l'hypothétique chauve-souris, descendait, épuisé, de son échafaudage. Il terminait un peu plus tôt qu'à l'accoutumée. La journée avait été pénible et déprimante. Il avait dû reconnaître que, sur le tiers restant du tableau, d'autres endroits salis résistaient au nettoyage. Il s'agissait de trois taches qu'on aurait dit pétrifiées, gelées. Elles plaçaient le restaurateur devant un problème peu réjouissant. Sans compter que l'une des taches avait adopté les traits bien reconnaissables d'un visage vu de profil.

Le restaurateur ne savait vraiment pas quoi faire. Un collègue qui était passé jeter un coup d'œil avait exprimé la même perplexité. Selon lui, ces « ulcères » résultaient sans doute d'un nettoyage antérieur. C'était un problème fréquent : il fallait se coltiner les méfaits des prédécesseurs.

Il en avait assez. Il conseillerait au service des

monuments, son employeur, de recourir à un expert afin de procéder à une analyse chimique. D'un autre côté… Ce serait affaiblir sa position. On y verrait une marque d'incompétence.

Dans ces conditions, le mieux n'était-il pas tout simplement de peindre des chauves-souris à l'endroit où il devait y en avoir ? Autre circonstance curieuse, il n'existait aucune reproduction du tableau, pas même une esquisse. Certes, il y avait pléthore de photos documentant l'architecture du café et de la gare. Mais sur chacune d'elles, la fresque murale était soit hors champ, soit dans l'ombre, soit beaucoup trop loin à l'arrière-plan pour qu'on pût réellement la distinguer.

Le restaurateur était un bon peintre. Techniquement parlant. En fait, il peignait mieux qu'il ne restaurait. Il ne lui serait guère difficile de recouvrir les zones tachées de trois chauves-souris — car il semblait y en avoir trois — peintes dans le style des sept autres en respectant la perspective et les proportions. Ce serait bien plus facile que de se camper devant son employeur en l'informant qu'on avait échoué.

Oui, c'est exactement comme cela qu'il voulait procéder : faire taire le restaurateur pour donner voix au peintre.

Mais d'abord, un verre de bière.

Il aimait ces pubs pour leur pénombre et parce que, dans cette pénombre, les bières luisaient joliment. Certes, les pubs étaient des modèles de mauvais goût. Mais le restaurateur avait longtemps vécu en Angleterre, il avait aussi séjourné quelques années à Belfast, ce qui lui avait permis d'apprécier le côté charmant du mauvais goût. Cette tendance des Anglo-Saxons à préférer le confort à l'esthétique.

Dans un pub, on pouvait rester assis et vieillir. Sans déplorer la venue de l'âge. Non que le restaurateur fût âgé. Vingt-huit ans. Nulle raison de penser à la mort. Même si son échec artistique était déjà patent et qu'il avait devant lui de longues et pénibles années de travail totalement dépourvues d'intérêt. À vingt-huit ans, il se sentait épuisé, au bout du rouleau. Condamné à se farcir des tableaux de troisième zone et des salissures de première qualité.

N'était-ce pas ?…

Il avait aperçu l'homme dans un des nombreux miroirs que comptait la salle, comme si les clients du pub n'étaient préoccupés que de leur coiffure. Assurément.

Il avait immédiatement perdu le visage de vue, avança, recula avec précaution, le retrouva. Un visage d'officier, impression créée en partie par le trait fin qui surmontait la bouche. Comment appelait-on cela déjà ? Du camouflage ? Non, une *moustache**, de celles qui étaient encore plus minces que les lèvres qu'elles parodiaient.

Aucun doute, c'était bien le croupier, assis dans un coin, le buste redressé. Donnant même en position assise le sentiment d'être debout, droit comme un « i ». Il tenait une cigarette entre deux doigts tendus. Son visage affichait le même air blasé qu'à l'ordinaire. Ce n'était pas un habitué du pub. Autrement le restaurateur l'aurait déjà remarqué.

Bon, après tout, même les croupiers allaient boire une bière de temps à autre. Et pas toujours dans les cafés où ils avaient leurs habitudes. Ce n'était donc pas la peine d'aller s'asseoir à sa table ni même de continuer à l'observer dans la glace. Les hommes buvaient et prenaient de l'âge. Ils y arrivaient très bien tout seuls.

Le restaurateur reporta son attention sur son breuvage, jetant un coup d'œil occasionnel dans le journal étalé sur le comptoir. Il n'y touchait pas, se contentant d'examiner la page à laquelle il était ouvert. Le feuilleter eût été lui faire trop d'honneur. Ce journal ne méritait pas qu'on le feuilletât. Pas plus que n'importe quel autre journal d'ailleurs.

Il termina sa bière, paya et sortit. Sans un regard pour le croupier moustachu. À quoi bon ?

Il flâna un peu dans la ville, acheta une écharpe rayée orange et brun, un livre qui s'insérait au millimètre près dans la poche de son manteau, et entra dans une galerie de peinture. L'exposition le déprima. Les tableaux qu'il voyait étaient beaucoup trop chers pour lui procurer du plaisir. Un tableau coûteux, c'était pour le peintre malchanceux un rappel de son triste sort.

Quelque peu frustré, il se rendit à la salle d'entraînement d'un club de boxe baptisé *Frau Hitt* par suite d'une absurdité quelconque. C'était soi-disant le nom d'une montagne du Tyrol. Mais le Tyrol était loin, presque exotique. D'où ce bruit selon lequel « Frau Hitt » était le sobriquet du précédent gérant. De fait, un nombre exceptionnellement élevé de femmes fréquentaient le club[1]. La boxe

---

1. *Frau* signifie en allemand « femme » et s'emploie devant les noms propres avec le sens de « madame ». *(N.d.T.)*

féminine, toutefois, ne s'y montrait pas sous un jour agressif. Les dames qui s'entraînaient en ces lieux voulaient juste se défouler un peu après le travail sans avoir à l'idée de tuer leurs amants.

Le restaurateur venait lui aussi pour se défouler. Il avait une préférence pour le sac de boxe. Il évitait autant que possible l'entraînement technique. Et surtout, il évitait de monter sur le ring. À ses yeux, le ring était un symbole plus qu'un lieu réel. Un symbole d'avilissement. Et tous ceux qui montaient sur le ring illustraient avec force ce symbole.

Il se chercha donc comme d'habitude un sac libre et exécuta diverses combinaisons de coups sur la nonchalante masse en suspension.

Alors qu'il flanquait un terrible crochet du droit dans un rein gauche imaginaire, quelqu'un s'approcha de lui par-derrière et lui demanda :

« Envie d'un randori ? »

Au *Frau Hitt*, l'usage était d'employer le terme japonais « randori » au lieu de *sparring-partner*. Cela vous avait un air plus policé, plus cultivé. Le mot *sparring*, lui, évoquait tout de suite les *spare ribs* et autres horreurs du même tonneau. Mais un combat restait un combat. Et ce n'était pas la tasse de thé du restaurateur. Il voulut donc décliner aimablement la proposition. Cependant la femme qui se trouvait devant lui était exactement de celles qui excitaient son imagination. Or c'était une des raisons qui l'amenaient à fréquenter ce club select et passablement cher : il voulait être entouré de créatures excitantes.

La créature devait avoir dix à quinze ans de plus que lui. Son visage marqué évoquait moins la débauche que l'excès d'expérience. D'expérience en tous les domaines. Et même un peu au-delà. Elle avait un corps très entraîné, mais qui ne montrait pas les grappes de muscles des culturistes. Elle portait un short jaune et une brassière de sport, jaune elle aussi, qui emprisonnait des seins fermes et imposants, mais sans excès. Des seins qui évoquaient aux hommes, donc au restaurateur, des femmes comme Barbarella, Supergirl, Catwoman, Emma Peel, Lara Croft, la TX de *Terminator* et quelques héroïnes de mangas. Des seins qui n'avaient rien de maternel et se rapprochaient plutôt de l'attirail guerrier. Mais on connaît l'enthousiasme des petits et des grands garçons pour les armes. Et l'on sait qu'ils préfèrent sans doute l'érotisme des armes à celui des attributs maternels. Moins parce que les hommes ne pensent qu'à tuer que parce qu'ils veulent être tués. Et puis il est plus facile de s'avouer son amour pour une arme que pour sa propre mère.

Quoi qu'il en soit, la femme à l'ardente chevelure blonde et au regard évoquant plus de mille et une nuits géniales séduisit instantanément le restaurateur. Il n'en avait pas pour autant envie de l'accompagner sur le ring. Il le lui dit. Il lui dit qu'il n'aurait pas la moindre chance, qu'à la voir — et à se voir — il ne tiendrait pas deux rounds contre elle.

« Vous n'affrontez une femme que lorsque vous êtes sûr de l'emporter ? » demanda-t-elle en secouant les mains.

Que répondre à cela ?

Le restaurateur céda.

« D'accord, allons-y.

— Plus tard, répliqua la femme. Il y en a d'autres

qui attendent. Nous passerons en dernier. Nous serons entre nous. »

L'idée de rester seul au club avec cette femme, sur le ring, excita le restaurateur autant qu'elle l'inquiéta. Il regarda sa future adversaire s'approcher d'un sac de sable, il observa la perfection de ses mouvements, la stabilité de sa posture, la force de ses coups. Une force qui, durant les trois minutes qu'elle passa devant le sac, ne parut nullement décroître. Si elle dosait ses efforts, cela ne se remarquait pas. Mais sans doute n'en avait-elle pas besoin. Pas pour trois minutes — durée qui en épuisait d'autres.

Le restaurateur eut un sourire contraint. Pour une raison inexplicable, la situation lui rappelait les vacances de son enfance quand c'était le dernier jour que le soleil se montrait ou qu'il se mettait à neiger. Amertume.

Cependant, quand on était en vacances, il fallait être heureux, imaginer que tout se déroulerait conformément à ses vœux. Le restaurateur s'exhorta donc au calme et essaya de se convaincre que la femme ne l'avait abordé que pour faire sa connaissance. Quel autre motif aurait-elle pu avoir ? L'exercice de boxe se réduirait à une petite escarmouche préliminaire, à une première exploration rituelle.

Il termina son entraînement et attendit. Il s'obligea à attendre en beauté. Comme durant la période de l'Avent. Mais parfois, il en va des fêtes de Noël comme des vacances. Beaucoup d'espoir déçu. Cela devait se confirmer une fois de plus. Il grimpa sur le ring, se glissa entre les cordes et entama le premier round avec une légère courbette — comme on s'incline devant un crucifix, un crucifix placé sur un sommet.

Il s'était montré raisonnable en chaussant un casque. À l'inverse de la dame en jaune. Pas étonnant : son crâne encadré de cheveux blonds ne craignait rien. Le restaurateur était bien trop occupé à tenir sa garde et à parer les coups qui s'abattaient sur lui avec régularité. Et, en dépit d'une légère hébétude et des douleurs qu'il ressentait dans les épaules, il avait l'impression désagréable que la femme retenait ses coups, qu'elle ne frappait nullement comme elle aurait pu le faire.

« Ça va venir », lui souffla une voix intérieure.

Enfin retentit le gong de la pendule automatique. Le restaurateur s'affala dans les cordes. Malheureusement, il n'y avait personne pour lui offrir un tabouret dans le coin du ring et pour l'encourager. Il n'y avait plus personne. Même les entraîneurs étaient partis, même l'homme qui incarnait la Frau Hitt du moment.

« Je crois que c'est trop dur pour moi », avoua le restaurateur en haletant.

La femme, qui était restée au milieu du ring, inclina la tête d'un côté puis de l'autre et répondit :

« Arrêtez de pleurnicher. Il faut que vous alliez jusqu'au bout.

— Comment pouvez-vous savoir si je serai encore debout ?

— Je n'ai jamais dit ça », répliqua la femme alors que retentissait le signal mettant fin à la minute de pause.

En plus de la technique qu'elle requiert, la boxe

est affaire d'instinct. L'instinct, quant à lui, noue une relation singulière avec ce qu'on nomme « bonnes manières ». Or les bonnes manières exigent qu'on ne s'enfuie pas après le premier round — si l'on est encore sur ses deux jambes. Le restaurateur demeura donc dans la cage, il se secoua, quitta les cordes, leva les mains et essaya de décocher un direct du droit. La femme pencha la tête de côté, comme pour réfléchir. Le poing du restaurateur frappa dans le vide. Simultanément, un bel uppercut circulaire s'écrasa sur son menton rembourré. Le restaurateur ne fut pas en mesure d'apprécier à leur juste valeur les avantages de ce rembourrage. Il eut plutôt l'impression qu'un couteau de boucher assez large pénétrait sous son menton et lui traversait le crâne. Autrement dit, il en vit trente-six chandelles. Et tomba à la renverse.

Cependant, au lieu de se réjouir de faire connaissance avec le sol dès le début du deuxième round, il sentit naître la colère. Roulant sur le côté, il bondit sur ses pieds. Tel un pro de la boxe qui prétendrait avoir glissé, niant être allé au tapis à cause d'un ridicule petit coup de poing.

« Oho », commenta la femme en jaune non sans admiration. Elle appréciait qu'un homme, si minable fût-il, ne s'avouât pas tout de suite vaincu. Elle trouvait cela sexy.

Comme nombre de boxeurs sonnés, le restaurateur baissa sa garde et se mit à sautiller. Pendant quelques instants, cela lui réussit. Une sorte de somnambulisme s'était emparée de lui. Il parvint à toucher la femme même s'il ne fit que lui effleurer l'épaule. Il eut un sourire sous son casque. Oui, désormais il était prêt. Prêt pour le *lucky punch*, celui qu'on ne réussit qu'en se précipitant aveuglément dans l'abîme. Malheureusement, ce n'était pas là que la chance avait élu domicile. Le restaurateur se heurta à une combinaison de coups du droit et du gauche qui s'apparentait à une volée de gifles. Les couteaux tournoyaient dans sa tête. Il en vit soixante-douze chandelles. Il eut encore le temps de sentir le deuxième uppercut qui le renversa. Il crut tomber en arrière du haut d'un pont. Avant même qu'il ne s'écrasât sur une surface quelconque, l'obscurité se fit devant ses yeux. Exactement comme si on le bordait avec amour. Ou comme si on l'enterrait avec amour.

Mais on l'exhuma. Quand il émergea de son évanouissement, il était assis sur le banc du vestiaire. Ses mains croisées étaient attachées à l'aide d'une bande jaune. L'espace d'un instant, il jubila, croyant reconnaître la brassière de son adversaire. C'est alors qu'il vit la femme dans un coin de la pièce. Elle s'était juste débarrassée de ses gants, c'est tout. Reportant son regard sur les liens qui enserraient ses mains, le restaurateur s'aperçut qu'il s'agissait d'un ruban plastique utilisé pour l'emballage professionnel des colis postaux.

« Enfin réveillé ! » fit une voix qui n'appartenait manifestement pas à la femme.

C'était celle d'un homme qui se tenait à moitié dans l'obscurité. Un homme qui…

Le restaurateur identifia instantanément la posture caractéristique. Le croupier ! On distinguait effectivement une moitié de moustache — ce qui était encore plus dégoûtant que son intégralité.

« Qu'est-ce que ça signifie ? demanda le restaurateur — préambule classique.

— À votre avis ?

— Vous croyez m'impressionner en chargeant votre amie de me ligoter après m'avoir envoyé au tapis ?

— Absolument, répondit le croupier d'une voix étranglée — on aurait dit une coccinelle aplatie par une roue. J'espère bien vous impressionner un peu. En tout cas, c'est le but recherché.

— Je suis d'un calme olympien, prétendit le restaurateur.

— Vous avez les genoux qui tremblent, fit observer le croupier.

— Ça vous étonne ? J'ai combattu deux rounds avec Mme Rocky.

— Rien ne s'oppose à ce que nous prolongions la séance. Mais d'abord, je voudrais essayer de vous convaincre. Je préfère cela à la nécessité de répéter la procédure avec un autre. Votre successeur.

— Que voulez-vous dire ?

— Il s'agit du tableau que vous restaurez. Ma mission est de vous surveiller.

— Vous êtes du service des monuments ?

— Pas vraiment », répondit le croupier.

Un léger sourire lui échappa. On aurait dit un cuirassé. Un cuirassé avec une voix de coccinelle écrasée.

« Mais encore ? »

En guise de réponse, le croupier expliqua :

« J'ai examiné l'endroit sur lequel vous travaillez en ce moment. Vous êtes bloqué.

— Est-ce une raison pour me torturer ?

— Vous êtes également peintre, poursuivit le croupier.

— Et alors ?

— Je crains que vous ne soyez tenté de tricher un peu. De donner la préférence au peintre sur le restaurateur. Qui s'en apercevrait ? Vous pourriez insérer un petit bout de ciel. Vous pourriez laisser ce petit bout de ciel en l'état ou pas. Ajouter une cime d'arbre. Ou une chauve-souris. Vous pourriez peindre une grenouille volante sans que cela se remarque dans ce tableau symboliste. Vous avez toutes les libertés.

— Ça se pourrait. Mais en quoi cela vous regarde-t-il ?

— Ce serait contraire aux règles.

— Quelles règles, Seigneur ?

— Des règles anciennes.

— Ah, *anciennes* ! L'ancien, c'est toujours bien, railla le restaurateur.

— Vous ne pouvez pas comprendre, dit le croupier d'un ton triste. Mais une loi est une loi, qu'on la comprenne ou pas.

— Que se passerait-il si je faisais quelques pâtés au lieu de restaurer correctement la toile ?

— Tout s'achèverait. Le jeu serait terminé. Ou plus exactement, il serait perdu.

— Quel jeu ?

— Le jeu éternel du bien et du mal, de la lumière et de l'ombre.

— Et vous, vous êtes le mal, c'est ça ?

— Pas du tout.

— Alors pourquoi est-ce que je suis là, les poignets attachés par une mignonne petite bande ?

— Votre situation pourrait être pire, répliqua le croupier. Si vous voyez ce que je veux dire.

— Quoi donc ? Vous pourriez me tuer ? Bien que vous soyez dans le camp des gentils ? À ce que vous prétendez ?

— Si c'est nécessaire, je le ferai. Le bien aussi comporte sa hiérarchie. Et malheureusement, vous êtes tout en bas de l'échelle. Cependant votre mort me semblerait une mauvaise solution — comme l'est généralement toute mort d'homme. Il serait nettement préférable, préférable pour nous tous, que je vous autorise à rentrer chez vous et à prendre une bonne nuit de sommeil. Et demain, vous remonteriez gentiment sur votre échafaudage pour continuer votre boulot. Qui consiste à restaurer le tableau dans son état d'origine. Sans faire d'histoires, sans solliciter votre propre créativité, laquelle n'a pas sa place dans cette affaire. Contentez-vous d'être ce que vous êtes : un restaurateur.

— Je pourrais vous suggérer la même chose : contentez-vous d'être ce que vous êtes, un croupier.

— Mais je ne suis pas croupier. Si je dirige cette table de jeu, c'est uniquement pour vous avoir à l'œil, vous et le tableau. Et pour vous empêcher de faire autre chose que de le restaurer convenablement. Voilà en quoi consiste ma mission.

— Alors qui êtes-vous ? Un détective ? Un tueur ? Un dingo ?

— Si je vous le disais, vous ne me croiriez pas.

— Seigneur, dois-je penser que vous êtes l'envoyé d'une instance supérieure ? Service des monuments puissance deux ?

— Croyez-vous aux instances supérieures ? demanda le croupier.

— Pas quand elles envoient des gens comme *vous*. Des gens à moustache.

— Ce n'est pas un argument recevable, objecta le croupier, que d'évaluer la crédibilité d'une instance supérieure en fonction de ses propres antipathies. »

Il avait assurément raison.

Le restaurateur le savait, mais il choisit le mépris :

« Je ne peux pas croire que vous vouliez me tuer si je n'obéis pas. »

Le croupier parut sincèrement soucieux.

« Toute cette mise en scène ne visait qu'à vous convaincre. Mais si vous y tenez absolument, je vous renverrai sur le ring pour quelques rounds de plus. Cela m'épargnera sûrement la peine de vous injecter le poison. »

Il désigna la poche de son veston, indiquant sans doute par là qu'elle renfermait une seringue de poison. Non que le restaurateur en distinguât une extrémité. Cependant il se sentit mal à l'aise. Il était tout de même ligoté. Or pourquoi le croupier l'aurait-il ligoté s'il ne pensait pas un peu ce qu'il disait ? On n'était pas en plein carnaval. C'était plutôt un de ces Noëls où l'on peut s'estimer heureux d'avoir quelque chose. La vie sauve, par exemple.

Le restaurateur choisit la sécurité. Il promit — aussi parce qu'il s'en battait l'œil — de respecter les règles. Il promit de renoncer à trouver une solution artistique personnelle à un problème de restauration. De ne rien ajouter en propre. Et donc de continuer à s'énerver sur les taches du tableau.

« Vous pourriez aller voir la police, objecta le croupier.

— Pour lui dire quoi ? Qu'une femme m'a mis K.-O. afin que j'obéisse aux règles du jeu d'une instance supérieure ?

— On vous prendrait pour un fou.

— Exactement. Donc je me tairai et ferai mon travail. S'il n'y a que ça pour vous satisfaire, alors pourquoi pas ?

— Oui, ça me satisfait », confirma le croupier.

Prenant une paire de ciseaux, il coupa la bande adhésive.

« Me voilà affranchi », pensa le restaurateur.

13

Pause-déjeuner

« Puis-je vous parler un instant, madame Stransky ?

— Oh, monsieur l'inspecteur, vous m'avez fait peur. Vous avez du neuf ?

— C'est justement ce que je voulais *vous* demander.

— Mais je ne suis pas la police, rappela Viola Stransky, qui sortait de sa maison.

— Bien sûr que vous n'êtes pas la police », répondit l'homme qui était l'inspecteur principal Hübner, dit Baby Hübner, et qui en avait vraiment marre qu'on se fiche de lui.

Malheureusement, cela faisait partie du jeu. Se contraignant au calme, il tordit les lèvres en un sourire forcé :

« Je me disais juste que votre mari vous avait peut-être contactée. À défaut des ravisseurs.

— Je croyais que vous aviez mis mon téléphone sur écoute.

— Il existe d'autres moyens d'établir le contact.

— Pourquoi pensez-vous que je vous le cacherais ?

— Peut-être parce qu'il le souhaite.

— Dans ce cas, je respecterais son souhait. Mais je peux vous garantir qu'il n'en est rien. Aucun signe de vie, aucune nouvelle, rien.

— Et là, que faites-vous ?

— Que voulez-vous dire, inspecteur ?

— Vous partez travailler ?

— Bien sûr que je vais travailler. Mon mari me manque, mais je ne peux pas fermer le bureau pour autant. J'ai des décisions à prendre qui ne peuvent pas attendre le retour de Georg. Je n'ai pas vocation à jouer les épouses éplorées, même si c'est un rôle qui plaît aux époux. Les époux qui… Je ne sais pas quel genre d'époux vous êtes, monsieur l'inspecteur. Quant à Georg, il trouverait sûrement absurde que je reste à la maison à tricoter des chaussettes noires et à pleurer toutes les larmes de mon corps.

— Personne ne vous le demande », lui assura Baby Hübner.

Il aurait volontiers fait passer cette idiote prétentieuse à la moulinette d'un bon interrogatoire. Au lieu de quoi il demanda poliment à Viola Stransky en quoi consistait son activité professionnelle.

« J'invente des histoires, répondit Viola Stransky.

— Comment dois-je le comprendre ?

— Je parle de scénarios.

— Vous écrivez des scénarios ?

— Avant toute chose, je les vends. Que ce soit l'idée, le scénario ou encore l'homme ou la femme qui l'écrit. Tantôt une série entière, tantôt un simple titre.

— On peut vendre un titre ?

— S'il est bon, il a plus de valeur que tout le reste.

— Ma tâche est plus difficile, dit Hübner. Il ne me suffit pas d'avoir le nom de la personne que je recherche. Il me faut aussi la personne. Comme votre mari, par exemple.

— Je n'ai jamais prétendu que vous aviez un métier facile, monsieur l'inspecteur. Je répondais juste à votre question.

— On gagne bien sa vie avec les scénarios ?

— Je gagne plus que mon mari si c'est ce qui vous intéresse.

— Ce n'est pas... » Mme Stransky l'interrompit : « Où est la policière à qui j'ai parlé au début ?

— Mme Steinbeck est à l'étranger.

— Je croyais qu'elle s'occupait de l'affaire.

— Elle s'en occupe.

— Elle m'a eu l'air extrêmement compétente », déclara Viola Stransky comme on dirait : Mais les autres œufs m'ont paru pourris.

Le commissaire en eut assez.

« Je ne veux pas vous retenir, madame Stransky.

— Merci. Dès que vous avez du nouveau... »

Sans terminer sa phrase, Viola Stransky fit un bref signe de tête et descendit la rue pour rejoindre sa voiture.

Baby Hübner la trouva vêtue avec une élégance certaine. Rien de surprenant à cela quand on vendait avec succès des scénarios. Pour le moment du reste, on n'avait pas de cadavre. Mme Stransky n'avait nul besoin de jouer à la veuve. Ce chic très dame, un peu extravagant, lui allait à merveille, petite jupe Chanel à carreaux, fin pull noir Valentino avec un collier assez imposant constitué de vestiges d'animaux marins quelconques. Bas de soie vert pastel et escarpins noirs à petits talons. Étaient-ce vraiment des vestiges d'animaux marins ? Baby Hübner l'ignorait, tout comme il aurait été incapable de distinguer Chanel de Valentino. À cet égard, il était de ces gens qui ne connaissent les choses que par ouï-dire. Mais il avait quelque notion du vert pastel. Sa femme aimait cette couleur. C'était celle de la cuisine, de la salle de bains et de la chambre à coucher. Toutefois, s'agissant de bas, cette couleur lui était étrangère. Il se demanda ce que signifiait le fait de porter des bas vert pastel. Car sur un point au moins il rejoignait Lilli Steinbeck : tout avait un sens. Il s'agissait juste de le déchiffrer.

Mme Stransky lui était suspecte. Peut-être à cause des bas. Mais cela, il ne pouvait naturellement pas le dire, pas au procureur. Ni à qui que ce soit d'autre. Des bas, l'argument était faible, si vert pastel fussent-ils. Tristement, il suivit du regard la voiture de Mme Stransky.

« C'est plutôt risqué », dit Viola après avoir posé le léger collier d'ammonites en fibre de verre sur la table d'hôtel et fait prestement glisser son pull noir par-dessus sa tête. Son soutien-gorge était de la même couleur que ses bas. Un petit-bourgeois comme Baby Hübner aurait risqué l'attaque. Une femme attifée comme une chambre à coucher !

Mais ce n'était pas Baby Hübner qui se trouvait dans le vaste lit. C'était un homme nettement plus jeune, ses cheveux châtains lui tombaient de biais dans la figure. À vrai dire, il n'était pas si jeune que cela. Il montrait un peu de gras sur les hanches. Il portait un caleçon un peu trop petit. Il avait des poils de barbe inégalement répartis, de beaux yeux de biche, un regard sentimental, et semblait quelque peu amorti. Sur sa joue droite s'étirait une ligne rouge-bleu.

« Comment ça, risqué ? demanda-t-il. Tu ne fais rien d'illégal.

— Arrête un peu, tu veux ? Mon mari disparaît et je cours m'envoyer en l'air avec un jeune de trente ans. Si la police l'apprend, elle va commencer à cogiter et à imaginer une ânerie quelconque.

— Même les âneries doivent se prouver. Allez, viens ! Il me faut d'urgence un peu d'amour.

— Oui, on dirait. Qui est-ce qui t'a arrangé comme ça ?

— C'est une histoire de dingue. Mais d'abord, je veux que tu m'aimes. »

Viola Stransky se mit à rire comme... eh bien, disons comme des lendemains qui chantent, et se laissa choir sur le lit à côté de son amant. Elle marmonna les choses d'usage, à savoir qu'il était un pauvre lapin et ainsi de suite.

« Seigneur, comme tu es belle », dit le pauvre lapin.

Il se sentait nettement mieux avec cette femme dans les bras. Il la trouvait renversante avec sa lingerie vert pastel dépourvue de dentelles et d'ornements, qui épousait son corps avec simplicité. Telle une seconde peau confirmant la première sans la caricaturer, la cacher ni la flatter à l'inverse de la plupart des sous-vêtements. La flatterie, Viola Stransky n'en avait nul besoin.

« Baise-moi, réclama-t-elle. S'il te plaît. »

Il y avait cela aussi : une aimable baise, aimablement sollicitée.

« Je t'aime », dit le jeune homme en glissant sa main sous le soutien-gorge, mais sans le repousser ni l'ouvrir. Il ne le faisait jamais. La nudité totale chez une femme, ce n'était pas son truc. Il aurait eu l'impression d'être à la maison. Ses parents avaient l'esprit large et se promenaient volontiers nus chez eux. Il n'avait jamais trouvé cela très appétissant. Certes, il le comprenait et l'acceptait d'un point de vue idéologique. Mais qu'est-ce que ça change ?

Pour sa part toutefois, il se laissa ôter son caleçon et pénétra sa bien-aimée sans simagrées mais non sans sentiment. Tous deux se rejoignaient dans l'absence de complication. Et pour Viola en tout cas, c'était un petit miracle. Un miracle qu'une chose pareille fût possible. Autrement dit : le sexe sans parlotte. Pas sans grivoiseries, mais là c'est autre chose. Les grivoiseries sont des bonbons. Et l'on connaît l'effet positif des bonbons, même s'ils abîment les dents — à ce qu'on prétend. La parlotte, en revanche, la vraie parlotte pendant le sexe, de même que les jérémiades incessantes, voilà ce qui gâte les dents.

« *Allons, enfants de la patrie** ! s'exclama Viola en riant.

— Avec plaisir », lui répondit son amant en se déchargeant avec vigueur et gaieté dans son préservatif.

Peu après, ils se retrouvèrent dans les bras l'un de l'autre, chacun fumant sa propre cigarette. En dehors de ces occasions, Viola ne fumait jamais. Il n'était donc pas question de partager un bout de cigarette pour donner un caractère idyllique à la situation et imiter ce qu'on voyait au cinéma.

« Alors, demanda-t-elle, qu'est-ce qui t'est arrivé ? Qui t'a griffé comme ça ?

— Au club de boxe, je me suis fait aborder par une femme. Parfaitement entraînée, une vraie machine de combat, tu peux me croire. Elle m'a convaincu de livrer un match.

— Mon pauvre Roy ! Et elle t'a envoyé au tapis, c'est ça ?

— Ça, on peut le dire », soupira l'homme qui s'appelait Roy.

Il raconta toute l'histoire dans son absurdité. Comment il était revenu à lui, les mains liées, en face de l'homme qu'il observait quotidiennement dans l'exercice de ses fonctions à la roulette. Un homme qui ne semblait pas du tout indifférent au traitement qu'il réservait au tableau à restaurer.

« Le type a menacé de me tuer si je ne restaurais pas comme il faut ce satané tableau. Il a laissé entendre qu'il était l'envoyé d'une instance supérieure. Bon sang, mais qu'est-ce que ça signifie ? C'est complètement tordu.

— Tu me fais marcher », dit Viola, amusée.

Désignant la blessure qu'il avait sur la figure, Roy demanda :

« Qu'est-ce que tu en penses ?

— J'en pense que tu as voulu tripoter ta petite camarade boxeuse.

— Écoute, chérie, ça s'est passé comme je te l'ai dit. Ce croupier veut me zigouiller si je ne m'en tiens pas aux règles du jeu.

— Quelles règles ?

— Pose la question à ce dingue. En tout cas, il exige que je garde profil bas. Pas de superpositions, pas d'interventions de mon cru, du nettoyage, c'est tout. Je ne sais pas si j'oserai encore toucher un pinceau.

— En ce moment, j'ai des relations privilégiées avec la police, rappela Viola.

— Je croyais que tu ne voulais pas que les flics mettent le nez dans nos affaires.

— Tu as raison, laissons ça. Comment s'appelle le croupier ?

— Aucune idée.

— Ça devrait pouvoir se trouver, non ? » suggéra Viola.

Elle repoussa les cheveux qui tombaient dans la figure de Roy. Elle aimait ça, le côté mioche ébouriffé des hommes décoiffés.

« À quoi tu penses ? s'enquit Roy.

— Je vais chercher le nom de cet homme et l'endroit où il habite. Ensuite on verra. »

Ce qui rappela à Viola Stransky qu'elle avait du pain sur la planche. Sa pause-déjeuner tirait à sa fin. Des scénarios l'attendaient. Roy aussi devait retourner travailler. Lui, c'est un tableau qui l'attendait.

« Évite les boxeuses », lui conseilla Viola en partant et elle l'embrassa sur son écorchure.

C'était un bon conseil. Et comme tous les conseils, il arrivait trop tard. Un bon conseil, c'est une autoroute en pleine tempête de neige.

14

Planète rouge

« Ouah ! » s'exclama Lilli Steinbeck lorsqu'ils pénétrèrent dans l'ouverture du cratère. La chose, quoique naturelle — car exclusivement constituée de parois et de lagune —, offrait un aspect artificiel, concerté. On aurait dit la chaudière en ruine d'une mystérieuse installation industrielle.

Steinbeck et Kallimachos se trouvaient dans le cockpit d'un hydravion qui franchissait sans hâte une brèche étroite située entre deux bancs de sable. Un vent de force moyenne ridait l'eau, agissant comme un sèche-cheveux. C'était une belle journée, avec un beau ciel bleu et quelques nuages prestes. Une journée chaude, ainsi qu'on s'en aperçut en arrivant sur la terre ferme. Il fallut une fois de plus déployer des efforts considérables pour extraire le corpulent Kallimachos de l'avion. Fumant et gémissant, il se retrouva dans l'eau jusqu'aux genoux. Une eau réchauffée par des sources chaudes. Rien à redire à cela. Voilà pourquoi Spiridon Kallimachos, qui semblait naturellement affligé de la goutte, parut peu désireux de rejoindre la rive. Il dit à Steinbeck :

« Allez-y, je reste ici quelques instants.

— Comme vous voudrez », répondit Steinbeck.

Elle adressa un signe aux deux pilotes qui les avaient accompagnés. Ceux-ci réintégrèrent l'avion où elle leur demandait d'attendre. C'étaient des soldats d'élite parfaitement entraînés, des durs à l'image de Vartalo ou des hommes de Desprez. Mais Steinbeck ne voulait pas d'eux sur l'île. Entre les durs et les coups durs, elle trouvait que cela faisait beaucoup. Cf. les tonneaux qui débordent. Visiblement, Lilli Steinbeck, contrairement à d'autres, ne croyait pas à l'utilité d'avoir « ses » hommes. « Ses » hommes, on les avait toujours dans les pattes ou dans sa ligne de tir. Ou alors ils tendaient à faire l'inverse de ce qu'ils étaient censés faire. Par nature, ils avaient une propension à la trahison et à l'échec. Cf. l'histoire mondiale.

Il va de soi que Lilli Steinbeck ne portait plus sa robe de cocktail à trous ni sa longue jupe noire, concession au monde arabe. Le terrain était trop impraticable. Mais elle ne ressemblait pas pour autant à une de ces poupées à la James Bond qu'on aurait pu confondre avec une combinaison de néoprène ambulante. Non, Lilli Steinbeck arborait à présent une tenue de sport gris perle, souple, qui rappelait davantage la gymnastique en salle que l'escalade. En revanche, elle avait les chaussures appropriées. Mais quelles chaussures ! Légères comme une plume, rouge vénitien, galbées, profondément échancrées — moins chaussures que chuchotement. Lilli Steinbeck avait également une arme, un Verlaine d'ailleurs, c'est-à-dire un pistolet de la même marque que celui que Georg Stransky avait trouvé dans son sac à dos. Cette entreprise avait acquis depuis peu une place prépondérante sur le marché. Grâce à elle, dans le monde entier, des hommes tuaient et se tuaient. Encore une chose qui répugnait à un Henri Desprez : l'internationalisation des produits français. Au lieu de dominer le monde, on l'approvisionnait.

Au moment même où Lilli Steinbeck s'apprêtait à ceindre une pochette, un coup de feu retentit depuis les hauteurs de l'île. Son écho traversa l'intérieur du cratère inondé à l'instar d'une boule de roulette. Cependant le coup de feu n'était destiné ni à Steinbeck ni à Kallimachos, il avait été tiré au-delà du bord du cratère. D'autres détonations suivirent. Il se passait quelque chose. Quelque chose de moche. Quelque chose qui rappelait une chasse au dronte.

« Nous arrivons trop tard, déclara le détective grec, comme enraciné dans l'eau chaude.

— Ce serait sans doute la meilleure solution, répondit Steinbeck. Ça éviterait bien des désagréments. »

Sur ce elle entra en action comme pour passer à la caisse desdits désagréments. Très vite, elle fut contrainte d'escalader l'abrupte paroi. Cela ne lui posa guère de problèmes quoiqu'elle ne fût pas sportive. Mais son père l'avait emmenée très jeune en montagne. Elle avait appris fort tôt à se mouvoir comme un petit singe, à se hisser à l'aide de deux doigts et à escalader des endroits qu'on était généralement trop épuisé pour apprécier. Elle s'y entendait à la perfection. Kallimachos l'observait avec étonnement. « Une sorcière... » murmura-t-il.

Il était bien possible que Lilli Steinbeck fût une sorcière. Viola Stransky aussi probablement. Quant à Esha Ness, la mère, la reine, le doute n'était plus permis. Mais qualifier quelqu'un de sorcière ne mène pas très loin. Quel genre de sorcière ? Les sorcières sont venues au monde au même titre que les anges. Les anges, sans ailes, et les sorcières, sans balais. Peut-être s'agit-il de savoir ce que sont devenus les balais. Et ce qui arriverait si ces balais réapparaissaient sans crier gare. Que Dieu nous garde !

Lilli devait affronter les deux cents mètres de paroi sans autre équipement que ses mains et ses pieds. Elle le fit, et même avec une rapidité surprenante. Dès que ça montait, elle était comme métamorphosée.

Une fois parvenue au sommet, elle constata que la fusillade qui s'était déroulée au-delà du cône avait cessé. De nouveau, le vent chaud ne transportait plus que les bruits de plantes et d'oiseaux marins en mouvement, ainsi que les cris insistants des pingouins au loin. Du bord du cratère, Lilli avait vue sur la face occidentale de l'île, une plaine bosselée, plantée d'herbes hautes et basses, qui descendait jusqu'à la *Terrasse des Pingouins**. Il n'y avait personne. Personne, du moins, qui aurait pu tirer les coups de feu. Car Lilli Steinbeck n'était pas tout à fait seule. Derrière un buisson, elle perçut un mouvement qui devait provenir de quelque chose de plus petit qu'un être humain, à moins qu'il ne s'agît d'un nain ou d'un enfant. Lilli s'engagea avec prudence dans le creux de terrain et contourna le fourré suspect. Elle vit alors ce qu'il y avait à voir : un oiseau. Ou plutôt une poule. Une sorte de poule, une méga-poule d'environ un mètre de hauteur. Lilli eut une grosse frayeur. C'était toujours un choc de rencontrer une créature plus grande que la normale sans la protection d'une cage ou d'une simple illustration. Cette poule à gros bec, au plumage blanc, au corps tremblotant et aux pattes épaisses rappelait fortement le détective resté planté en mer. L'animal avait quelque chose de laborieux dans la respiration, le moindre geste semblait provoquer chez lui un état d'épuisement. Il ne manquait que la cigarette.

Malgré sa frayeur, Lilli songea qu'il devait s'agir de la créature dont l'informateur de Port-Louis avait parlé, le fossile que traquait Stransky.

En dépit de sa taille étonnante, l'animal paraissait amical et confiant, il fit en se dandinant quelques pas vers Lilli comme s'il voulait être caressé ou nourri. Ce qui n'était nullement dans les intentions de Lilli. Elle s'esquiva et grimpa sur une butte.

Elle aurait été mieux inspirée en restant auprès du canard ou du dindon, enfin de l'oiseau, quel qu'il fût. Elle faisait penser à ces personnes qui, par peur d'une araignée, glissent sur le sol de la salle de bains et se rompent presque le cou. Alors que Lilli considérait le corpulent animal, quelqu'un la saisit par-derrière et l'entraîna de l'autre côté de la butte. Lilli vit briller un couteau dont la lame extrêmement fine et mince mais très aiguisée se trouvait à un pouce de sa gorge. *Pessoa*. Oui, c'était indubitablement un couteau Pessoa, le couteau des pros. Des pros de la cueillette de champignons et des pros de l'assassinat. De ceux qui savaient ce qu'ils faisaient et ne confondaient pas un couteau avec une perceuse à percussion. Avec un Pessoa, il n'était pas nécessaire de s'y reprendre à deux fois quand on tranchait ou portait un coup. En s'acharnant au mépris du bon sens, on avait moins de chances de tuer une deuxième fois que de se blesser soi-même. Qu'on s'attaquât à un champignon ou à un être humain.

Quand donc Steinbeck et l'homme — oui, il devait s'agir d'un homme, Lilli le sentait comme on sent un lit d'ongle purulent — s'immobilisèrent au pied de la pente, Lilli n'essaya pas de se libérer. Elle savait que cela risquait de lui être fatal. Elle ne pourrait échapper à ce couteau contre la volonté de son adversaire. Cela étant, elle ne resta pas inactive. S'en remettant entièrement à une psychologie élémentaire, elle s'affaissa, rentra les épaules, toutes les épaules si l'on veut bien penser en termes d'épaules, et ne gonfla que sa poitrine, autrement dit elle la bomba en inspirant à fond.

Oui, bien sûr, c'est vrai, c'est un horrible cliché. Mais on n'y peut rien, c'est exactement comme cela que les hommes aiment les femmes : désarmées, privées de forces, en état d'affaissement, mais pourvues de seins, lesquels n'ont pas besoin d'être gros ni fermes pour ressortir de manière visible. En d'autres termes, la poitrine doit être le seul élément actif de la femme. La question de l'intelligence n'entre pas du tout en ligne de compte. Il ne s'agit que du corporel. Car les hommes peuvent se représenter le corporel comme une chose autonome. Et la remarque de Jack Lemmon commentant la démarche de Marilyn Monroe dans *Certains l'aiment chaud* n'est pas dénuée de pertinence : « On dirait qu'elles ont un truc à l'intérieur, une sorte d'appareil. »

Quoi qu'il en soit, Lilli Steinbeck fit ce qui lui paraissait raisonnable. Elle se détendit, ne laissant que sa poitrine en action.

Cela sembla efficace. Non que l'homme éloignât son Pessoa ou relâchât sa prise. Mais il réagit. Peu s'en fallut qu'il ne soutînt Steinbeck, comme s'il la croyait proche de l'évanouissement. Puis il demanda :

« Vous êtes des leurs ?

— Pour répondre, il faudrait que je sache de qui vous parlez.

— Dites-moi pour qui vous travaillez, répliqua l'homme, lui renvoyant la balle.

— Pour la police en fait, répondit Lilli, s'en tenant à la vérité. Et pendant mes vacances, pour le Dr Antigonis. Or je suis en vacances. C'est bien pour ça que je suis sur une île.

— Vous aurez du mal à trouver un Club Med par ici.

— Ce n'est pas grave. Je suis chargée de ramener M. Stransky. »

Sur quoi Lilli Steinbeck perçut une autre voix, une voix d'homme, qui ordonnait :

« Lâchez cette femme. »

C'était probablement Stransky. En l'entendant parler allemand, on ne pouvait s'y tromper.

« Vous croyez que c'est une bonne idée ? » interrogea l'homme qui se tenait derrière Lilli et qui ne pouvait être que Joonas Vartalo.

Cependant il éloigna le couteau, relâcha son étreinte et recula d'un pas, rapidement, comme pour éviter une gifle.

« Enfin ! » dit Lilli en apercevant Stransky dont elle connaissait le visage et la silhouette pour les avoir vus en photo.

À ce moment précis, à vrai dire, l'homme paraissait nettement moins frais et vif que sur ses photos de famille. Extrêmement pâle en dépit d'une longue navigation. Alors que Vartalo semblait au contraire être dans son élément. Les légionnaires sont presque toujours en vacances. Même quand ils changent de camp.

« Que signifiaient tous ces tirs ? s'enquit Steinbeck.

— Nous ne sommes pas seuls ici, expliqua Vartalo. Desprez est arrivé avant nous.

— Desprez ?

— Le bras droit d'Esha Ness.

— Esha Ness ?

— Vous n'avez pas l'air très informée, fit remarquer Vartalo.

— Vous avez déjà vu une police bien informée ? » demanda Steinbeck en souriant comme un bouquet de myosotis.

Vartalo fut légèrement transporté par ce sourire quoique lui aussi fût déconcerté par le nez déformé de Lilli Steinbeck. En tout cas, il expliqua qu'Esha Ness était le pendant féminin du Dr Antigonis. La dame, donc, qui tenait beaucoup à ce que Stransky mourût.

« Ah oui, répondit Steinbeck. Mais je ne connais toujours pas le sens de ces assassinats.

— Moi non plus, rétorqua Vartalo. D'ici à ce qu'on sache pourquoi telle ou telle chose se produit, pourquoi on mène une guerre, pourquoi on y met fin... Je sais de quoi je parle.

— Vous parlez comme un pacifiste.

— Vous voulez me vexer ?

— À Dieu ne plaise, non !

— Alors oubliez ça. Tâchons plutôt de quitter l'île le plus vite possible. Desprez est accompagné d'une bande de parachutistes très entraînés. Nous leur avons échappé de justesse. Je crois que j'en ai eu deux. Malheureusement, ce n'est pas assez.

— Non, on reste ici, ordonna Stransky sur le ton buté des enfants et des naturalistes. Le bateau qui nous a amenés vogue vers Nouvelle-Amsterdam et ne reviendra que dans quelques jours. Et puis nous avons une bonne raison d'être là : *l'oiseau* ! L'oiseau passe avant tout.

— Oui, j'en ai entendu parler, dit Lilli Steinbeck. Ou plutôt je viens de le voir.

— Quoi ? ! »

Stransky leva les bras. Ses yeux s'exorbitèrent, ronds et blancs. Il demanda, non, il cria tout bas :

« Où ? Bon sang, où ça ?

— Eh bien, juste là », répondit paisiblement Steinbeck.

Sa tranquillité n'était pas feinte. Elle n'avait pas encore compris qu'il ne s'agissait pas d'une poule quelconque, mais d'une créature mystérieuse qui pouvait du jour au lendemain rendre Georg Stransky célèbre dans le monde entier.

Stransky se précipita dans la direction indiquée par Steinbeck. Vartalo voulut le retenir, mais le fou d'oiseaux avait déjà gravi la butte et disparu dans le creux de terrain qui se trouvait derrière.

« Espèce de... » pesta Vartalo en lui courant après en position courbée.

Steinbeck, quant à elle, resta où elle était, mais sortit son Verlaine.

Lorsque Stransky revint quelques instants plus tard en compagnie de Vartalo, il semblait avoir les larmes aux yeux. Pas des larmes de joie. Il demanda :

« Vous êtes sûre que c'était un oiseau ? Un grand oiseau ?

— Très grand, confirma Steinbeck, et très gros. Il était juste là. Je ne peux pas croire qu'il ait disparu aussi rapidement.

— Il n'y a rien. »

Steinbeck haussa les épaules et répéta :

« Un grand oiseau blanc, bien gras.

— Blanc ?

— Oui, blanc. »

Stransky réfléchit. En mordillant ses doigts repliés. Un dodo blanc peut-être. *Raphus solitarius*, le solitaire de la Réunion, une créature presque unique en son genre.

« Blanc et rougeâtre », précisa Steinbeck.

Il était absurde d'avoir pensé à une poule ou un dindon ou d'avoir parlé de canard. Les drontes appartenaient à la famille des pigeons. Voilà.

Stransky balbutia :

« Il faut retrouver cet oiseau.

— Il faut nous abriter », répliqua Vartalo.

À cet instant, une violente détonation retentit à l'intérieur du cratère. Suivie de chocs plus faibles. Steinbeck courut, Vartalo sur les talons. Alors ils virent. L'avion détruit était en flammes, des fragments de l'appareil tombaient dans l'eau avec un claquement et un nuage de fumée noire montait haut vers le ciel.

« Qu'est-ce qu'on voit, là ? demanda Vartalo.

— Quelque chose qui a été un avion.

— Non, à côté ?

— C'est mon collègue, M. Kallimachos.

— Ou ce type est mort debout, ou…

— Il est indemne, croyez-moi », déclara Steinbeck.

Manifestement, Henri Desprez avait découvert l'hydravion et ordonné à ses hommes de le faire sauter à l'aide d'un missile. Il n'en usait pas mieux que les gens du Yémen qui avaient bombardé le taxi. Et comme naguère, les fragments d'avion projetés en tous sens et le carburant qui explosait en brûlant paraissaient avoir contourné le détective Kallimachos avec dégoût. De loin, on voyait le Grec avancer pesamment une jambe après l'autre afin de sortir de l'eau. Pour les deux hommes dans l'avion, en revanche, la fin de la partie avait sonné. De simples figurants, qui s'étaient contentés d'une brève apparition, n'émergeant du vide que pour y retourner. Ces personnages ne comptaient pas. D'où le constat de Steinbeck se limitant à la perte de l'avion.

« Où est Stransky ? » demanda Vartalo en se retournant prestement.

Oui, où était Stransky ?

Il n'était nulle part, ne répondait pas non plus aux appels de Vartalo. En revanche, Vartalo et Steinbeck avaient enfin réussi à attirer sur eux l'attention des hommes de Desprez. Plusieurs projectiles sifflèrent juste au-dessus de leurs têtes. Et s'ils n'atteignirent pas leur cible, c'est qu'un vent violent soufflait en hauteur, déplaçant l'air et lui imprimant une puissante oscillation, une agitation de champ de foire.

Vartalo et Steinbeck ripostèrent aussitôt et bondirent dans un fossé d'où, braquant leurs armes comme s'ils se tenaient à l'angle d'un bâtiment, ils tirèrent quasiment à l'aveugle. Parfois il n'y avait pas d'autre solution que de faire du bruit.

« Par ici ! »

Tous deux baissèrent les yeux. À quelques pas de distance, dans une dépression, à moitié caché parmi des herbes sèches de couleur ocre, émergeait un trou. De ce trou sortait la tête de Stransky. Il avait visiblement découvert une caverne, ou plutôt un passage, une galerie étroite — étroite pour un être humain. Stransky expliqua :

« Ça s'élargit plus loin. Allez, venez. »

Vartalo et Steinbeck obéirent tandis que Stransky replongeait dans le trou.

« C'est de la folie, ça s'appelle se fourrer dans la gueule du loup », fit Vartalo.

D'un côté, il avait sans doute raison. De l'autre, il n'était pas là pour sauver sa propre peau, mais celle de Stransky. Lequel avait indiqué la direction à suivre. Steinbeck et Vartalo se glissèrent donc à leur tour, les jambes d'abord, dans l'étroite ouverture où un homme comme Kallimachos n'aurait pu introduire que ses cuisses. Au bout de quelques mètres, ainsi que l'avait dit Stransky, le couloir s'agrandissait notablement jusqu'à former une véritable caverne où l'on pouvait se tenir debout. On y voyait grâce à la lampe de poche avec laquelle

Stransky éclairait la voûte. De la pierre volcanique à l'aspect vitrifié, on aurait plutôt pensé à de la gélatine pétrifiée, une gélatine souillée, poussiéreuse. Le plafond, qui s'étirait juste au-dessus de la tête des trois compagnons, se composait d'une multitude de cônes, petits mais très pointus. Il faisait extrêmement chaud, et le mugissement du vent qui balayait l'île paraissait en cet endroit plus mélodieux, moins pompeux, à la mesure du lieu.

Que Stransky disposât d'une lampe de poche n'était pas un hasard. Après tout, il s'agissait d'une expédition visant à découvrir un oiseau. Et la contrée manquait de réverbères. Sans compter que Stransky avait aussi une formation de géologue. Or un géologue sans lampe torche, ce serait pire qu'un joueur de polo sans cheval. D'où la lampe, munie d'un faisceau puissant, qui permettait de s'orienter. On pouvait donc continuer à s'enfoncer sous terre tandis que la pente faiblissait. La chaleur devenait désagréable et poisseuse alors même que l'espace ne cessait de s'élargir. Au loin on percevait un clapotement.

« Nous devons retourner sur nos pas, dit soudain Stransky.

— Pourquoi ? demanda Vartalo.

— Nous avons dû rater quelque chose. Le dronte ne peut pas être allé aussi loin.

— Écoutez, mon vieux, nous sommes à la recherche d'une issue. Votre oiseau, on en parlera plus tard.

— C'est *vous* qui allez m'écouter », riposta Stransky avec une fermeté qu'on ne lui connaissait pas.

Peut-être était-ce le ton qu'il employait pour rappeler à l'ordre les étudiants récalcitrants.

« L'oiseau — sans doute un dodo blanc — est une priorité absolue. Je me fous de ce Desprez et de ses gens.

— Vous voulez mourir ?

— Ce n'est pas la question, répliqua Stransky. Qu'est-ce qu'un être humain comparé à un dronte ?

— Vous espérez que je réponde à cette question ?

— Ce n'est pas une question, c'est une assertion », déclara Stransky.

Et sans prévenir, il éteignit la lampe torche. Aussitôt on se retrouva dans une obscurité totale.

« Rallumez immédiatement, ordonna Vartalo.

— Seulement si nous rebroussons chemin.

— Allez vous faire voir », riposta Vartalo.

Il y eut un silence.

Enfin, pas tout à fait. Le bruit de clapotis parvenait à présent plus distinctement aux trois personnes plongées dans le noir. Mais ce n'était plus un clapotis, c'était plutôt une plainte démultipliée, une plainte du genre caquètement, un caquètement du genre roucoulement, difficile à caractériser, en tout cas c'était la somme de nombreux sons voisins, assourdis comme s'ils provenaient d'une zone située en contrebas.

« Une colonie, on dirait une colonie ! »

Stransky parlait comme sous le coup de la fièvre. Il avait rallumé la lampe torche, qui éclairait son visage par en dessous. L'espace d'un instant, il ressembla à un de ces savants fous à la docteur Mabuse.

« Vous permettez ? » dit Steinbeck en lui ôtant avec précaution la lampe des mains.

Pas pour continuer à descendre dans le couloir principal ni pour rebrousser chemin. Lentement elle promena le faisceau lumineux autour d'elle. L'éclat de gélatine poussiéreuse avait cédé la place à quelque chose de métallique. Quant à la structure, elle avait l'air encore plus concertée, encore plus architecturale qu'au début. Ce qui ne changeait rien au fait qu'il s'agissait de roche en fusion refroidie. Théâtral mais naturel.

« Là ! s'écria Steinbeck en dirigeant le faisceau lumineux sur un point.

— Là quoi ?

— Là-haut, une lucarne ou quelque chose d'approchant. »

Effectivement, à plusieurs mètres de hauteur se dessinait une ouverture dont le carré parfait relevait visiblement de l'intervention humaine.

« Allons voir ça », décida Steinbeck.

Elle commençait à s'intéresser à l'oiseau de Stransky même si l'animal n'avait sûrement pas emprunté ce chemin. Beaucoup trop difficile pour un oiseau incapable de voler. D'un autre côté, en s'approchant, on pouvait établir avec certitude que le caquètement généralisé qu'on entendait faiblement venait de la galerie qui s'enfonçait dans la roche à l'horizontale. On sentait également un courant d'air. Un air mêlant le chaud et le froid. À l'instar d'une gaufrette fourrée.

« J'aimerais passer le premier, demanda — non, implora Stransky.

— Trop dangereux, professeur, refusa Steinbeck. J'ai promis à votre femme de veiller un peu sur vous si je vous retrouvais. Or je vous ai retrouvé.

— Vous avez vu Viola ?

— Elle vous aime, répondit Steinbeck sans soupçonner l'absurdité de ce qu'elle énonçait.

— Il n'empêche, répliqua Stransky. Laissez-moi passer devant, c'est *mon* oiseau.

— Vous vous feriez tuer pour cet animal.

— Bien sûr, répondit Stransky.

— Comme vous voulez », dit Steinbeck.

D'un geste, elle invita le zoologue à pénétrer le premier dans la galerie dont la taille rappelait l'étroitesse du trou extérieur.

« À quoi ça rime ? demanda Vartalo.

— Quand ma voiture fait grève, je l'abandonne.

— Pardon ?

— Quand un homme s'obstine, je le laisse agir à sa guise.

— Vous, les Allemands, vous avez l'esprit dérangé », professa Vartalo.

Steinbeck n'essaya pas de dissiper la méprise. Elle grimpa à son tour dans la galerie, suivie de Vartalo.

Comme on pouvait s'y attendre, la gaine avait été construite de main d'homme. Elle était tapissée de tôle brillante et polie. Sans doute à cause du vent qui soufflait en permanence. La canalisation était d'une étroitesse propre à déclencher un accès de claustrophobie. Cependant Stransky n'eut pas une seconde d'hésitation malgré son peu de goût pour les espaces confinés. Mais qui aime ça à part quelques fétichistes fous ?

Stransky s'introduisit la tête la première dans la galerie aménagée et se mit à ramper. À chaque mouvement, il posait devant lui la lampe que Steinbeck lui avait rendue, éclairant un couloir uniforme qui paraissait interminable. Un cercueil s'allongeant à l'infini. Mais cela n'existe pas. Les couloirs aboutissent toujours quelque part. Fût-ce dans une sorte de machine.

Stransky se souvint qu'au début des années trente, Saint-Paul avait abrité une pêcherie et une authentique petite usine. Une centaine d'hommes avaient vécu sur l'île, assurant chaque saison la mise en conserve d'un bon million de queues de langoustes.

Était-il imaginable que ces hommes eussent travaillé en partie dans ces profondeurs et qu'un bout de l'usine eût été installé sous terre pour d'objectives ou obscures raisons ?

Repoussant l'idée que la gaine débouchait sur une machine, Stransky coinça la lampe torche entre ses dents et s'efforça d'avancer. Il était suivi par Steinbeck et Vartalo, bien plus rodés que lui dans l'art de la reptation mais tout aussi sensibles à l'étroitesse de la galerie. Sans compter que celle-ci exhalait une odeur âcre et repoussante.

« Bordel ! Bordel, bordel », fit Vartalo après avoir progressé de quelques mètres. Il ne pouvait pas savoir qu'en se limitant à deux répétitions, il obéissait aux règles linguistiques de l'homme qui se trouvait quelque part au-dessus de leurs têtes, bénéficiant d'un air plus sain et d'une vue nettement plus jolie.

Toujours est-il qu'au bout de quelques minutes, on atteignit une bifurcation : d'un côté on remontait, de l'autre on descendait. L'endroit était un peu plus large, de forme circulaire et équipé d'échelons.

En haut, un séduisant rond de ciel bleu brillait dans l'obscurité. Stransky toutefois indiqua la direction opposée : « En bas ! »

Car c'était de là que venait la cacophonie, laquelle s'amplifiait sans pourtant qu'on distinguât l'extrémité de la canalisation.

Vartalo était ravi de fermer la marche car, au moins, il pouvait garder un œil sur le petit bout de ciel. Deux fois dans son existence il avait été enseveli. Or on pouvait se marteler le torse autant qu'on voulait à s'en faire exploser les côtes, tel King Kong, il y avait certaines choses auxquelles on ne s'habituait jamais.

Au bout d'une vingtaine de mètres, la gaine obliquait légèrement. Le petit point bleu disparut. L'étroitesse de la galerie présentait au moins un avantage : on pouvait s'adosser à la paroi et soulager ses mains. L'air, quant à lui, ne s'améliorait pas : l'odeur rappelait, en plus fort, des aliments avariés avec lesquels on aurait cuisiné. Or il y a une différence entre laisser pourrir une chose et s'en servir pour cuisiner.

Enfin on aperçut une lueur qui ne provenait pas de la lampe torche.

« Nous arrivons », dit Stransky comme s'il accourait au secours de quelqu'un. Mais sans doute parlait-il de la gloire qui l'attendait. Par conséquent il aurait dû dire : « J'arrive. » Sur quoi il se glissa hors de la gaine et atterrit sur une petite plate-forme d'échafaudage qui constituait la partie supérieure d'une grue articulée. Cette grue, ainsi que tout le reste, était éclairée par des bandes de lumière naturelle qui pénétraient, tels des faisceaux, par plusieurs ouvertures de dimensions variées, à l'aspect frangé. On se trouvait sous la coupole d'une gigantesque cavité, visiblement d'origine naturelle. Le hall d'une caverne de lave, qui avait tout de même connu quelques aménagements. Et ce à deux reprises, chaque fois à des fins différentes.

La présente fin était aussi visible qu'audible. Une colonie d'oiseaux s'était installée en ces lieux. Il y en avait environ deux cents et, depuis sa position surélevée, Stransky comprit à quel point ils avaient été bien inspirés de ramper sous terre comme des vers. Il avait sous les yeux non pas des pingouins, des canards ou des poules, mais des drontes, d'authentiques drontes. Pas des dodos blancs comme l'avaient laissé supposer les propos de Steinbeck, mais l'espèce bien connue du *Raphus cucullatus*, à ceci près que le plumage paraissait un peu plus clair que sur les reproductions anciennes. Ils étaient donc là, ces oiseaux prétendument disparus, et ils nichaient, ils couvaient — un œuf unique comme on l'a précisé —, ils fientaient, ils s'égosillaient, autrement dit ils s'employaient avec succès à préserver l'espèce. Et tout cela, ils le faisaient sur… sur une autre planète. Ce qui n'est pas pour dire qu'on se trouvait presque au bout du monde, loin de toute civilisation et de toute surveillance, non, le spectacle qui s'offrait…

« Seigneur, dit Steinbeck, qui avait rejoint Stransky, on se croirait sur la planète Mars.

— Oui, une planète Mars habitée par des drontes. »

C'était exactement cela. L'environnement dans lequel ces drontes avaient construit leurs nids ressemblait tout à fait aux images transmises par les missions d'exploration sur Mars. Un désert de pierre rouge. Une terre oxydée. Tendue aux deux extrémités, une toile de lin placée en hauteur, d'une couleur rose sale, suggérait un ciel tel que le produisait l'atmosphère raréfiée, imprégnée de poussière, de la planète Mars. Sur l'horizon artificiel se détachaient quelques élévations de terrain isolées. On ne peut plus réel, en revanche, était le module lunaire garé au milieu du plateau ovale et partiellement enveloppé de ces feuilles métalliques dorées qui semblent toujours froissées, comme si elles n'avaient pas le droit d'être lisses. Dans le sable, à côté du module, se trouvaient d'autres appareils, une petite jeep, une voile solaire, des antennes dépliées, des caméras et divers objets. À la périphérie se dressaient de grands ventilateurs comme on en voit dans les studios de cinéma où ils servent à produire des tempêtes de sable ou à faire flotter au vent les chevelures féminines. Mais dans l'ensemble, le décor paraissait authentique. De ce point de vue, c'étaient les drontes qui perturbaient le tableau, qui créaient une impression d'inauthenticité. Et l'on peut discuter pour savoir ce qu'il y a de moins crédible : un paysage martien à l'intérieur d'un volcan ou une colonie d'oiseaux censés avoir disparu il y a trois siècles.

« Qu'est-ce que ça signifie ? demanda Steinbeck.

— Je suis zoologue », rappela Stransky, ce qui était une manière d'indiquer que sa responsabilité se limitait aux oiseaux.

Vartalo, réfléchissant tout haut, déclara qu'il s'agissait soit d'un ancien camp d'entraînement pour une future conquête de Mars, soit — comme autrefois en Amérique, quand on rejouait tout ou partie de l'alunissage — d'un studio de cinéma chargé d'élaborer des images « vraies » de la planète rouge.

Ce ne pouvait être une simple production de science-fiction — pas sous terre, pas sur une île sans aéroport ni livraison de pizzas, une île dépourvue de tout.

« Voyons ça de plus près », suggéra Steinbeck.

Elle escalada la rambarde rouillée et descendit le long de la grue avec sa légèreté d'araignée. Stransky la suivit avec une certaine prudence, une prudence que Vartalo apprécia car il craignait de perdre à l'occasion d'une simple chute l'homme qu'il avait jusque-là réussi à protéger. Cependant tous trois arrivèrent en bas sains et saufs. Les drontes se montrèrent un peu nerveux et se mirent à jacasser bruyamment de leurs grands becs recourbés — si l'on peut dire de drontes qu'ils jacassent. Mais ils n'esquissèrent pas le moindre geste de fuite. C'étaient bien des drontes. Aujourd'hui encore, ils se seraient laissé exterminer en deux temps trois mouvements. Heureusement ils n'avaient pas affaire à des monstres mais, en la personne de Stransky, à un homme qui recherchait la gloire pour lui-même et pour eux. Cela ne faisait aucun doute : quand le public apprendrait l'existence de ces animaux, l'émotion serait sans égale. Les Français n'hésiteraient pas une seconde à installer une flotte de guerre autour de l'île pour assurer la sécurité des sensibles bêtes. Et si de surcroît la science s'en mêlait… Pour lui échapper, les drontes n'auraient d'autre ressource que de s'enfoncer jusqu'au centre de la Terre. Mais on n'en était pas encore là. Stransky s'abstint de toucher les oiseaux. Il se borna à les contempler, l'œil humide, avec la même fierté subjuguée que lorsque sa fille Mia était venue au monde.

Passant au milieu des drontes, qui avaient espacé

leurs nids d'un ou deux mètres, on se dirigea vers l'objet central, qui était à l'évidence un module lunaire destiné à une expédition habitée et pas seulement un petit machin en Lego. C'était un véhicule puissant, surmonté d'une capsule en forme de ballon, équipé de multiples réservoirs empaquetés d'or, d'une antenne parabolique bleu argenté et de modules solaires qu'on aurait pu installer sur une cabane de jardin. Le revêtement blanc des jambes de suspension était couvert de poussière rouge. Quelque chose luisait par en dessous. Vartalo tira sur sa manche pour en recouvrir ses doigts et essuya de son avant-bras la zone salie. On vit apparaître un drapeau imprimé, deux inscriptions de graphies différentes et une succession de chiffres.

« Des Français », constata Vartalo.

Il déclara que la vue du drapeau français lui évoquait immanquablement les républiques bananières d'Amérique latine.

« Que voulez-vous, trois couleurs », rétorqua Steinbeck, se concentrant sur les inscriptions.

L'une montrait d'assez grandes lettres, l'autre était plus petite et placée en dessous, comme un titre et un sous-titre.

Mars, mon amour
*Le mars est à nous**

« Ça, c'est typiquement français, jugea Steinbeck.

— En quoi ? demanda Vartalo.

— Le fait de donner à un vaisseau spatial un nom qui s'inspire de l'œuvre d'un de leurs grands cinéastes.

— En tout cas, le sous-titre a l'air plus pragmatique. Pragmatique et militaire. Il fait très *Grande Nation**. »

Joonas Vartalo avait beau être finlandais, il n'était pas omniscient. Autrement il aurait su que *Le mars est à nous** renvoyait aussi à un film, à savoir *La vie est à nous* de Renoir, le type même de l'œuvre de propagande tournée à une époque difficile. Du reste, les voyages dans l'espace se concevaient difficilement sans propagande, sans exaltation de la nation voyageuse. Sans nation, sans fantasme de toute-puissance, sans drapeau planté à grand fracas en terre étrangère, la chose paraît insignifiante. Or ce fut une hampe de drapeau munie des trois couleurs que Vartalo déterra avec prudence, pour ne pas déranger davantage les drontes, assis ou debout autour d'eux. Il appuya l'extrémité du bâton dans le sol et secoua la tête.

« Devons-nous sérieusement croire que les Français voulaient aller sur Mars ? Et que cet endroit était leur petit camp d'entraînement ?

— Dans ce cas, ce devait être avant l'installation des drontes, fit observer Steinbeck. Quelqu'un sait-il ce que signifie la suite de chiffres ? »

De grands chiffres rouges, pas le rouge de Mars, plutôt un rouge-Terre : 261016.

« Un numéro de téléphone, plaisanta Vartalo. Un numéro parisien, s'entend. »

Personne ne connaissait le sens de cette succession de chiffres. Mais Stransky, examinant en scientifique les moindres détails, remarqua au bord du revêtement une minuscule plaquette sur laquelle était gravée, outre divers codes, l'année 1984.

« Seigneur, quelle époque de fous ! fit Vartalo.

— Ah bon ? » demanda Steinbeck qui, à ladite époque, vivait à Vienne et en avait conservé un souvenir tout à fait différent.

Parfois elle se disait que le milieu des années quatre-vingt, à l'instar de certaines périodes du Moyen Âge, encourrait un jour le soupçon de n'avoir jamais existé.

Vartalo expliqua qu'en 1984, il était en Afrique du Sud.

« Vous auriez dû y rester. »

C'était une méchanceté. Mais elle ne venait ni de Stransky, ni de Steinbeck.

« Hein ? »

Vartalo se retourna. Il eut juste le temps de reconnaître le petit Français nerveux appelé Desprez avant de recevoir en pleine figure une balle qui lui ferma définitivement l'horizon.

15

Satanic

Été 1985, Honolulu, Oahu, Hawaï.

Henri Desprez sortit sur le balcon. La lumière du soleil lui agressa les yeux tel un raton laveur en furie. Plaçant sa main droite devant son visage, il plongea l'autre dans sa poche de poitrine, en tira une paire de lunettes de soleil qu'il déplia et posa sur son nez en passant devant l'écran de sa main. Il n'en fut pas moins nécessaire de baisser la tête. Desprez regarda la plage, Waikiki Beach, à lui seul déjà ce nom sentait le persiflage. En bas s'ébattait une masse de gens doublement ignorants : des dangers du soleil et de ceux de l'eau. Des gens en caleçon et maillot de bain, pouvait-on imaginer pire ? Pouvait-on encore parler de gens ? Cette façon de se dénuder en public, partiellement ou intégralement, peu importe, symbolisait l'effondrement total de la civilisation. Car pourquoi l'homme préhistorique avec tous ses poils avait-il cédé la place à l'individu raisonnablement et élégamment vêtu de la période du romantisme tardif si les gens se mettaient désormais à peupler les plages — lesquelles n'en demandaient pas tant — de leur nudité grotesque et huileuse sous un soleil peu flatteur ?

Toutefois Desprez n'était pas là pour maudire cette racaille de plage. Il avait une mission à accomplir, comme toujours lorsqu'il était contraint de quitter Paris. La situation était extrêmement délicate. L'ordre émanait du sommet. Il ne pouvait venir de plus haut sauf à inclure le bon Dieu dans la partie. Desprez aimait la façon dont *Monsieur Mitterrand** en usait depuis plus de quatre ans. Pour un socialiste, ce n'était pas mal. Enfin un homme qui ne louvoyait pas sans arrêt, qui ne ridiculisait pas en permanence son pays et lui-même, qui possédait une conscience historique et ne considérait pas le pouvoir comme une boulette de viande qu'il fallait pêcher à la main dans une soupe brûlante. D'emblée, cet homme s'était présenté comme un monument vivant. Et toutes ses entreprises, présentes et à venir, ne consistaient ou ne consisteraient qu'à éclairer ce monument. Procédé que Desprez jugeait beaucoup plus bénéfique à la nation qu'une pusillanime pêche aux boulettes.

Bien sûr, le supérieur de Desprez n'avait pas dit que *Monsieur le Président** en personne ordonnait de faire passer ce satané photographe de vie à trépas ainsi que tous ceux auxquels il s'était confié. Il ne l'avait pas dit *comme ça*. Mais Desprez savait déchiffrer les astuces linguistiques de son chef. Ne serait-ce que sa façon de tordre — ou non — les lèvres.

Desprez n'avait été plus amplement informé qu'après avoir atterri à la Réunion et rejoint la petite île Saint-Paul. Il avait été saisi d'étonnement.

Jamais il n'aurait pensé que son pays projetait un voyage habité sur la planète Mars à l'insu de l'Agence spatiale européenne, à l'heure où les Russes établissaient d'infantiles records du monde en vol de longue durée autour de la Terre et où les Américains, concernant Mars, n'avaient pas de visées plus audacieuses que d'y déposer des véhicules miniatures. Il semblait que Mitterrand, tel un monarque balayant toutes les objections — qui ne demande pas, qui exige —, eût favorisé un programme spatial clandestin se caractérisant par l'oubli délibéré et ciblé d'un certain nombre de difficultés. De ce point de vue, cela s'inscrivait bien dans la pensée postmoderne. Sauter par-dessus l'obstacle. Au lieu de se livrer à un bricolage qui aurait eu pour effet d'en doubler la taille.

Sur l'île Saint-Paul, Desprez avait été amené au camp d'entraînement souterrain, construit dans une grotte naturelle, qui affichait la devise *Mars, mon amour**. Un camp dont la fonction était, entre autres, de produire des films et des photos au cas où ceux qui seraient réalisés sur place se révéleraient moins bons que prévu. Ou bien au cas où surviendrait un échec qu'on préférait taire. Au cas où.

Desprez n'était pas à Saint-Paul pour s'intéresser au projet en tant que tel. La planète Mars n'était pas censée le concerner. Sa mission était d'interroger l'homme qu'on soupçonnait d'avoir introduit un journaliste sur les lieux. Un journaliste sur lequel on n'avait, hélas, quasiment rien en dehors des quelques images imprécises fournies par les caméras de surveillance.

Il va de soi que les collaborateurs scientifiques de

*Mars mon amour** n'étaient pas en mesure de procéder à un interrogatoire en règle. Encore moins une des brutes qui étaient installées à la Réunion, aiguisant leurs couteaux. Raison pour laquelle Desprez, entrant avec un sourire poli dans la petite pièce où était retenu l'ingénieur arrêté, s'assit et déclara :

« Évitons de perdre du temps. Vous et moi. Moi, parce que j'ai du travail, et vous, parce que vous souhaitez rester en vie. J'arrive de Paris, je ne suis pas un sadique. Cela étant, je suis connu pour savoir tirer les vers du nez. Ce qui signifie que vous allez me donner un nom. Le nom de la personne qui est venue ici pour réaliser quelques photos de Mars.

— Et si je garde le silence ? demanda le délinquant, qui ne semblait pas prendre l'affaire au sérieux. Vous m'arracherez les ongles des orteils ?

— Oui, soupira Desprez, c'est ce qu'on attend que je fasse. Ce que tout le monde attend, curieusement. Alors que cette simple idée me donne la nausée. Non, cher ami, je ne toucherai pas à vos orteils. Mais il serait bon pour nous deux que vous puissiez pousser quelques cris. Afin que ceux qui sont à l'extérieur entendent quelque chose et qu'on soit dans l'ambiance. »

L'homme se mit à rire.

« Paris a envoyé un plaisantin.

— Vous me vexez, répliqua Desprez en sortant un revolver et en le braquant sur son interlocuteur.

— Mais qu'est-ce que vous faites ?

— Eh bien, je vais vous abattre. Est-ce que j'ai le choix ? Comme je vous l'ai dit, l'idée même de toucher vos orteils me dégoûte. Sans parler d'aller plus loin. Je suis comme ça. Certaines des personnes que j'interroge se montrent compréhensives et me disent ce que je veux savoir. Les autres, je les abats. Y a-t-il une alternative ? Vous me trahiriez. Vous me ridiculiseriez aux yeux du monde entier. Je perdrais mon emploi. Ma réputation. On me considère comme un dur. Vous voyez bien, je ne peux pas faire autrement.

— Si vous… si vous me tuez, vous n'aurez rien.

— J'aurai au moins préservé ma réputation, rétorqua Desprez en repliant son doigt, inséré dans le pontet de la détente à l'image d'une fleurette ornant le revers d'un noceur grisonnant.

— Non ! s'écria l'homme.

— Non quoi ?

— Le type… le journaliste qui est venu… il s'appelle Alberto Mora. Il m'a…

— Le reste ne m'intéresse pas », le coupa Desprez.

Tordant les lèvres comme pour déplorer à mi-voix les maux de l'époque, il expliqua :

« En réalité, c'est maintenant que je devrais vous abattre. C'est ce que ferait n'importe quel agent ayant un peu de jugeote.

— Mais alors pourquoi ?…

— Pas d'impertinence.

— Je voulais juste… »

L'homme se tut. Il baissa la tête, vivant portrait de la soumission.

Desprez dut vraiment prendre sur lui pour ne pas tirer. Non seulement parce que cela eût été plus raisonnable, mais aussi parce qu'il éprouvait une profonde colère. Qu'est-ce qu'il fallait déployer comme efforts pour épargner la torture aux gens ! Qu'est-ce qu'il fallait ruser au lieu de passer un accord en bonne et due forme ! Un accord qui aurait dû ne poser aucun problème. L'un demande, l'autre répond. Après quoi on se sépare sans un mot de trop. Malheureusement, les gens ne jouent pas le jeu. Dommage.

Le journaliste qui s'était fait introduire dans la contrée martienne française de l'île Saint-Paul se nommait donc Alberto Mora. Desprez appela Paris, transmit le nom et eut un retour aussi rapide qu'il était possible d'en avoir en 1985. Mora était un Anglais d'origine portugaise, qui travaillait en tant que photographe free-lance pour divers journaux et pour Greenpeace. Quelle que soit la manière dont il avait réussi à accoster sur l'île et à la quitter, il avait pris ensuite à Sydney un avion pour Hawaï. C'est là qu'il se trouvait pour l'heure, attendant de pouvoir embarquer sur le navire de Greenpeace, le *Rainbow Warrior*, qui projetait de se rendre, via Auckland, dans les eaux de l'atoll de Mururoa pour y protester contre les essais nucléaires français.

La grande époque de Greenpeace. On peut affirmer sans crainte de se tromper que Desprez vouait ces gens aux gémonies : des aventuriers, trop hypocrites pour se présenter comme tels et qui préféraient s'afficher aux yeux du monde comme des sauveurs. Si les baleines n'avaient pas existé, Greenpeace aurait protégé les tables à trois pieds. Mais les baleines, c'était mieux, bien sûr. Elles ne pouvaient pas répliquer, elles ne pouvaient pas protester. Ni contre le massacre dont elles étaient victimes, ni contre leur instrumentalisation par des gens qui s'ennuyaient chez eux. Telle était l'opinion de Desprez, habité qu'il était par la haine latente des Français à l'égard des activistes de Greenpeace.

Desprez s'était donc lancé à la poursuite de Mora et avait pris l'avion pour Hawaï. Il aurait pu à tout instant régler facilement l'affaire, arrêter l'Anglais, l'interroger, localiser le matériel d'enquête, découvrir le nom des personnes éventuellement impliquées ou d'un éventuel commanditaire, et liquider Mora. Car il n'était pas question de laisser le photographe en vie. Mora était allé beaucoup trop loin. Il ne suffirait pas de lui causer une petite frayeur.

Cependant de Paris était venu l'ordre de suspendre toute opération dans l'immédiat. Desprez devait rester à Honolulu en attendant de plus amples instructions. Il y avait à cela une bonne raison. Car ce qu'il y avait d'ahurissant dans cette histoire, c'est que la DGSE, dirigée par l'amiral Lacoste, projetait contre Greenpeace une intervention financée sur *fonds spéciaux**, l'« opération Satanic ». Une opération elle aussi décidée par le chef de l'État, qui en avait tout bonnement assez que les gens de Greenpeace montrent du doigt, de leur doigt sale et francophobe, la *Grande Nation** comme si la France faisait sauter ses bombes atomiques en pleine zone piétonnière. Pour Paris, ces essais étaient indispensables. Et on n'entendait pas se laisser dicter sa politique de défense par quelques yachtmen égomaniaques. Il fallait faire comprendre une fois pour toutes à ces activistes qu'on n'était pas dans une pataugeoire pour enfants où l'on pouvait pisser en toute impunité. Non, Greenpeace devait comprendre qu'il y avait des règles à respecter.

Et c'est ainsi qu'à travers la personne du photographe Alberto Mora, deux histoires s'étaient rejointes : l'intérêt officiel de la France à poursuivre tranquillement ses essais nucléaires, et son intérêt encore officieux à atterrir tranquillement sur Mars. Dans un cas comme dans l'autre, l'utilisation de l'énergie nucléaire jouait un rôle capital et, dans un cas comme dans l'autre, on qualifiait cette utilisation de pacifique.

L'après-midi où Henri Desprez observait avec mépris les gens qui se baignaient et se doraient au soleil, un agent de la DGSE vint le trouver dans sa chambre d'hôtel et le mit au courant du projet Satanic. On voulait plastiquer le vaisseau amiral de Greenpeace, le *Rainbow Warrior*, une fois qu'il serait mouillé à Auckland. Des agents de la DGSE étaient déjà sur place et préparaient l'opération. Celle-ci avait été élaborée par un groupe de travail ministériel portant la désignation hautement originale de Riposte[1].

« Ce n'est pas un peu excessif ? demanda Desprez à son interlocuteur, un homme du nom de Van der Kemp.

— Comment ça ?

— Écoutez, fit Desprez, moi non plus je ne supporte pas ces macaques d'écolos. Mais de là à faire sauter un bateau... Ça frise le terrorisme. Et même

1. Sous réserve, ce nom n'ayant pu être attesté par nos recherches. *(N.d.T.)*

le désespoir. Or je trouve gênant que la France apparaisse comme un pays de désespérés. »

Van der Kemp expliqua qu'ils n'avaient pas l'intention de hisser le drapeau français à côté de l'épave.

« Inutile, répondit Desprez. Tout le monde saura que c'est nous. Nous passerons pour de mauvais joueurs. À juste titre. Balancer des bombes, c'est vulgaire.

— Personne ne balancera quoi que ce soit. Nous installerons une charge explosive sur la coque.

— Bombe à retardement, donc. C'est encore pire, parce que sournois.

— Ce n'est pas à vous d'en juger.

— Non, c'est vrai. Mais curieusement, chaque fois que vous merdez à la DGSE, mon téléphone sonne.

— Personne n'a merdé, chez nous en tout cas, protesta Van der Kemp. Nous n'étions pas plus au courant que vous de cette histoire de Mars-mon-amour. »

Desprez en doutait fortement. Mais que faire ? Il reprit :

« Laissons ça. Si la DGSE se croit obligée de s'attaquer à un bateau innocent et de s'aliéner toutes les bonnes gens de la terre, je n'y peux rien. Qu'attendez-vous de moi ?

— Que vous restiez tranquille jusqu'à ce que nous en ayons terminé. Laissez cet Alberto Mora monter à bord du *Rainbow Warrior*. Ce serait très ennuyeux que vous l'épingliez maintenant. Ça alerterait Greenpeace. »

Desprez savait qu'il n'avait pas le choix. Il fallait

qu'il se mette en retrait, en retrait derrière Van der Kemp, même si cela impliquait de laisser à Alberto Mora plus de temps qu'il ne le méritait. Pour l'instant, Mora ne semblait pas encore avoir transmis ni publié ses informations sur le projet français de voyage sur Mars. Il n'ignorait évidemment pas que la prudence était de rigueur. Mais que cherchait-il ? L'argent ? La célébrité ?

Desprez se serait bien rendu dans la pièce d'à côté — par commodité, il occupait la chambre voisine de celle de Mora — pour faire place nette au plus vite tant que faire place nette relevait encore du possible.

Or cela devenait de moins en moins praticable du fait de la DGSE. Cette engeance comprenait dans ses rangs bien plus de casseurs que ceux que l'on qualifiait de guérilleros urbains. On n'avait pas encore inventé le plat dans lequel ils n'auraient *pas* mis les pieds. Ils interrogeaient les mauvaises personnes, se trompaient dans les écoutes, fabriquaient les preuves au lieu de les découvrir, étaient rarement présents quand on avait besoin d'eux. Ils étaient tout à fait conformes à l'image que se faisait d'eux le citoyen lambda : des types qui découpaient un trou dans leur journal pour espionner et transportaient une fléchette empoisonnée dans leur stylo. Qui installaient des mines-ventouses sur des bateaux. Grotesque.

Pourtant, telle était la réalité. Desprez devait s'en accommoder, s'accommoder de cette version parodique de son métier. Entrant donc dans le vif du sujet, il s'enquit du calendrier de l'opération :

« Faites en sorte d'arriver à Auckland un ou deux

jours avant le 10 juillet, lui recommanda Van der Kemp. Et attendez qu'on ait envoyé le bateau de ces cinglés par le fond. Après, vous aurez les mains libres. Mais pas une seconde plus tôt.

— D'accord, je m'en tiendrai au plan. Et j'espère que tout le monde en fera autant. »

Van der Kemp para la remarque avec un marmonnement indistinct, se leva et quitta la pièce. Dans le couloir, il sortit un mouchoir de sa poche et s'essuya le front. À ce moment-là, la porte de la chambre voisine s'ouvrit et un homme en sortit, qui passa devant Van der Kemp en le saluant. Alberto Mora.

Van der Kemp lui lança : « Soyez prudent. »

Mora n'entendit pas. Ou alors il ne comprenait pas le français. Ou pensait que la remarque s'adressait à quelqu'un d'autre. Peu importe. Van der Kemp sourit. Parfois il était pris d'un étrange besoin de faire des farces. Si ça se trouve, je suis en train de devenir fou, pensa-t-il.

Desprez aurait rétorqué : « Comment ça, *si ça se trouve* ? »

16

1985 fut une mauvaise année

10 juillet 1985, Auckland, Nouvelle-Zélande.

Desprez se trouvait de nouveau sur le balcon d'une chambre d'hôtel. Il avait vue sur le quai Marsden où était amarré le *Rainbow Warrior*. Et où il ne tarderait pas à sombrer.

Desprez avait eu le temps de réfléchir. Il avait décidé de suivre au pied de la lettre la consigne de Van der Kemp d'attendre l'explosion et de ne pas intervenir une seconde plus tôt. *Pas une seconde plus tôt.* Pour Desprez, cela signifiait tirer profit du plastiquage du navire, prévu à vingt-trois heures trente-huit. Il entrerait en scène aussitôt après. Les indices dont il disposait laissaient en effet supposer qu'Alberto Mora avait encore les photos de Mars en sa possession. Il essaierait inévitablement de les sauver si le navire coulait. Ce serait alors le moment rêvé pour mettre un terme à toute cette affaire. Un terme qui s'inscrirait à merveille dans l'attentat contre le *Warrior*. Quand on transpire sous la pluie, ça ne se voit pas.

La nécessité d'improviser ne dérangeait nullement Desprez. Il travaillait seul, décidait lui-même de tout. Il devait juste veiller à ne pas mettre les pieds n'importe où et à se maîtriser. Quand le bateau sombrerait, il monterait à bord. L'idée lui plaisait, elle était en accord avec son sentiment d'être quelqu'un d'exceptionnel. Desprez n'était pas président de la République, mais il se considérait lui aussi comme un monument. Un monument invisible.

C'est ainsi qu'à vingt-trois heures trente-huit, il se retrouva sur le quai, frissonnant dans la nuit froide. Il leva les yeux vers les étoiles, qui se tenaient en rang avec drôlerie. Desprez aimait ce spectacle suggérant une abondance qui n'existait pas, il aimait ce camouflage du vide. Et il était fier que ce fût *son* pays qui s'efforcerait de traverser cette première petite partie de vide en direction d'une planète qui ressemblait un peu à une boule de billard automnale.

L'explosion l'arracha à ses pensées. Et voilà. Au moins la DGSE était ponctuelle. Desprez courut vers le *Rainbow Warrior*, qui s'inclinait rapidement sur le flanc. Manifestement, la mine fixée sous la ligne de flottaison avait provoqué un énorme trou dans la coque. Desprez savait que ce soir-là, l'équipage était en nombre restreint. Et il savait que Mora se trouvait parmi les hommes à bord.

Sortant promptement du bateau les uns après les autres, des hommes cherchaient le salut sur le débarcadère. Profitant de la panique et de l'agitation, Desprez sauta sur le navire sans se faire remarquer. Il va de soi qu'il était capable de se repérer sur le deux-mâts. Il en avait étudié les plans, connaissait la disposition des lieux et se déplaçait donc avec l'assurance d'un habitué. Il avait tout du superagent chevronné : agile, costume de ville, chaussures de cuir noires, vif mais sans nervosité en dépit de l'étroitesse et de l'inclinaison du bateau. C'est avec la même vivacité tranquille qu'il pénétra dans la cabine d'Alberto Mora. Comme il l'avait escompté, Mora y était retourné en hâte pour récupérer son équipement.

« Parfait, dit Desprez en tendant sa main ouverte au photographe. Puis-je vous demander votre sacoche ?

— Il faut sortir d'ici ! cria Mora.

— Pas d'enfantillages, insista Desprez, donnez. Il est déjà assez pénible comme ça de voir Greenpeace pointer son nez dans les moindres recoins de cette planète. Alors pour ce qui est de la planète Mars, nous voudrions la préserver des gens de votre acabit. »

Mora leva sa main libre pour frapper, Desprez l'intercepta et la lui tordit. Juste un peu, il fallait éviter de laisser des traces de lutte. Puis il saisit la sacoche.

Au même moment survint une seconde explosion à laquelle Desprez n'était nullement préparé. On lui avait parlé d'une seule mine. C'était typique de la DGSE, ça, changer ses plans sans prévenir. Non mais quelle farce !

La violence de l'explosion avait projeté les deux hommes au sol. Desprez essaya derechef d'attraper la sacoche dont la courroie s'était coincée dans les jambes de Mora. L'eau pénétra dans la cabine, montant rapidement comme dans un verre tenu sous un robinet. Mora se débattit, cria. Désormais il n'était plus question d'éviter les traces, Desprez donna à Mora un coup de poing en pleine figure. L'Anglais tomba à la renverse et ne bougea plus, l'eau le recouvrit. Desprez tira sur la courroie, mais celle-ci s'était si malencontreusement enroulée autour des jambes du photographe qu'il ne parvint pas à la dégager. Il saisit alors les pieds de Mora pour les sortir de l'eau avec la sacoche, où il récupéra un appareil photo et une petite boîte soudée. Il ouvrit l'appareil et le laissa tomber, mais empocha la boîte. L'inscription qu'elle portait était éloquente : *mon amour**.

Luttant contre l'eau qui continuait de monter, Desprez s'employa enfin à quitter la pièce. Il savait qu'il lui serait impossible de rejoindre le pont sans être remarqué. Il fallait donc plonger. Desprez était un bon plongeur, il pratiquait l'apnée en magicien capable d'ignorer le manque d'air respirable au point de pouvoir s'en passer temporairement. Psychologie de l'imagination. Quand on peut s'abstenir de parler, on peut aussi s'abstenir de respirer.

Desprez, à qui l'eau arrivait à la poitrine, effectua quelques profondes respirations et plongea. La lumière restait suffisante pour qu'on pût s'orienter. Desprez franchit la porte puis descendit le corridor inondé. Il savait à quel endroit précis la première mine avait explosé. C'est là qu'il se rendait. De drôles d'images lui traversaient l'esprit, marchant droit au but à l'instar de ces vieilles gens qui passent au vert sans se soucier des klaxons, sans rien voir ni entendre, persuadés qu'ils sont d'avoir tous les droits après deux guerres mondiales. Les vieilles gens et les drôles d'images, on ne peut pas se borner à les écraser.

Le trajet fut plus long que Desprez ne l'avait pensé, ou il lui parut tel. Peut-être Desprez n'avait-il plus la forme. Il avait trente ans, mais se sentait nettement plus âgé. Sans doute était-ce la fin de l'époque où l'on pouvait plonger en costume sur mesure couleur lame de patin rayée pour échapper à un navire en perdition. En tout cas, il crut que ses poumons allaient éclater. Enfin il atteignit le trou dans la salle des machines, un trou de dimensions considérables. Il se faufila hors de l'ouverture, prit de l'élan et se laissa remonter à l'oblique, s'éloignant du *Warrior* et du risque de se faire sauver par quelqu'un. Il rejoignit la surface à proximité d'un autre bateau à l'ombre duquel il était à l'abri des regards. Des gens s'attroupaient, cris, appels, projecteurs et, tout en haut, les étoiles, semblables à ces vieilles gens contre lesquels on pouvait klaxonner jusqu'à en avoir mal au bras.

Desprez plongea derechef, nagea jusqu'au quai, chercha un endroit propice et se hissa hors du bassin portuaire. Il se sentit minable, là, dans le froid, trempé, indigne, petit voleur cherchant la protection de la nuit. Pourtant il était tout sauf un voleur. Les photos de Mars étaient indubitablement la propriété de l'État français. Elles faisaient partie d'une saisie. Non, Desprez n'était pas un voleur. Mais un assassin, ça oui. Par chance, la mort d'Alberto Mora serait attribuée au sabordage du bateau. Une noyade. Et pas un mot sur la planète rouge.

Malheureusement, l'événement se transforma en affaire d'État. Certes la DGSE s'était une fois de plus distinguée en omettant d'avertir Desprez de l'existence d'une seconde mine. Mais il y avait mieux : deux agents de l'hydre satanique à douze têtes s'y étaient pris si maladroitement qu'ils furent arrêtés par la police néo-zélandaise. Ils s'étaient fait passer pour un couple suisse, ce qui en soi déjà était stupide. Par nature, les Suisses sont suspects : derrière chacun d'eux, on soupçonne une opération bancaire de blanchiment d'argent. Qui plus est, les deux agents avaient loué une voiture qui avait été remarquée au cours de la nuit de l'attentat par les gardiens d'un yacht-club. Cela n'aurait pas été très grave si les agents avaient changé la plaque d'immatriculation, idée qui viendrait aujourd'hui à l'esprit d'un téléspectateur de sept ans. Mais non, quand le « couple suisse » rendit la voiture, il tomba aux mains de la police néo-zélandaise, victime du piège qu'il s'était tendu à lui-même. La dynamique qui s'ensuivit fut irrésistible. Cascade de révélations. Cascade d'embarras. Finalement, le chef du gouvernement français dut reconnaître l'implication des services secrets, un ministre de la Défense valsa, tout comme l'amiral Lacoste, remplacé par un général Imbot. On essaya néanmoins de sauver l'honneur de la France en menaçant la Nouvelle-Zélande — qui, non contente d'avoir arrêté les deux agents, les avait jugés — d'un embargo sur la viande de mouton. Menace couronnée de succès puisque les deux « Suisses » regagnèrent finalement la France en héros nationaux. Héros de quoi ? De la bêtise ?

Desprez estimait que son pays avait sombré bien plus profondément que le *Rainbow Warrior*. Cette histoire renforça le prestige de Greenpeace. Le seul élément positif fut que la véritable portée de la mort d'Alberto Mora resta ignorée. Toutefois cela ne servit pas à grand-chose. Quelques mois après les événements, une fusée expérimentale du programme *Mars, mon amour** fut lancée d'une rampe camouflée, située sur Nouvelle-Amsterdam. Elle n'alla pas très loin. L'éclat de sa violente explosion fut enregistré par plusieurs satellites. Des rumeurs circulèrent au sujet d'un essai nucléaire secret. Le projet de voyage sur Mars fut repoussé, puis gelé avant de tomber dans l'oubli. Mars avait disparu de l'horizon. Mitterrand dégustait des cailles et se comportait en maître d'œuvre. La majorité perdit les élections, ce qui eut pour effet d'instaurer la fameuse cohabitation. Un dispositif qui finit par éveiller la fierté des Français — cela faisait un peu penser à un gamin en pleine puberté qui raserait fièrement ses quelques poils de barbe à l'aide d'un rasoir à deux lames.

Il va de soi que la DGSE n'eut jamais l'idée d'expliquer à Desprez pourquoi on lui avait caché l'existence de la seconde mine. Le supérieur de Desprez se borna à dire :

« Notre job consiste à supporter la bêtise de ces gens, à payer pour leurs erreurs. Finalement, nous ne sommes pas tant des agents secrets que des payeurs de pots cassés. On n'y peut rien.

— C'est évident », répondit Desprez.

Il était revenu à Paris. Ce qui le rendait indulgent à l'égard de son propre sort.

1985 fut une mauvaise année. Quatre jours avant le plastiquage du *Rainbow Warrior* dans le port d'Auckland, le tournoi de Wimbledon fut remporté par un jeune homme de dix-sept ans qui incarnait

17

Le sommeil de Kallimachos

Joonas Vartalo tomba. Et comme il resta tout droit, raide mort dès le premier de ses derniers instants, plus proche de l'arbre que de l'homme, on aurait pu se croire au théâtre. Être au théâtre : l'idée s'impose quand on se trouve dans une contrée martienne fabriquée de toutes pièces vingt ans plus tôt sur ordre du sommet de l'État et abritant des columbidés censés avoir disparu il y a trois siècles.

Cependant on n'était pas au théâtre. Un projectile sorti de l'arme d'Henri Desprez (pas un Verlaine, mais un engin sans nom, de facture plus ancienne et d'usage privé) avait pénétré entre les yeux du Finlandais, le tuant sur le coup. Steinbeck et Stransky, eux, possédaient tous les deux un Verlaine, mais l'Autrichienne fut seule à dégainer en un éclair. Elle braqua son pistolet sur Desprez tout en se plaçant devant Stransky, afin de lui offrir le rempart de son corps aussi complètement qu'il était possible à une femme de moins de soixante kilos de le faire pour un homme pesant vingt-cinq kilos de plus mais de même taille. Cœur, poumons, cerveau... Quoi qu'il en soit, cela parut suffire. D'un geste, Desprez indiqua à Steinbeck de cesser ses enfantillages et de s'écarter. Pour toute réponse, elle se contenta de viser sa tête d'une main précise et calme, tandis que le Français braquait encore son propre pistolet sur l'endroit où s'était naguère trouvée la tête de Vartalo.

Avec un sourire amusé, Henri Desprez baissa son non-Verlaine tout en ordonnant à Palanka et à son équipe de continuer à tenir Steinbeck en joue — mais sans tirer. Cela va de soi.

Jouant la désinvolture, il demanda :

« Que fait ici la police allemande ? On est en territoire français.

— Je suis en vacances », expliqua Steinbeck.

La formule commençait à la divertir. Cela étant, comme elle le fit remarquer, elle ne pouvait pas s'empêcher, même pendant ses congés, de protéger d'innocents citoyens. C'était un réflexe. Un réflexe de policier.

« Vous m'en voyez ravi, répondit Desprez. Ravi parce que si je vous fais abattre, je ne tuerai pas une policière en service mais une touriste. Or les touristes, je les supporte nettement moins bien que les policiers.

— Alors, dit Steinbeck, nous ferons route ensemble. »

C'était évidemment la raison pour laquelle elle était encore en vie. Il aurait été facile, à travers elle, d'éliminer Stransky. Mais avant de mourir, elle aurait vraisemblablement le temps de tirer sur Desprez. C'est toujours la même histoire : l'excès d'armes crée une situation de blocage, ce qui en toutes circonstances, les petites comme les grandes, débouche tantôt sur une paix funeste, tantôt sur la catastrophe. Un duel classique serait tellement plus souhaitable. Mais on n'était pas dans ce cas de figure.

De leur côté, les drontes — au milieu desquels on se trouvait, ne l'oublions pas — se montraient extrêmement discrets, comme s'ils écoutaient. Comme si, une fois de plus, ils prêtaient attention aux êtres humains. Des êtres humains qui s'étaient déjà comportés de manière un peu bizarre trois cents ans plus tôt.

Sans se départir de son amusement, Desprez demanda :

« Et maintenant, qu'est-ce qu'on fait ? »

Steinbeck proposa de se séparer.

« Comment ça ?

— Eh bien, nous partons chacun de notre côté et plus personne ne meurt. Ce qui ne signifie pas *loin des yeux, loin de l'esprit*. C'est juste une façon de repousser la discussion à un moment plus favorable.

— Vous pensez que l'occasion se présentera ?

— Essayons voir, suggéra Steinbeck.

— Désolé, c'est impossible, fit Desprez. Si j'accepte, je cours — nous courons le risque que M. Stransky survive à cette histoire.

— Pourquoi serait-ce si grave ? » s'enquit Steinbeck.

Elle trouvait insatisfaisantes les réponses fournies à cette question maintes fois posée.

« Ce serait la fin du monde, expliqua Desprez.

— Allons bon !

— La fin du monde tel que nous le connaissons. Les dieux feraient leur retour.

— Quels dieux ?

— Activez votre imagination. Vous travaillez quand même pour un homme qui s'appelle Antigonis.

— Vous vous foutez de moi ? » rétorqua Steinbeck, déplaçant involontairement le canon de son arme.

Maintenir l'arme braquée tout en parlant était fatigant. Desprez restait dans sa ligne de tir, ou plutôt, c'était désormais sa mâchoire inférieure qui l'était — le continent australien du visage.

Desprez assura qu'il ne se foutait de personne.

« Si le Dr Antigonis gagne, expliqua-t-il, les dieux grecs reviendront. Et ce ne sera pas drôle. Ça ne se passera peut-être pas tout à fait comme il est dit dans la mythologie, mais le caractère colérique de ces créatures, leur propension à métamorphoser à tort et à travers, à offrir un exemple pitoyable et à compenser par la cruauté la moindre manifestation d'amabilité, tout cela nous transformerait en marionnettes. Je ne prétends pas que notre monde est beau. Mais au moins, il n'est pas le jouet des divinités. Quand quelqu'un est méchant, c'est parce que c'est un malade, ça ne résulte pas du bon plaisir de messieurs Cronos ou Zeus.

— Je n'arrive pas à croire que vous soyez sérieux, répondit Steinbeck.

— Que voulez-vous que je vous dise ? Vous vouliez la vérité, la voilà. Si elle ne vous plaît pas, tant pis. Ça ne change rien au fait que M. Stransky doive mourir ici et maintenant. »

À ce moment-là, trois choses se produisirent simultanément. La femme nommée Palanka, placée près de Desprez, avait remarqué que le canon de l'arme de Steinbeck s'était définitivement écarté de sa cible. Aussitôt elle fit feu. Or Steinbeck s'était elle aussi aperçue de son erreur. Et au lieu de rectifier la position de son arme, elle se laissa choir en arrière, entraînant Georg Stransky dans sa chute, ce qui leur permit de sortir de la trajectoire du projectile ennemi.

Troisième élément enfin de cette simultanéité d'événements : l'apparition du détective Kallimachos. Épuisé comme à son ordinaire, il avait émergé d'un des passages latéraux, attirant l'attention de plusieurs des hommes de Desprez. Il n'avait pas eu besoin de prononcer un mot. Son halètement avait suffi.

Conséquence de cette conjonction : toutes les personnes qui avaient une arme à la main en firent usage. D'une part. D'autre part, le premier coup tiré, celui qui émanait de Palanka, avait affolé les drontes, qui, rappelons-le, mesuraient environ un mètre. Et même si ces oiseaux ne savaient pas voler, ils étaient parfaitement capables de se redresser, d'étirer le cou et de se mettre à courir frénétiquement dans tous les sens. De ce fait, Steinbeck et Stransky, qui étaient par terre, se retrouvèrent dissimulés par une phalange d'animaux poussant des cris effrayés, agitant leurs courtes ailes et remuant la poussière. Des animaux qui tombaient en masse sous la grêle de balles échangées. Au milieu de tout ce vacarme, on entendait par moments la voix de Stransky implorant qu'on mît fin aux hostilités. Il gisait à présent dans le sang des oiseaux, qui se mêlait au rouge du sable artificiel de Mars.

Steinbeck, qui, à l'instar des présents, avait vidé son chargeur au petit bonheur la chance, attrapa Stransky par l'épaule et le traîna jusqu'à un module solaire derrière lequel ils s'abritèrent.

« Du nerf ! » hurla-t-elle.

Stransky, les yeux pleins de larmes, montra de quel bois il se chauffait. Tirant son Verlaine de son sac à dos, il se redressa avant que Steinbeck ne pût l'en empêcher, leva son arme au-dessus de la barricade et fit feu. Mais pas à l'aveuglette, comme les autres. Il prenait le risque de s'exposer. Il voulait voir sur qui il tirait, voulait à tout prix éviter de toucher ne serait-ce qu'un seul des drontes. Il se sentait envahi par une colère démesurée, il était résolu à flinguer ce salaud de Français et son équipe. Et bien que, dans le lot, Stransky fût évidemment le tireur le moins expérimenté, il atteignit sa cible. Deux des parachutistes de Desprez tombèrent. Les autres se hâtèrent de s'abriter plus efficacement que ne l'avaient fait leurs collègues touchés, lesquels n'étaient pas morts mais durent être mis à l'écart avec des blessures graves.

« Pas mal, apprécia Steinbeck.

— Je suis en train de devenir un monstre », répondit Stransky.

Ainsi la quasi-totalité des protagonistes était cachée derrière des éléments du paysage martien et de l'équipement français. Stransky avait de nouveau baissé la tête derrière le module solaire. Seul Spiridon Kallimachos était resté à l'endroit exact où il avait pénétré dans la vaste cavité. Il n'avait pas avancé d'un pas.

À présent, le silence régnait. Plus personne ne

tirait. Les drontes survivants n'émettaient plus qu'une sorte de gloussement. La femme nommée Palanka jeta un regard déconcerté à Kallimachos. Elle était sûre et certaine d'avoir tiré plusieurs coups extrêmement ciblés sur le Grec, sur cette montagne de chair difficile à manquer. Pourtant, l'homme était vivant, debout sur ses deux jambes, devant l'ouverture par laquelle il était arrivé. Son halètement dominait presque les autres bruits.

Desprez avait donc raison. On ne pouvait l'abattre. Tout comme Steinbeck avait eu raison de vouloir repousser la confrontation. Le blocage n'avait fait que s'accentuer. Et il avait fallu pour cela — pour rendre encore plus médiocre une issue déjà médiocre — la mort d'un grand nombre de drontes. Le genre de résultat qu'on obtient dès qu'il y a intervention de l'homme. Du coup, on pouvait légitimement se poser la question : serait-ce vraiment une calamité si quelques dieux grecs reprenaient les choses en main, distribuaient des punitions et fixaient les destinées ?

Enfin Kallimachos se mit en mouvement. Il semblait aussi épuisé que lorsque Steinbeck l'avait rencontré. Mais cette fois, il n'avait pas son déambulateur, il ne pouvait s'appuyer que sur sa canne, à laquelle il s'agrippait des deux mains. Cependant les drontes vivants s'écartaient, Kallimachos n'avait que les morts à éviter. Il s'écoula une petite éternité avant qu'il ne parvînt à rejoindre Steinbeck et Stransky. C'eût été l'occasion de gaspiller toutes ses munitions contre lui. Mais plus personne n'essayait même de vouloir le tuer. Cela résultait d'une erreur — de la part de Palanka et des autres, non de Desprez, qui savait à quoi s'en tenir : on croyait Spiridon Kallimachos invulnérable, à l'instar d'un Siegfried étrangement défiguré ou, mieux, d'un Achille. Mais tel n'était pas le cas. Kallimachos était parfaitement vulnérable, qui plus est maladif, voire gravement malade comme on pouvait s'en rendre compte. Mais la plupart des gens préféraient imaginer une invulnérabilité magique plutôt que de croire que des projectiles, du feu, des éclats de grenade, des matériaux en train d'exploser pussent contourner un corps humain, l'éviter par peur ou par dégoût ou juste pour se comporter de manière imprévisible. Henri Desprez, en revanche, ne s'y trompait pas. Voilà pourquoi il apostropha le Grec :

« Bonjour, Kallimachos, ça fait un bail. »

Kallimachos, qui s'était mis à couvert auprès de Stransky et de Steinbeck, certes pas pour se protéger mais pour s'asseoir, en sueur, et se reposer, déclara d'une voix plutôt basse mais parfaitement audible en raison de l'excellente acoustique du lieu :

« Il faut toujours que vous soyez partout.

— Croyez-moi, répliqua Desprez, je serais mille fois mieux à Paris que sur une planète Mars de pacotille en train de guerroyer contre une gentille policière allemande.

— Nous serions tous mieux à Paris, renchérit le Grec.

— Vous connaissez ce type ? chuchota Steinbeck.

— Avant d'aller à Mannheim, expliqua Kallimachos, j'ai passé quelques années à Paris. C'est là que j'ai croisé le chemin de M. Desprez.

« — Croisé son chemin ?

— Il m'a interrogé.

— Pourquoi ?

— On me soupçonnait de ne pas être celui qu'on croyait.

— Desprez vous a torturé ?

— Desprez ne torture pas. C'est un sale petit technocrate. Quand les gens ne parlent pas, il les descend. Mais la plupart des gens parlent.

— Et vous ?

— Je peux me permettre de me taire si je le souhaite. C'est la seule chose que je puisse me permettre.

— Desprez vous a tiré dessus, n'est-ce pas ?

— Oui, mais il a tiré à côté.

— À côté.

— En quelque sorte. Et maintenant laissons ça s'il vous plaît », fit Kallimachos.

Son invulnérabilité aux balles semblait lui être pénible. Et plus encore le fait que les projectiles l'évitaient comme ils l'auraient fait d'un tas de merde.

Steinbeck acquiesça.

Une phase d'attente avait commencé. Une phase de réflexion et aussi, du côté des hommes de Desprez, de soins médicaux. Ce qui agaçait Desprez, c'était la nécessité de limiter partiellement l'usage des armes. On aurait pu déloger Stransky et ses deux protecteurs à l'aide de quelques grenades. Mais les explosifs n'étaient utiles que contre les personnages secondaires. Il ne fallait pas que le corps de Stransky fût déchiqueté, brûlé, mutilé jusqu'à devenir méconnaissable. Et encore moins le petit

301

porte-clés en forme de Batman qui devait atterrir bien gentiment sur le plateau d'Esha Ness. Ou demeurer dans la poche de pantalon de Georg Stransky. Ou bien, ou bien. Donc interdiction d'utiliser ces bombes qui, ailleurs, rendaient le meurtre si facile. Les bombes étaient aux armes ce que les Polaroid étaient à la photographie.

Rappelons que Stransky avait sur lui la figurine de Batman sans l'avoir expressément cherché. Involontairement donc. Et sans vraiment le savoir. Il en était allé de même pour les sept autres victimes.

Ces pendentifs s'attachaient à leurs propriétaires, et ce n'était pas une façon de parler. Ils avaient été élaborés au début des années quatre-vingt-dix par un roboticien anglais. Ces objets possédaient une réelle faculté d'empathie et tiraient leur énergie de la transpiration de ceux auxquels ils se sentaient liés. Une énergie dont ils avaient besoin pour se glisser prestement dans les poches de manteau, de veston ou de pantalon de leurs « hôtes ». Oui, on pourrait définir ces porte-clés comme d'aimables parasites, externes et inoffensifs. Pas même importuns car discrets. De temps à autre, l'hôte s'étonnait seulement de la présence persistante de cette chauvesouris qui n'était même pas attachée à un trousseau de clés et qu'il n'avait pas mise de lui-même dans sa poche. Étrange ! D'un autre côté, il y avait tant de choses plus étranges et plus importantes. Aucune raison, donc, de se faire des idées et de soupçonner quelque sorcellerie.

La sorcellerie n'avait rien à voir là-dedans. Les dix figurines (il n'y en avait pas plus de dix), qui mesuraient quelques centimètres, étaient constituées d'un organisme vivant et de divers éléments mécaniques, illustrant ce qu'ailleurs on nommait cyborg en considérant la chose comme une utopie. Pourtant cela existait. Pas sous la forme d'une association homme-machine, mais sous celle d'un composé machine-coléoptère. Le cybernéticien anglais s'était spécialisé dans la création d'impertinents petits robots avant de tomber sur le coléoptère. Le ténébrion du désert namibien, dont l'existence illustre la maxime selon laquelle il n'y a pas d'endroit où l'on ne puisse trouver de l'eau. Il suffit de bien regarder. Ou plutôt de se poster au bon endroit au bon moment. C'est précisément ce que fait ce coléoptère de cinq centimètres en se plaçant, à l'aube, au sommet d'une dune. Il se met sur la tête, ouvre ses élytres et capte l'air humide qui souffle de la mer et passe donc nécessairement devant lui. La vapeur se condense sur son corps, forme des gouttelettes qui s'attachent aux petites saillies, s'accumulent et coulent le long de la carapace lisse et des rainures jusque dans sa bouche. Simple et efficace. L'abondance en pays de disette. Grâce à un équipement performant.

Ces porte-clés, qui offraient l'apparence de figurines en plastique bon marché, étaient en réalité des spécimens de ténébrions de Namibie pourvus de minuscules applications techniques, partiellement enveloppés d'un costume rigide et génétiquement modifiés. On avait, par exemple, stabilisé les élytres pourvoyeuses d'eau, on les avait légèrement agrandies et transformées pour qu'elles ressemblent à des ailes de chauves-souris. Elles restaient néanmoins toujours en état, et même plus que jamais, d'accueillir l'humidité vivifiante, qui provenait principalement de l'environnement de l'hôte, ou plutôt de l'hôte lui-même. Ce qui n'était pas un problème. Dans le « cercle vaporeux » des hommes qui prennent de l'âge règne un climat tropical.

Cet objet était prodigieux sans être un prodige. Il fonctionnait. Il se déplaçait avec la plus grande discrétion au moyen de petites pattes adhésives. On ajoutera que les hommes avaient désappris à regarder. Même les zoologues. Quand on voyait un Batman, on n'avait plus un regard pour le coléoptère.

Le plus surprenant, toutefois, était la longévité de l'insecte métamorphosé. À cet égard, du reste, il y avait un hic. Si le propriétaire du porte-clés mourait, le porte-clés mourait aussi. Le coléoptère se desséchait dans son enveloppe de Batman. L'empathie ne connaissait pas de limites. Ce qui ne correspondait pas au plan initialement prévu. Mais n'en va-t-il pas toujours ainsi ?

Ce lien étroit créé par quelques années de cohabitation entre le petit cyborg et son hôte faisait qu'il n'existait plus que trois spécimens vivants. L'exemplaire de Stransky et ceux de deux autres hommes qui ne connaissaient pas encore leur chance. Et s'étonnaient juste de la présence continue du petit porte-clés qui leur avait été offert dix ans plus tôt, à Athènes, par un homme d'affaires.

On se demandera pourquoi un objet aussi extraordinaire n'avait jamais été produit en série. Le fait est que cette association entre un vrai coléoptère et un personnage fictif de bande dessinée n'était pas transposable. Et puis on craignait, sans doute à raison, que beaucoup de gens ne se sentent mal à l'aise à l'idée de transporter un petit insecte dans leur poche de pantalon. Un coléoptère doté d'une mentalité magnétique, qui les suivait partout et qu'on ne pouvait éteindre à l'instar d'un rasoir électrique ou d'une machine à café. Imaginons une machine à café renfermant le corps et l'âme d'un fidèle cocker. Bien sûr, un insecte n'était pas un chien. Il n'empêche, les temps n'étaient pas mûrs. Le consommateur n'avait pas le cuir assez dur pour nouer une amitié avec un porte-clés constitué d'un coléoptère vivant dans lequel on avait implanté des composants électroniques. Se nourrissant qui plus est de l'humidité qu'on produisait à longueur de journée.

On en était donc resté aux dix prototypes. Des prototypes qui avaient été élaborés sur l'ordre d'un réseau industriel dirigé par le Dr Antigonis, qui n'avait donc pas seulement un faible pour l'achat d'équipes françaises de football. Antigonis était à la tête d'un véritable empire. Quoique le temps des empires, des monarchies économiques fût passé. Tout comme celui de l'Église catholique, ce qui n'empêche pas qu'on ait un pape. Un représentant. Il faut des personnes de ce genre pour préserver l'idée de puissance. Il faut Dark Vador. Il fallait un Dr Antigonis et une Esha Ness. Quel que fût celui qui incarnait le côté sombre et le côté lumineux de la puissance.

Toujours est-il que c'est à un ténébrion symbiotique que Georg Stransky devait d'être encore en vie. Desprez et ses hommes ne pouvaient se contenter d'arroser le zoologue de grenades. Ils ne pouvaient courir le risque de détruire un porte-clés cyborg qu'ils étaient chargés de rapporter, en état de desséchement progressif, à leur chef à Paris. Pion numéro 8.

Desprez voulait attendre la nuit. Il lui fallait tirer avantage de la supériorité de son équipement. Ses hommes disposaient d'appareils de vision nocturne et de grenades aveuglantes, et leurs armes dessinaient de jolis petits points rouges sur les cibles visées. Et le camp adverse ? Eh bien, le camp adverse avait un Spiridon Kallimachos. Il n'avait pas besoin d'armes de vision nocturne.

Quoi qu'il en soit, l'obscurité se fit. Une obscurité profonde. Seul un faible reste de lumière luisait encore. C'était la fin de la journée sur Mars. Les drontes, en revanche, restaient nerveux, d'une nervosité qui ne dégénérait pas en braillements ni en mouvements violents, mais qui ne voulait pas se calmer. Cette colonie rappelait un de ces immeubles urbains à une heure tardive, où il se trouvait toujours quelqu'un pour aller aux toilettes, se tourner et se retourner dans son lit ou inspecter le frigidaire.

Lilli Steinbeck avait essayé à plusieurs reprises de joindre le Dr Antigonis par satellite. Mais le petit poudrier ne fonctionnait pas. C'est un principe chez ces objets : la méchanceté à l'égard de l'utilisateur. C'est le vice de la technique. Rien à voir avec le porte-clés mentionné ci-dessus.

« Nous devrions agir, déclara Steinbeck. Si nous nous contentons de rester là, Desprez va nous tordre le cou bien gentiment.

— Je ne veux pas, répondit Stransky, qu'un seul dronte meure encore à cause de cette stupide affaire. »

Kallimachos ne souffla mot. Assis par terre, appuyé contre le module solaire, il dormait. Une fuite rapide, à supposer qu'elle fût possible, n'était pas envisageable, pas avec cet homme.

En réalité, Steinbeck s'attendait à tout instant à entendre le bruit d'un hélicoptère à l'approche et à voir une unité spéciale de parachutistes descendre dans la caverne au moyen de cordes. Les hommes d'Antigonis, évidemment. Car avec la meilleure volonté du monde, on ne pouvait penser qu'Esha Ness lançait dans la course des soldats d'élite du genre dur à cuire tandis que le Dr Antigonis s'en remettait à une policière allemande et à un homme de cent quarante kilos, même insensible aux balles. Le déséquilibre aurait été trop bizarre.

Pourtant tel semblait être le cas. Rien ni personne ne paraissait vouloir tomber du ciel, ni parachutistes, ni superagents, ni Stavros Stirling, ni inspecteur Pagonidis, ni même Baby Hübner, ni petits hommes verts, ni bombe, ni météorite.

« Regrettable », pensa Steinbeck, qui pensait surtout à Stavros Stirling, le jeune policier athénien aux yeux de porcelaine. En ce moment, il était peut-être assis sur le canapé avec sa femme et leur petit braillard de Leon. Sans doute épuisé. Mais il valait tellement mieux bercer un enfant, même usant, que de se retrouver au milieu de drontes morts sans savoir quoi faire. Pour l'heure, Steinbeck aurait apprécié d'être mère. Pas celle qu'elle était déjà, la mère adoptive d'une grande fille, non, mère d'un bébé.

Cependant sa voix intérieure se manifesta : « C'est toujours ce que tu souhaites quand tu ne sais plus où tu en es. »

Oui, sa voix intérieure avait raison.

« Hé, Desprez ! cria Steinbeck dans l'obscurité. Vous pouvez m'expliquer pourquoi vous avez toute une équipe de bagarreurs chevronnés pendant qu'une touriste — ne l'oubliez pas — est obligée de se cacher avec un dormeur et un innocent zoologue ?

— Un dormeur ?

— Kallimachos fait une pause, expliqua Steinbeck.

— Il est bien le seul ici à pouvoir se le permettre, répliqua Desprez.

— Vous n'avez pas répondu à ma question. Pourquoi ?

— Parce que vous êtes dans le camp des dieux. Les dieux cultivent ce genre d'extravagances. Par exemple, envoyer à la guerre quelqu'un qui ne veut pas la guerre. »

Sur quoi Desprez ordonna par radio à ses hommes de se tenir prêts.

« Si vous avez raison, répliqua Steinbeck, il ne me reste plus qu'à me coucher par terre et à dormir.

— Oui, faites », répondit Desprez.

Il aimait bien cette femme, elle avait du style, de l'humour. Dommage.

Dans l'obscurité, Lilli Steinbeck examina les alentours. L'endroit comportait évidemment des entrées et des sorties. Autrefois à l'usage des Français. Aujourd'hui à celui des drontes. La seule chose, toutefois, que Lilli pût encore distinguer, c'étaient les réservoirs du véhicule spatial, enveloppés de feuilles d'or, qui évoquaient les éléments rougeoyants d'un amplificateur à tubes. Steinbeck réfléchit : un module d'atterrissage devait forcément servir aussi au décollage, à moins qu'on n'eût envie de s'encroûter sur Mars. Mais qui en aurait envie ?

Peut-être était-il aberrant d'imaginer que cet appareil n'était pas seulement une maquette mais un engin capable de voler, qui attendait depuis vingt ans sa mise en service. Il n'en parut pas moins judicieux à Steinbeck d'essayer de ramper jusqu'à lui avec Stransky, tous deux étant cachés par les drontes — les morts et les vivants —, pour gravir promptement les barreaux de l'échelle et s'introduire dans la capsule. Pendant qu'on était encore en mesure de distinguer quelque chose dans l'obscurité. Certes on se retrouverait piégé. Mais il faudrait d'abord que les autres parviennent jusqu'à eux. Et puis le piège serait protégé, il ne serait pas si facile d'en extraire Stransky. Dans le fond, il s'agissait de gagner du temps. Steinbeck ne voyait pas d'autre option.

Attirant Stransky vers elle, elle lui expliqua ses intentions.

« Et votre ami ? demanda Stransky avec un geste approximatif en direction de Kallimachos.

— Laissons-le dormir. Il ne comprendrait pas qu'on le réveille », répondit Steinbeck.

Saisissant Stransky par le bras, elle l'obligea à se baisser et lui enjoignit de rester à sa droite.

Steinbeck et Stransky sortirent de leur refuge et rampèrent — leur Verlaine à la main, prêts à tirer — jusqu'au LEM, qu'ils atteignirent sans être remarqués. Passant toujours aussi inaperçus grâce au revêtement de l'engin, ils escaladèrent l'échelle. Le petit peu de bruit qu'ils produisaient fut englouti par le jacassement vespéral des drontes.

Un dieu bienveillant voulut que l'écoutille ne fût pas verrouillée. Le panneau glissa latéralement avec une telle légèreté qu'on se serait cru déjà en apesanteur. Steinbeck et Stransky disparurent à l'intérieur.

Il va de soi que les hommes de Desprez avaient sorti leurs appareils de vision nocturne. Mais nul d'entre eux ne détecta Steinbeck et Stransky tandis que ceux-ci rampaient vers la capsule. Il faut dire que les drontes ne cessaient de soulever de la poussière. Un brouillard rouge flottait dans l'air. Sans compter que la vue était limitée par les engins et par les inégalités de terrain. Et puis ces appareils étaient loin de fonctionner aussi bien qu'on aurait pu le penser. On n'était pas au cinéma. Et pour finir, les hommes de Desprez se méfiaient : ils ne voulaient pas avancer en position redressée. Deux des leurs gisaient blessés dans un coin tandis que deux cadavres attendaient leur rapatriement au sommet de l'île. *Il n'en restait plus que six.* On privilégiait la prudence, on restait courbé, mais du coup on perdait toute vision d'ensemble.

Il advint donc que les trois combattants qui arrivèrent les premiers au module solaire censé abriter la cible Stransky n'y découvrirent qu'un homme en train de ronfler. Un homme dont ils avaient appris qu'il était inutile de gaspiller contre lui la puissance de feu de leurs armes.

« Desprez, chuchota Palanka dans sa radio, il n'y a que le gros type en train de dormir. Aucune trace des deux autres. »

Desprez poussa son triple juron habituel. Puis il

dit… non, il s'apprêtait à dire quelque chose quand, parmi les roucoulements et les caquètements, s'éleva un autre bruit. Un bruit de tuyère qu'on mettait en marche.

« C'est pas croyable ! s'exclama Desprez. Le module ! Ils démarrent le module ! »

C'était le cas. La machine, dont le numéro de série était tout simplement la date de naissance de l'ancien chef d'État François Mitterrand, s'était parfaitement conservée au cours des vingt dernières années. Entre autres grâce à l'électronique allemande piquée à l'Agence spatiale européenne.

« Feu ! Mais pas sur les réservoirs ! » ordonna Desprez après un bref instant de stupeur.

Qu'il aurait été beau de voir la capsule s'élever majestueusement en direction de la voûte, à la rencontre d'une fine couche d'écorce terrestre ou d'une ouverture, pour s'envoler dans le ciel nocturne. Laissant derrière elle l'île Saint-Paul. Triomphe de la technique. Au nom des dieux.

Mais il ne se produisit rien de tel. Au contraire, on partit en sens inverse. Sous la pression des réacteurs, le sol céda sous le module et s'ouvrit un étage plus bas. Le lourd appareil chuta de quatre à cinq mètres, puis se posa très convenablement sur ses quatre patins d'atterrissage. La procédure de décollage s'interrompit automatiquement, une fumée s'éleva, le sol martien trembla, de la poussière se détacha du plafond de la caverne.

Une chose est sûre : les drontes en eurent assez. Les survivants se mirent en mouvement, aussi rapidement qu'il était possible à des drontes de le faire. Ils prirent la fuite, mais pas dans un sauve-qui-peut général : en se dirigeant vers plusieurs petits couloirs. Ils se placèrent en file indienne pour quitter un endroit qui était redevenu territoire humain et portait désormais la signature des hommes : le chaos. Les êtres humains étaient incapables d'agir autrement, tout comme les drontes pondaient un œuf et pas deux. La force du destin.

Le destin de Lilli Steinbeck consistait à présent à accomplir la tâche que Joonas Vartalo ne pouvait plus assurer : sauver Georg Stransky. Elle avait été très surprise. Après avoir pénétré dans la capsule spatiale et refermé l'écoutille, Stransky et elle avaient vu s'allumer de petites lumières et des écrans. Une voix artificielle, qui rappelait celle d'un conférencier jovial, avait souhaité en français la bienvenue à l'équipage, lui demandant de s'attacher et de garder son calme. Après une série de vérifications rapides et rapidement commentées, la procédure de décollage s'était déclenchée de manière automatisée. Comme si l'on se trouvait dans une fête foraine où le voyage spatial ne constituait qu'un divertissement pour petites gens. Au fond, c'était une belle image que les années quatre-vingt livraient d'elles-mêmes. On était alors en plein apogée de la démocratie.

C'était il y a longtemps !

Et de même que la démocratie s'était effondrée, le sol avait cédé sous le poids du module en train de décoller.

« Seigneur, où sommes-nous ? s'exclama Stransky.

— Nous avons atterri, répondit Steinbeck, débouclant sa ceinture de sécurité ainsi que celle de Stransky. Sortons vite, ce truc va prendre feu. »

En fait, il avait déjà pris feu. Lorsque Steinbeck et Stransky se glissèrent hors de la capsule, ils se heurtèrent aux flammes.

« Sautez, vite ! » ordonna Steinbeck en saisissant la main de son protégé.

Ensemble, ils plongèrent. Ils atterrirent au sol, tombèrent en avant et roulèrent. Enfin si l'on veut. Ils se redressèrent, indemnes, et descendirent en courant un large couloir pour s'éloigner du module en feu. Réaction sensée. Mais bizarrement, l'engin se contenta de brûler au lieu d'exploser comme l'aurait fait tout autre LEM.

D'en haut retentirent des coups de feu. Inutile, car on ne pouvait atteindre Steinbeck et Stransky. Quelques drontes en payèrent sans doute le prix.

La lampe de géologue de Georg Stransky prouva de nouveau son utilité quand on se fut éloigné de la source de lumière que constituait l'incendie. Une série de couloirs se présenta, dont les murs portaient des inscriptions et des signes. Le mot « sortie » n'y figurait pas mais il y avait une flèche accompagnée d'un animal, lequel représentait indubitablement un pingouin.

« Le pingouin, c'est bien », déclara Stransky, sur quoi on suivit le symbole.

Le tunnel descendait de manière très nette. Marquage jaune comme sur une autoroute. Au loin, le grondement de la mer qui s'amplifiait. Enfin on déboucha à l'extérieur.

Devant le faste pompeux de la nuit étoilée, Stransky fut pris de mélancolie : il aurait préféré être projeté dans les airs plutôt que de s'affaisser à l'étage inférieur. D'un autre côté, cela avait été une chance. Car combien de temps aurait-on tenu dans ce module martien ? Et où serait-on arrivé ? À Paris ? À la prochaine station spatiale internationale ? Absurde ! Steinbeck et lui auraient chuté dans la mer et se seraient noyés.

« Nous sommes vivants, dit Stransky.

— En effet, répondit Steinbeck, on a peine à le croire. »

Le petit téléphone satellite rose finit lui aussi par se manifester. Sur l'écran ovale — telle une princesse contemplant sa métamorphose en PDG grisonnant — apparut le visage du Dr Antigonis. Il sourit aimablement à Steinbeck et lui rapporta sur le ton de la conversation qu'il venait tout juste de parler d'elle. Derrière Antigonis, on apercevait la masse désordonnée d'une foule sur son trente et un qui se pressait dans une galerie d'art. Antigonis parlait comme s'il demandait conseil à sa vieille amie Steinbeck. Valait-il la peine d'acheter le Renoir proposé ? Ou plutôt le petit Degas ?

Steinbeck était pressée. Elle interrompit Antigonis :

« J'ai Stransky.

— Vivant, j'espère.

— Il est à côté de moi. Mais il y a un problème : nous sommes coincés sur l'île Saint-Paul. Desprez a fait exploser notre avion avec les deux pilotes. Et il a abattu le Finlandais, Vartalo.

— C'était à prévoir.

— Ravie de l'apprendre.

— Où êtes-vous exactement ?

314

— Où sommes-nous ? » demanda Steinbeck à Stransky.

Stransky estima qu'on devait se trouver sur la *Terrasse des Pingouins**.

« Très bien, approuva Antigonis, alors vous y êtes presque. Cette île est une sorte de bac à sable pour amoureux de la nature, non ?

— Un bac à sable impraticable, renchérit Steinbeck.

— Vous vous en sortirez », lui assura Antigonis avec toute la jovialité de l'employeur.

Il enjoignit à Steinbeck de se diriger vers le sud en direction de la Pointe Ouest où s'étendait une petite plate-forme naturelle.

« Un hélicoptère vous y attend, expliqua Antigonis. Vous ne pouvez pas manquer de voir ses feux de signalisation. Il vous conduira jusqu'à un cargo japonais mouillé devant Nouvelle-Amsterdam.

— Vous nous expédiez au Japon ? interrogea Steinbeck.

— On vous emmènera en Angola. Vous débarquerez à Namibe. Là, vous prendrez l'avion. Pour l'instant, vous n'avez pas besoin d'en savoir plus. »

Le choix de la ville portuaire Namibe, située à la frontière du désert de Namib, chiche en pluie et prodigue en brouillards, ne répondait pas à un impératif stratégique de la part d'Antigonis. Il résultait plutôt d'un caprice, caprice du hasard et caprice du Dr Antigonis. Ce dernier trouvait charmant qu'en débarquant à Namibe, Steinbeck et Stransky permissent au petit ténébrion mécanisé, enfermé dans son costume de Batman, de renouer brièvement le contact avec sa contrée natale.

Le mal du pays existe-t-il chez les animaux ? Y a-t-il des coléoptères sentimentaux ?

À cette idée, le Dᵣ Antigonis eut un petit sourire.

« Qu'y a-t-il de si drôle ? demanda Steinbeck. Vous auriez pu nous sortir plus tôt du pétrin.

— Vous vous débrouillez magnifiquement, chère Madame », répliqua le Grec.

Et sans même s'être enquis de Spiridon Kallimachos, il mit fin à la communication.

« Bon, partons d'ici avant d'avoir de nouveau Desprez sur le dos, fit Steinbeck.

— Et les drontes ? pleurnicha Stransky.

— Arrêtez de geindre, ils vont très bien.

— Comment ça ? Parce qu'ils sont morts ?

— Je parle de ceux qui ne sont pas morts. Ils sont capables de prendre soin d'eux. Et dès que nous serons rentrés, vous donnerez une conférence de presse. Avec toutes les tracasseries d'usage. On décrétera Saint-Paul réserve patrimoniale… »

Steinbeck voulait évidemment dire « réserve naturelle ». Elle se plaignit d'avoir la migraine, elle voulait mettre un point final à toute cette histoire.

« Bon ! »

Il n'y avait évidemment aucun sentier de randonnée dans le coin. Il fallut grimper, puis traverser une étendue d'herbes basses pour atteindre la Pointe Ouest. Effectivement, on aperçut bientôt les lumières clignotantes de l'hélicoptère.

« Seigneur, comme je suis contente de quitter cette île ! » fit Steinbeck.

Quant à Stransky, il jeta un regard par-dessus son épaule comme s'il abandonnait là l'amour de sa vie.

18

Un Baby au travail

Roy, le restaurateur, pénétra dans le hall de la gare. On était en début d'après-midi. Il avait séché la matinée. Léché ses blessures. Il s'efforça de ne pas tourner immédiatement les yeux vers la table de roulette, garda le regard fixé droit devant lui, se rendit au comptoir libre-service, prit une tasse et se versa du café d'une des grandes bouteilles thermos. C'étaient de belles thermos d'un métal bleuté et brillant. Dommage que le café eût le goût qu'il avait. C'était la deuxième fois seulement que Roy se servait au comptoir. Pure manifestation de gêne. Mais même un mauvais café vous permet de vous abriter derrière une tasse. Il fit quelques pas, avala une gorgée et lorgna vers la table de jeu par-dessus le rebord de la tasse. Oui, il était là, l'homme à la moustache qui, le soir précédent, l'avait menacé de mort. À présent, sans presque faire de geste, il passait son râteau sur le feutre vert et rassemblait ses jetons en un petit tas. Aucun des trois ou quatre joueurs n'avait gagné. Ils offraient un triste spectacle, ces voyageurs en transit comme il y en avait tant, venus s'échouer là, telles des algues exotiques.

Mais il y avait autre chose. Roy vit que sur l'échafaudage qui s'élevait derrière la table, masquant la fresque, il y avait quelqu'un. Personne, à l'exception de Roy, n'avait le droit de monter. Même les gens du service des monuments ne venaient jamais sans s'annoncer.

Roy posa son café et se hâta de regagner son poste de travail. Son regard croisa brièvement celui du croupier. Il en fut comme à l'ordinaire. Aucun signe de reconnaissance, ni salut ni mimique. À croire qu'il ne s'était rien passé la veille. Ce qui était aussi une possibilité, songea Roy : que cette histoire absurde n'eût été qu'un rêve.

Non, impossible. On ne se réveillait pas après un rêve couvert d'écorchures. En tout cas, pas sur le visage. Roy fut rappelé à la réalité lorsque, après avoir rejoint l'échafaudage en empruntant l'escabeau et s'être approché de l'inconnu, celui-ci se tourna vers lui en disant :

« Que vous est-il arrivé ? Vous avez pris une porte dans la figure ?

— Je boxe... pour mon plaisir.

— Il vaut mieux savoir contre qui on boxe. Si on veut que ça reste un plaisir. »

Ignorant la remarque, Roy demanda :

« Qu'est-ce que vous faites ici ? Qui êtes-vous ? Personne n'est autorisé...

— Je suis de la police. Mon nom est Hübner, inspecteur principal Hübner, répondit Baby Hübner en agitant brièvement — on ne pouvait faire plus bref — son insigne.

— Qu'ai-je à voir avec la police ? Le tableau sur lequel je travaille n'a pas été volé, que je sache, fit

Roy avec un rire dédaigneux, ce rire métallique des nerveux.

— Un tableau intéressant », commenta Baby Hübner.

Il dirigea son regard sur l'endroit qui résistait opiniâtrement à toute entreprise de nettoyage. La découpe de visage s'était accentuée, elle ressortait plus nettement. Il devenait difficile de croire que cette forme était due au hasard, que c'était à lui qu'elle empruntait sa ressemblance concrète comme le font les nuages, les pierres et les images-satellite. La chose avait l'air voulue. La désignant du doigt, Baby Hübner demanda :

« Qu'est-ce que c'est ?

— Une tache.

— Pour moi, ça ressemble à un visage.

— Une tache qu'on pourrait prendre pour un visage, expliqua Roy. Ça arrive. Ou bien vous pensez peut-être qu'elle fait partie du tableau ?

— Non, quoique je ne m'y connaisse pas très bien en art. Je suis un imbécile de policier comme vous l'avez sûrement déjà remarqué.

— Alors que faites-vous ici ? s'enquit Roy, affectant la désinvolture.

— Ah oui… Je voulais vous interroger sur vos relations avec une Mme Stransky. Viola Stransky — peut-être ne connaissez-vous que son prénom. »

Roy déglutit. Son cœur ressemblait à présent à un de ces poissons qui se gonflent et se transforment en boule afin d'impressionner leur environnement. Son cœur en boule empêchait Roy de respirer. Il sourit d'un air niais et déglutit derechef.

« Tu déglutis trop », pensa-t-il en se demandant

s'il ne valait pas mieux nier en bloc. Mais à quoi bon ? La police était manifestement au courant.

« Pourquoi vous intéressez-vous à mes relations avec cette femme ? interrogea Roy, masquant une nouvelle déglutition par un raclement de gorge.

— Il vous arrive de regarder la télévision ? *Tatort* et autres *Derrick* ? répondit Hübner. Dans ce cas, vous devez savoir que ce sont toujours les policiers qui posent les questions. Et les personnes interrogées qui répondent. Pas l'inverse.

— Seigneur, oui, il m'arrive de coucher avec elle. Ce n'est pas bien méchant.

— Cette femme est mariée.

— Ça ne me dérange pas.

— Vous connaissez M. Stransky ?

— Nous ne nous sommes jamais rencontrés.

— M. Stransky a disparu. Sans laisser de trace.

— Je sais, Viola me l'a dit.

— Pourtant vous vous retrouvez pour un rendez-vous galant. Ça ne vous paraît pas un peu stupide étant donné la situation ?

— Pourquoi est-ce qu'on devrait arrêter ? s'étonna Roy. Par piété ? Allons donc !

— Ce n'est pas ce que je voulais dire, il n'est pas question de piété. Mais vous pensez bien que nous autres de la police, nous commençons à gamberger. Par exemple sur le fait que des amants se sentent tout de suite mieux quand le mari gênant n'est plus là. Il est possible que M. Stransky ne réapparaisse jamais.

— J'en serais désolé, assura Roy. À cause de l'enfant. Mia aime son père. Et, d'une certaine manière, Viola aussi aime son mari. Elle a le sens de la famille.

Le sexe, c'est une autre affaire, vous ne l'ignorez sans doute pas. »

Roy s'était un peu repris. Il voulait être sincère. Et pourquoi pas après tout ? Il n'avait rien à cacher si ce n'est qu'à une diagonale de quelques mètres en contrebas se trouvait un homme qui, le soir précédent, l'avait menacé de mort.

« C'est purement sexuel alors, résuma Baby Hübner.

— Oui, sur une base saine et amicale. J'ajoute que mon intention n'est ni d'épouser Mme Stransky, ni de la recevoir en héritage de son mari de quelque manière que ce soit.

— Alors je m'étonne que vous ayez fait son portrait, répliqua Hübner.

— Son portrait ? Je ne comprends pas.

— Vous êtes bien seul à restaurer ce tableau, n'est-ce pas ?

— Employer deux restaurateurs pour pareil *chef-d'œuvre* serait du gâchis. »

Baby Hübner reporta son regard sur la tache sombre en forme de visage.

« Vous l'avez bien saisi. C'est étonnant, la précision avec laquelle on peut représenter quelqu'un rien qu'en dessinant sa silhouette. Je n'ai vu M. Stransky qu'en photo. Mais je l'ai tout de suite reconnu. Il n'y a aucun doute : le menton, le nez, le front… Insignifiants, mais caractéristiques. »

Roy était en proie à la perplexité la plus totale.

« Vous vous fichez de moi, dit-il.

— Pourquoi ferais-je cela, monsieur Almgren ? »

Cette fois, Roy sursauta. Pourtant, le fait que l'inspecteur principal connût son nom n'aurait pas dû le surprendre. Roy était de ces gens qui croyaient avoir laissé leur nom de famille derrière eux et espéraient pouvoir traverser l'existence avec un simple petit prénom : *Roy, c'est tout.*

Hübner remarqua aussitôt l'effet qu'il avait produit en prononçant le nom de famille de Roy. Il se hâta de poursuivre :

« Vous savez, Almgren, vous avez ce qu'on appelle un passé.

— Je n'ai pas de passé, rétorqua Roy.

— Oh que si ! À nos yeux oui.

— C'était un enfantillage.

— Sauf que vous n'étiez pas un enfant à l'époque.

— J'avais seize ans.

— Vous avez tabassé ce garçon.

— Il avait craché sur ma copine.

— Pas très malin, répondit Hübner sur le ton doucereux d'une vipère retorse. S'il avait pu deviner qu'il passerait le restant de ses jours en chaise roulante, il se serait probablement abstenu.

— Écoutez, ce qui est fait est fait, on n'y changera rien. Mais si je vous dis que j'en suis désolé, ça vous fera une belle jambe.

— En effet.

— Cela étant, je suis devenu un type normal, pas une brute, un asocial ou un psychopathe. Je restaure des tableaux, hein ! Je n'ai plus jamais rien fait de répréhensible.

— Je rappelais juste que vous aviez un passé. Pourquoi au fait ? Ah oui, je suis là parce que vous couchez avec la femme d'un homme qui a disparu. Un homme dont vous avez peint le profil sur un tableau.

322

— Bon sang, je viens de vous dire que ce n'était pas de la peinture. C'est une saleté, une simple saleté, qui s'est accumulée au fil des décennies. Analysez-la, vous verrez.

— On peut parfaitement utiliser de la saleté pour peindre. Il y a des artistes qui le font, non ?

— Seigneur, il ne manquait plus que ça !

— Ne vous inquiétez pas, je n'ai aucunement l'intention de récriminer contre la peinture moderne. Mais ne me prenez pas pour un abruti. Ce que je vois là est bien un visage. Et la ressemblance de ce visage avec celui de M. Stransky est d'autant plus frappante que c'est *vous* qui couchez avec sa femme et qui restaurez ce tableau.

— Oui, c'est idiot, reconnut Roy, je sais que ça vous arrangerait mais je n'ai pas enlevé Georg Stransky.

— Qui a parlé d'enlèvement ?

— Je ne l'ai pas non plus fait disparaître.

— Peut-être que Mme Stransky s'en est chargée. Elle m'a l'air plutôt maligne. Mais il serait très stupide de votre part de la couvrir. Vous seriez le dindon de la farce, Almgren. Cette femme vous pressera comme un citron, c'est certain. Son métier est de vendre des scénarios. Autrement dit, elle fait travailler les autres et encaisse l'argent.

— C'est une vision très partiale.

— À votre place, mon cher, je deviendrais partial, moi aussi, lui conseilla Baby Hübner. Et j'essaierais de comprendre qu'il ne suffit pas de peindre un petit portrait tout noir pour effacer une faute.

— Je n'ai pas…

— C'est bon », l'interrompit Hübner.

Il sortit une carte de visite de la poche de son veston et la posa sur une petite table de travail.

De nouveau son regard revint à la fresque murale. Il demanda :

« Que signifient les chauves-souris ?

— Je suis restaurateur, lui rappela Roy, pas historien de l'art. Je veille à éclairer les choses, pas à les éclaircir.

— Aucune idée donc ?

— Tout ce que je sais, c'est que les chauves-souris sont les seuls mammifères qui soient réellement capables de voler. De ce point de vue, elles nous sont supérieures. Sans doute nous font-elles peur, comme tout ce qui nous surpasse.

— Restons-en là, déclara Hübner, qui ne se souciait guère de philosopher. Il va de soi, monsieur Almgren, que vous restez à notre disposition. Vous savez bien, ne pas quitter la ville…

— La plupart du temps, vous me trouverez sur cet échafaudage, répliqua Roy.

— Même à midi ? » ricana Hübner.

Il s'approcha de l'escabeau et descendit avec vivacité.

Au moment où il sortait de la gare, un homme vint à sa rencontre.

« Restez sur les talons d'Almgren », lui ordonna Hübner.

L'homme acquiesça d'un signe de tête et disparut. Encore un personnage secondaire. Il y a des gens dont l'unique tâche consiste à croiser une fois dans leur vie un inspecteur principal et à hocher la tête. Rien d'autre. Ils n'en viennent même pas à être pulvérisés par une bombe comme les deux pilotes dans la lagune volcanique de Saint-Paul.

Quant au personnage presque principal Hübner, il héla un taxi et se fit conduire au nord de la ville où se trouvaient les bureaux abritant l'agence de Viola Stransky. Hübner était fermement décidé à casser un peu les pieds à cette femme.

« Encore vous ? » fit Viola Stransky en guise d'accueil.

Baby Hübner suivit des yeux l'homme qui venait juste de quitter le bureau de Mme Stransky.

« Ce ne serait pas...

— Oui, l'acteur. Il a envie d'un rôle taillé sur mesure, expliqua Viola. Je m'arrange pour qu'on lui en écrive un.

— Dommage qu'on ne puisse pas faire ça dans la vraie vie.

— Justement. Notre fonds de commerce, c'est la regrettable mélancolie qu'inspire la vraie vie. Que puis-je pour vous, inspecteur ?

— Je viens de parler à M. Almgren.

— À qui ?

— Il se fait appeler Roy.

— Ah oui, Roy. Je ne savais pas que son nom était Almgren. C'est joli en fait. Je penchais plutôt pour quelque chose de monstrueux ou de comique vu sa réticence à le dire.

— Il a du mal à digérer son passé.

— Ça arrive.

— Vous êtes au courant de ce passé ?

— Ça ne m'intéresse pas. C'est *maintenant* qu'il est mon amant, il y a dix ans je ne le connaissais pas.

— Il est plutôt jeune.

— Pas tant que ça, protesta Viola Stransky. Plus de vingt-cinq ans, je crois. Sûrement même. En tout cas, il n'est pas mineur si c'est là ce qui vous inquiète. »

Hübner rit, on aurait dit un de ces rats de dessins animés qui incarnent la mesquinerie.

« Ce n'est pas vraiment son âge qui nous préoccupe.

— Mais encore ?

— Vous comprendrez que je m'interroge. Votre mari disparaît et vous ne trouvez rien de mieux à faire que de rejoindre votre chéri.

— Vous avez déjà eu une folle envie de sexe, inspecteur ?

— Pardon ?

— Il se trouve que ça m'arrive. C'est une pulsion. Ça ne change rien au fait que j'aime mon enfant et mon mari, que je veille à avoir un foyer confortable, à ce que ma fille ne rate pas son cours de violon et mange le soir un repas chaud. Voilà pourquoi certaines femmes me prennent pour une gourde. Mais c'est comme ça que j'aime les choses. Et c'est la raison pour laquelle je ne baise avec mon chéri, comme vous dites, que pendant la pause-déjeuner. D'autres se gavent de nourriture ou font trois fois le tour du pâté de maisons en courant. Moi, je satisfais mon envie de sexe. Et que vous le compreniez ou non, mes craintes et mes inquiétudes au sujet de Georg ne nuisent en rien à mon plaisir, à mes pulsions. Quel argument en tirerez-vous contre moi ? Un argument moral ?

— Quelle idée ! » répondit Hübner.

Il était assez impressionné. Mais d'autant plus résolu à ne pas se laisser entortiller. Ces gens des médias étaient tous d'habiles rhétoriciens. C'était leur gagne-pain. Ils vivaient de mensonges. Si une circonstance quelconque les avait contraints à dire la vérité, ils auraient été bien ennuyés. Viola Stransky, elle, était au-dessus de tout ça. Donc elle avait menti, ou du moins elle n'avait pas dit la vérité. Telle était l'opinion de Baby Hübner. Par principe, il n'aimait pas les gens qui travaillaient dans des bureaux ayant vue sur toute la ville. Il estimait que ces panoramas somptueux étaient l'apanage des belvédères, des tours de télévision et des montagnes. Hübner était un authentique socialiste de la vieille école, un syndicaliste fidèle, petit-bourgeois, anti-moderniste quoique cultivé, ennemi du corps, bigot, sans autre ambition que de posséder un jardin ouvrier. Plutôt aigri. D'un autre côté, il faut bien dire que le monde serait un peu plus paisible et un peu plus juste s'il y avait davantage de bigots possédant des jardins ouvriers.

« Comment avez-vous rencontré M. Almgren ? demanda Hübner juste pour avoir le temps de réfléchir à la question qui lui tenait vraiment à cœur.

— Je ne crois pas que cela vous regarde, inspecteur.

— Vous voulez peut-être appeler votre avocat ?

— Pourquoi ça ?

— Si vous avez l'intention de cacher quelque chose, il vaudrait mieux que vous disposiez d'un conseil juridique.

— Je me débrouillerai bien toute seule, riposta Viola Stransky. Acceptez donc que je ne voie aucune raison de vous renseigner sur mon partenaire sexuel. Ça n'a rien à voir avec la disparition de mon mari. Si je devais avoir recours à mon avocat, ce serait uniquement pour qu'il vous rappelle aux devoirs de la police. Qui consistent à chercher des indices, pas à renifler les draps.

— C'est parfois dans les draps qu'on trouve les indices.

— En l'occurrence non, j'en suis vraiment désolée. Et maintenant je vous prierais de partir. J'ai du travail, expliqua Viola Stransky en se renversant dans son siège et en croisant les bras comme si elle étranglait un fantôme.

— Encore une question, après quoi je vous laisse tranquille. »

Viola grimaça comme si le fantôme étranglé lui avait cochonné son pull.

« Comment pouviez-vous savoir que cette pomme était suspecte ? demanda Hübner.

— Écoutez, répliqua Mme Stransky en haussant légèrement le ton, le soir on lance une pomme à travers notre fenêtre et le lendemain matin, mon mari a disparu sans laisser de trace.

— Ça ne conduit pas nécessairement à soupçonner un fruit.

— Mes soupçons ont été confirmés.

— C'est justement ce qui me donne à réfléchir. La façon dont tout s'agence. Dont le mystère remplit tous les trous.

— Pensez ce que vous voulez. Au revoir.

— Au revoir », répondit Hübner en quittant la pièce.

Il se sentait très satisfait de lui-même. Il voulait

créer de l'inquiétude, de l'inquiétude chez Mme Stransky et chez Roy Almgren. De ce point de vue, le meilleur moyen était encore de révéler aux suspects tout ce qu'on savait d'eux. Les personnes ainsi titillées adoptaient un comportement réflexe, essayaient de cacher des choses qu'elles révélaient par là même. Comme quelqu'un d'invisible qui deviendrait visible en s'habillant pour dissimuler sa prétendue nudité.

Ce bâtiment était lui aussi surveillé par un membre de l'équipe de Hübner. Une jeune collègue. Hübner s'était rendu compte qu'il valait mieux faire appel à une femme pour prendre une autre femme en filature. Comme si les femmes n'avaient pas peur des femmes, comme si elles ne les prenaient pas au sérieux, qu'elles les ignoraient. Était-ce possible ? Quoi qu'il en soit, Hübner ordonna à sa collaboratrice de continuer à avoir l'œil sur Viola Stransky.

« Vous avez fait du bon travail », la félicita Hübner. C'était tout de même grâce à elle qu'on savait comment Viola Stransky passait sa pause-déjeuner.

Sur le chemin du retour, le portable de Hübner sonna. Le numéro qui s'affichait sur l'écran lui était inconnu. « Allô ? »

— Ici Steinbeck, répondit la vacancière.

— Ah, tout de même ! Où êtes-vous ?

— En Afrique.

— Pardon ?

— À Namibe, en Angola. Mais nous ne restons pas longtemps.

— Qui ça *nous* ?

— J'ai trouvé M. Stransky.

— Trouvé ?

— C'est une longue histoire.

— Je veux bien le croire. Honnêtement, je ne pensais pas que cet homme était encore en vie. C'est vraiment le cas ?

— Je peux le renvoyer d'où il vient si vous y tenez. Nous sommes au bord de la mer.

— Votre humour me dépasse.

— Soyons brefs, répondit Steinbeck. J'ai besoin de votre aide. Il s'agit d'une affaire très singulière et je ne sais pas trop à qui me fier. Alors je m'adresse à vous. Donc : nous prenons l'avion pour Stuttgart. Est-ce que vous pouvez nous récupérer là-bas ? Avec une voiture ?

— Pourquoi Stuttgart ?

— Je suis au milieu de gens qui jouent aux gendarmes et aux voleurs. Si je ramenais Stransky directement chez lui, ce ne serait pas malin. D'où Stuttgart.

— Je ne comprends rien à toutes ces complications, répliqua Hübner. Si c'est un jeu, les gendarmes, ça devrait être *nous* ou bien est-ce que je me trompe ?

— Malheureusement, ce n'est pas aussi simple. Alors vous venez nous chercher, oui ou non ?

— Bien sûr. »

Steinbeck indiqua à Hübner l'heure d'arrivée du vol prévu le lendemain. Et ajouta pour conclure :

« Venez seul. Cette histoire a montré que moins on est nombreux, mieux on se tape dessus.

— Comme vous voudrez.

— À demain, dit Steinbeck. Et merci.

— Pas de quoi », répondit Hübner comme on aurait dit : J'ai de nouveau des polypes.

Hübner était irrité. Un Stransky vivant ne l'arrangeait pas du tout, n'entrait absolument pas dans son cadre de pensée. Il lui faudrait arrêter de harceler Viola Stransky. Dommage. Il aurait bien voulu arracher à son fauteuil une de ces bonnes femmes toutes-puissantes qui trônaient derrière des baies vitrées avec vue plongeante sur la ville et l'envoyer en détention provisoire, où la perspective était un peu plus limitée.

Malheureusement, c'était lui qui voyait ses perspectives nettement réduites. Stuttgart.

19

Tropiques intérieurs

Baby Hübner fut ponctuel. Comme à son habitude. En cela aussi, c'était un vieux socialiste. Les vieux socialistes craignaient toujours d'arriver en retard. C'était en quelque sorte la leçon qu'ils avaient tirée de l'histoire : mieux valait partir trop tôt que s'accorder trop de temps, poireauter bêtement quelque part que ramasser ensuite les morceaux.

Hübner déambulait donc dans la vaste aérogare de l'aéroport de Stuttgart, un gobelet de café à la main. Il ne buvait pas, il se contentait de le humer de temps à autre. Comme la plupart des policiers, il avait des problèmes d'estomac. L'estomac des policiers... Une fillette à nattes blondes qui se cache dans un fourré par crainte du loup, d'un loup qui brille par son absence. Cette peur du loup avait beau être infondée, elle créait de dangereux ulcères.

Mais Hübner voulait au moins savourer l'odeur du café chaud. Il s'était levé tôt pour pouvoir être à l'heure à Stuttgart. Il était presque neuf heures. L'avion de Steinbeck allait atterrir sous peu. Air France en provenance de Kinshasa, via Paris. À l'extérieur, sur le parking, était garée la voiture de Hübner, une petite Audi ou une Ford, peut-être une Volkswagen, difficile à dire, mais peu importe.

« Ah, vous voilà, collègue, fit Hübner, saluant la revenante. Vous avez l'air en bonne forme. Reposée. Vous êtes allée à la plage ?

— Oui, il y a eu un épisode plage », répondit Steinbeck en tendant son sac de voyage à Hübner.

De sa main ainsi libérée, Lilli présenta l'homme qui se tenait à son côté :

« M. Stransky n'a pas regretté son voyage. Grâce aux drontes.

— Aux drontes ?

— De grands oiseaux dodus, expliqua Steinbeck, qui ne peuvent plus voler et qui soi-disant n'existaient plus.

— Suis-je censé comprendre ce que vous me racontez ? interrogea Baby Hübner.

— M'avez-vous jamais comprise ? répliqua Steinbeck.

— Vous avez raison, collègue. Pourquoi penser qu'un changement ait pu intervenir durant ce bref laps de temps ? Des drontes donc. Très bien !

— Allons rapidement prendre un café », fit Steinbeck.

Et elle se mit à raconter tout ce qui lui était arrivé depuis son séjour à Athènes. Elle s'en tint à l'essentiel, ce qui ne rendit pas la chose plus claire, au contraire. C'est bien connu. Résumer des événements donne l'impression qu'ils sont vraiment tirés par les cheveux.

Est-ce juste une impression ? Ou la réalité ?

L'inspecteur Hübner connaissait le phénomène,

savait que, la plupart du temps, la vie et le monde étaient tirés par les cheveux. Quel que fût le responsable. En bon policier qu'il était, Hübner avait vite cessé de s'en étonner. Mais il y avait une chose à laquelle il n'accorda aucune foi, à savoir que les dieux grecs étaient de la partie. Il pensait plutôt, et il le dit, qu'il fallait y chercher un sens symbolique et que le Dr Antigonis représentait non pas un empire céleste ou infernal, mais juste un de ces syndicats dont les membres se prenaient volontiers pour des dieux alors qu'ils n'étaient qu'un ramassis de cinglés privilégiés.

« Vous avez sans doute raison, dit Steinbeck, mais nous éclaircirons ça plus tard. Dans l'immédiat, je voudrais juste reconduire M. Stransky sain et sauf chez lui. Nous verrons ensuite si les dieux se déchaînent ou si tout se calme.

— Exactement, approuva Hübner, ça c'est notre boulot. Protéger la vie des gens. Sans se soucier des dieux. »

Il était sincère en parlant de protection. Aussi morose, aigri et mesquin qu'il pût paraître, il n'en demeurait pas moins un policier classiquement au-service-du-citoyen. Il considérait cela comme son devoir, à ceci près qu'il n'avait pas envie d'être au service de la citoyenne Viola Stransky. De son mari, en revanche, oui. Celui-ci se comportait avec modestie et réserve, il n'exigeait rien, se bornait à souligner de temps en temps la nécessité d'informer aussi vite que possible l'opinion publique de la réapparition d'un oiseau géant porté disparu.

On sortit de l'aéroport et on prit la voiture. Hübner traversa la ville en direction de l'est, Steinbeck assise à côté de lui, Stransky sur la banquette arrière.

« Et ce détective, Kallimachos ? s'enquit Hübner. Qu'est-il devenu ?

— Quand nous l'avons quitté, rapporta Steinbeck, il était en train de dormir.

— Comment ça ?

— Le voyage a été éprouvant pour lui. Je ne voulais pas le réveiller. D'ailleurs, ça n'aurait pas servi à grand-chose. Mais depuis, il a dû sortir de son sommeil. Cet homme a de la ressource. Il a beau être lent, il est insubmersible. Je le retrouverai probablement à Athènes.

— Vous avez l'intention de retourner à Athènes ?

— Oui, quand M. Stransky sera en sécurité, je reprendrai l'avion. À cause d'un bébé qui crie.

— Un bébé ? »

Steinbeck n'eut pas le temps de parler du beau Stavros Stirling et de son fils Leon. Une balle pénétra la vitre arrière, traversa l'habitacle, heureusement sans rencontrer d'obstacle, et vint se ficher dans le pare-brise où se forma instantanément un réseau de fissures. Hübner, se croyant touché alors qu'il ne l'était pas, donna un violent coup de volant, se déporta sur la gauche, traversa l'autre voie jusqu'au bas-côté, glissa le long d'un petit talus pour atterrir enfin dans un fossé.

« Sortez. Vite ! »

Steinbeck donna une bourrade à Stransky. Ce n'était pas la première. Il finirait couvert de bleus.

Bondissant tous les trois hors du véhicule — désormais défunt —, ils entendirent klaxonner à plusieurs reprises. Le minibus d'où était parti le coup avait freiné et essayait lui aussi de traverser la voie.

« J'appelle les collègues, dit Hübner en tirant son portable de sa poche.

— Il faut s'éloigner d'ici », rappela Steinbeck.

Elle avait raison. L'endroit n'était guère hospitalier.

Elle dégaina son arme. Une arme qu'il avait été quelque peu difficile de sortir de Kinshasa et de transporter jusqu'à Stuttgart via Paris. Le civil Stransky, lui, avait évidemment dû se séparer de la sienne.

« Où sommes-nous au fait ? demanda Hübner alors qu'on s'apprêtait à traverser une rangée d'arbres et à gravir une colline gazonnée.

— Derrière le château de Rosenstein, cria Stransky.

— Vous connaissez l'endroit ? » s'étonna Steinbeck.

Stransky expliqua en haletant que le château abritait le musée local d'Histoire naturelle. Il y était allé plusieurs fois pour travailler et avait même donné une conférence sur un autre disparu, le Grand Pingouin. S'il y avait un lieu qu'il connaissait à Stuttgart, c'était bien cet endroit de verdure.

En haut dudit endroit se dressait ce qu'on appelait le château. Qui ressemblait plutôt à une opulente villa. Le bloc d'un étage, de facture classique, qui avait servi autrefois de maison de campagne royale et formait hier comme aujourd'hui une sorte de point sur un « i », renfermait à présent une collection d'animaux empaillés ou reconstitués — un cabinet de curiosités. Derrière les hautes vitrines reposait une faune momifiée, figée dans les actions de la vie quotidienne — voler, se nourrir, se tenir à l'affût —, à jamais prisonnière d'une posture. Parmi les animaux exposés se trouvaient également un spécimen de Grand Pingouin et un squelette de dronte. Le fait de vouloir tuer Stransky en ces lieux constituait de la part de ses agresseurs une attention aimable, quoique clairement involontaire. Si ce n'était pas au milieu de drontes vivants, alors à proximité d'un dronte défunt. D'un reste de dronte défunt.

Mais pour l'instant, Steinbeck, Stransky et Hübner gravissaient la colline avec une hâte légitime. De nombreux coups de feu annonçaient l'arrivée de leurs poursuivants. Quelques promeneurs — des retraités qui se croyaient désormais à l'abri de tout — s'arrêtèrent pour regarder ce qui se passait. Sans bouger. En avant-postes du musée d'Histoire naturelle.

Alors qu'on se trouvait déjà à proximité du bâtiment, Hübner parvint enfin à joindre quelqu'un. Mais on ne voulut pas le croire. À l'autre bout du fil, on lui demanda :

« Comment vous appelez-vous ? Hübner ? Je ne connais aucun Hübner.

— Passez-moi Rosenblüt ! cria Hübner.

— L'inspecteur principal...

— Je suis moi-même inspecteur principal, espèce d'abruti ! Rosenblüt va vous arracher les yeux ! »

Le fonctionnaire sembla tout de même un peu impressionné.

« Je transmets », dit-il.

On passa devant un petit bassin entouré — c'était

un bon présage — de rosiers[1], dont la présence apportait une confirmation visuelle du lien qui venait de s'établir entre Rosenstein et Rosenblüt. On tourna pour rejoindre le devant du parc, où un escalier conduisait à un portail à colonnes. À présent, c'était Stransky qui n'hésitait plus, il grimpa en courant les marches qui menaient à l'entrée du musée. Steinbeck et Hübner le suivirent avec plus de circonspection. Hübner toujours au téléphone, lequel n'émettait qu'un bruissement.

« On va se retrouver piégés, objecta Hübner.

— Il y a des pièges utiles », répliqua Steinbeck, repensant à Saint-Paul, où elle s'était enfuie avec Stransky à bord d'une capsule spatiale française.

Hübner regarda la vaste étendue du parc. Elle n'offrait guère de possibilités de retranchement.

« Bon, allons au musée. »

Pendant ce temps, Stransky secouait la porte.

« C'est fermé. »

Il apparut que cette porte n'avait rien d'une porte de sécurité. Un coup de pied suffit, dont Steinbeck se chargea. Il y eut des éclats de verre mince et du bris de bois mince. Mais déjà, on se trouvait à l'intérieur. Une petite entrée les conduisit à une vaste coupole donnant à droite et à gauche sur les salles d'exposition.

« La jungle », proposa Stransky.

Steinbeck et Hübner le suivirent sans avoir le temps de s'interroger sur la jungle en question.

En fait, le musée avait une bonne raison d'être

---

1. Le nom « Rosenblüt » signifie au sens littéral « fleur de rose ». *(N.d.T.)*

fermé ce matin-là. De nombreuses vitrines étaient ouvertes, leurs grands panneaux de verre relevés. On apercevait aussi des seaux remplis d'eau, des produits d'entretien, des éponges et des balais. Mais nulle part des gens qui auraient pu s'attaquer au nettoyage visiblement programmé des vitrines. Les troupes étaient sans doute sollicitées par une de ces pauses de douteuse réputation qui, sous le nom de casse-croûte, grignotage ou deuxième petit déjeuner, semblaient relever de la fantasmagorie. Contrairement à ce qui se passe lors des pauses-déjeuner officielles, les gens paraissent alors disparaître de la surface du globe. Des bureaux entiers se vident, dans les services hospitaliers champ libre est laissé aux patients, les bibliothèques se retrouvent exclusivement régies par les livres, au supermarché les caisses sont désertées, et ne parlons même pas des chantiers de construction. On pourrait dynamiter les étages de la direction sans rencontrer personne. La pause du matin est un mystère. Personne ne sait où vont les gens avec leurs sandwichs, leurs saucisses, leurs cornichons et leurs yaourts allégés.

En l'occurrence, c'était une chance. Pas besoin de commencer par éloigner d'innocents civils. Quant à Hübner, il parvint enfin à joindre son collègue Rosenblüt, qu'il connaissait déjà. Alerter la police ne suffisait pas. Hübner avait besoin d'une aide efficace, pas de quelques pandores en uniforme, qui ne regardaient pas là où il fallait et qui, dans le meilleur des cas, se faisaient désarmer. Voilà ce qu'il expliqua à Rosenblüt, il voulait une aide efficace.

Rosenblüt ne tourna pas autour du pot, il répondit : « J'arrive. »

Baby Hübner referma son portable. On était arrivé dans la jungle. Plus exactement, dans une pièce où une vitrine d'un mètre de long abritait la forêt tropicale africaine. Deux cubes de verre plus petits renfermaient les forêts tropicales de Nouvelle-Guinée et d'Amazonie. Enfin, une sorte d'estrade montrait une portion des Andes, lesquelles font également partie des Tropiques intérieurs. Les décors avaient l'air vrai, beaucoup d'éléments l'étaient du reste, quoique morts et empaillés, tandis que d'autres étaient reconstitués, par exemple les vers luisants fabriqués à partir de petites lampes ou un effet de perspective créé à l'aide d'une photographie murale. Il y avait aussi des surfaces aquatiques en verre sombre, des feuilles en soie et de la fiente d'oiseau peinte.

Dans cette pièce comme dans les autres, nombre des gigantesques vitrines étaient ouvertes. Quatre arbres artificiels sortaient de terre et déployaient sous le plafond un toit de feuillage. Derrière les fourrés de Nouvelle-Guinée s'élevait un échafaudage sur lequel on pouvait grimper pour contempler les oiseaux de paradis exposés dans la région supérieure des arbres. Des haut-parleurs diffusaient un fond sonore de jungle, gazouillis et grésillements, bruits de scie et de râpe, des sons qui descendaient des hauteurs jusque dans le sous-bois craquant pour remonter ensuite vers les cimes. Une incessante rumination de bruits qui tournait en boucle. Les fenêtres donnant sur le parc avaient été légèrement foncées. À l'intérieur de la salle, Stuttgart devenait un lieu lointain. Ça bouillait, ça fumait, ça proliférait, un enchaînement poisseux de naissances et de destructions assurait la permanence du cycle vital. Cependant tout se déroulait dans un air agréablement frais, une salle équipée d'un sol dallé lisse et sec et de deux écrans sur lesquels on pouvait tapoter pour s'informer sur toutes les bestioles et les plantes qu'on voyait.

« Bon, monsieur Stransky, fit Hübner, vous avez opté pour la jungle. C'est très bien. Montez sur l'échafaudage et mettez-vous à l'abri. Rendez-vous invisible. »

Stransky obéit. Il grimpa les quelques marches qui conduisaient à une petite plate-forme. Trois des côtés étaient fermés par une bâche tandis que le quatrième s'ouvrait sur les fourrés de Nouvelle-Guinée. Stransky s'agenouilla à côté de la paroi de verre. Épuisé, il s'appuya contre la vitre et regarda les oiseaux exposés. Il pensa : « Bon endroit pour mourir. »

Il y a peu de gens qui soient en situation d'avoir ce genre de pensées.

« Feu croisé, proposa Hübner à Lilli Steinbeck. Au cas où ces salopards nous trouveraient. »

Steinbeck acquiesça d'un signe de tête. Elle se dirigea vers les Andes, librement exposées à la vue, et pénétra dans le caisson où un condor et d'autres animaux étaient rassemblés autour d'une charogne. Un instant lui vint l'idée absurde que la charogne était peut-être empaillée elle aussi, au même titre que les oiseaux, la créature qui ressemblait à un lièvre et les petits sauriens. De la radicalité dans le naturalisme.

Lilli se plaqua contre le fond éclairé du décor, une falaise en plastique, et leva le canon de son arme à la hauteur de sa joue si bien que le guidon reposait sur ses lèvres closes, tel un doigt qui exhorte au silence. Un silence de circonstance. Lilli se mit à l'affût, gardant l'œil sur les deux accès dépourvus de porte. Pour sa part, Hübner avait rejoint le côté opposé et était entré, par une vitrine d'exposition également ouverte, dans la forêt tropicale d'Afrique. Il s'était abrité derrière un okapi. En réalité, il ne savait pas que cet âne rayé était un okapi. Les sciences naturelles ne l'avaient jamais intéressé. Sur ce point-là non plus, il n'aimait pas franchir en pensée les limites de son jardin ouvrier. Le bel ordonnancement des plates-bandes de fleurs et de légumes lui était cher, la prolifération l'angoissait. Il aurait été très étonné d'apprendre de Stransky que l'okapi appartenait à la famille des girafes, une girafe obligée de se passer de long cou, timide, nocturne, marginale. Hübner se serait demandé : À quoi bon être un okapi ?

Mais telle n'était pas la question à ce moment-là. Ce qui importait, c'était de savoir si Desprez et ses hommes feraient leur apparition dans le royaume des Tropiques intérieurs avant l'arrivée de Rosenblüt et de la police de Stuttgart. On pouvait aussi se demander pourquoi Hübner n'avait pas immédiatement informé ses collègues de Stuttgart. Cependant qu'aurait-il pu raconter à Rosenblüt ? Non, même la police ne pouvait appeler la police sans avoir une bonne raison de le faire.

Les bonnes raisons étaient nombreuses. Steinbeck perçut un mouvement dans la salle voisine de celle où elle se trouvait. Chez l'antilope saïga et près d'une vitrine où était exposé un hominidé de petite taille. En passant, le regard de Steinbeck s'était arrêté sur cette petite femme proche du singe, dressée sur ses jambes, fortement velue, qui avait acquis une notoriété mondiale sous le nom de Lucy[1]. Charmant nom pour une charmante créature. Soudain, Lilli eut envie de ne plus être une Lilli, mais une Lucy, de ne plus être à l'affût dans les Hautes-Andes, une arme à la main, mais de parcourir la savane, de chercher de la nourriture, de chercher un partenaire et d'être débarrassée de Dieu. Ou plutôt des dieux.

Mais rien à faire. On était au XXIe siècle. Face à des agresseurs qui risquaient un regard prudent dans la pièce d'angle abritant trois forêts tropicales et une montagne.

« Madame Steinbeck ? »

C'était la voix de Desprez. Il ne pouvait pas avoir repéré Lilli ni qui que ce soit d'autre. Hübner et Stransky étaient trop bien cachés, l'un derrière son okapi, l'autre dans les contrées supérieures d'un mur de feuilles et d'oiseaux.

« *Merde* !* »

Deux des parachutistes de Desprez se glissèrent de chaque côté de la pièce comme s'ils marchaient

---

1. Lilli Steinbeck se trompait. L'hominidé exposé était bien un *Australopithecus afarensis*, un maillon de l'évolution effectivement connu sous le nom de Lucy, mais en l'occurrence, le spécimen représenté était un homme. Lilli n'avait tout simplement pas remarqué les sombres attributs virils qui pendaient dans l'ombre de l'entrejambe. Elle ne vit que la jolie tête, le corps compact et la noble posture d'une bipédie précoce. Tant de dignité ne pouvait évoquer dans l'esprit de Lilli Steinbeck que la femme nommée Lucy. Évidemment.

sur une fine couche de glace. L'un d'eux vint se refléter dans le panneau vitré de la cachette de Steinbeck. Mais apparemment, lui aussi avait repéré un bout de Lilli. Il fit feu instantanément. Ne pouvant effectuer un tir d'angle, il atteignit le verre.

Ce fut le signal du départ. Feu croisé ! Lilli tira, mais pas sur l'homme qui était de son côté : sur celui qui se trouvait devant la forêt tropicale africaine. Ainsi, elle n'avait pas besoin de s'exposer tandis que, pour sa part, Hübner, visant par-dessus le dos de l'okapi, faisait feu sur le flanc de Steinbeck. Les assaillants ripostèrent, aussi bien ceux qui étaient entrés dans la salle que ceux qui étaient restés auprès de l'antilope hivernale. Il s'ensuivit un échange nourri de tirs qui rappelait celui de l'île Saint-Paul à ceci près que ce n'étaient plus des drontes vivants qui, en mourant sous la grêle de balles, incarnaient les dommages collatéraux, mais des animaux déjà morts, abattus une seconde fois. À quoi on ajoutera le verre qui volait en éclats. Il explosait littéralement comme si l'on avait tiré dans un bouquet de ballons.

Desprez avait pénétré dans la salle alors que les explosions faisaient rage.

Lilli ne l'avait pas remarqué. Pas plus que Hübner apparemment. Rappelons que la pièce était encombrée par plusieurs arbres artificiels et une jungle de Nouvelle-Guinée en cours de réfection, comme le montrait l'échafaudage. Les assaillants avaient donc eux aussi de quoi se mettre à couvert. Le petit Français avait brusquement surgi devant Lilli, comme s'il émergeait à la surface de l'eau. Saisissant l'arme de Steinbeck par le canon, il l'avait redressée pour en frapper Lilli au visage. Celle-ci tomba à la renverse et vint heurter le condor. Aux pieds duquel elle resta étendue, complètement étourdie.

En pareille circonstance, il arrive souvent que la qualité des perceptions se modifie. Lilli crut sentir l'odeur de la charogne. Peut-être était-ce déjà la sienne, qui sait ? Desprez aurait pu la tuer facilement. Mais il ne le fit pas. Non, il sourit, brièvement, d'un sourire en forme de clin d'œil. Puis il sauta d'un bond sur les marches de l'échafaudage et disparut derrière la bâche sombre. Steinbeck voulut se lever, appeler Hübner. Mais premièrement, Hübner était occupé à défendre la forêt tropicale africaine, et deuxièmement, Lilli était incapable d'émettre un son ou de faire un geste. Elle nageait dans sa propre inconscience. Et comme il peut arriver quand on nage, l'eau lui entra dans le nez et elle vint se cogner au rebord du bassin.

« J'ai échoué » : telle fut la pensée qui la traversa. Au-dessus d'elle se trouvait le crâne en forme de corne du vautour. Il semblait dire : « Exactement. »

On entendit enfin des sirènes de police. Rosenblüt arrivait. Mais il arrivait trop tard. Les assaillants s'étaient déjà retirés — Desprez, Palanka et deux autres hommes. L'un des membres du commando toutefois était resté sur le carreau, grièvement blessé, dans la zone des régions arides. Où du reste étaient également exposés quelques ténébrionidés gravissant des dunes artificielles. C'était tout l'intérêt de ces musées que de rassembler ce qui allait ensemble, hominidés et ténébrionidés, et ce de manière logique et nécessaire, sans que cela parût tiré par les cheveux.

Aussi nécessaire que pour Desprez de mettre enfin la main sur ce qu'Esha Ness avait exigé de recevoir en main propre : un pendentif un peu particulier, un pendentif qui commencerait à se dessécher.

Le huitième pion était tombé.

Avant que l'équipe de Rosenblüt n'atteigne la jungle, Hübner avait rejoint Steinbeck et lui avait toqué contre la joue comme s'il lui demandait la permission d'entrer. D'entrer dans son cœur ? En tout cas, il l'aida à se redresser.

« Ça va », gémit-elle.

Et, comme si elle se réveillait brutalement :

« Merde ! Stransky ! »

Oui, Stransky !

Hübner et Steinbeck gravirent en hâte les marches de la plate-forme bâchée. Le sol était parsemé d'éclats de verre et de lambeaux de forêt. Dans un coin, les jambes repliées, les bras sur la tête, gisait Stransky. Il donnait l'impression de n'avoir pas encore compris que c'était fini.

Fini au sens propre.

Lilli Steinbeck aperçut alors le trou laissé par la balle dans la main droite de Stransky. Celle-ci était agrippée à ses cheveux où elle avait dû rester accrochée après que la balle l'avait traversée avant d'entrer dans le crâne, faisant à son tour de Stransky une créature privée de vie.

« Hübner ? » cria quelqu'un.

C'était Rosenblüt, qui entrait avec une partie de ses hommes dans la jungle.

« Là-haut ! répondit Hübner. Nous avons un mort. »

Quelques instants plus tard, on entendit au loin des coups de feu. Une unité de la troupe d'intervention rosenblütienne avait arrêté deux des assaillants. De l'autre côté du bâtiment, à l'endroit où était exposée une collection d'animaux disparus. Si Georg Stransky avait pu deviner que trois forêts tropicales ne suffiraient pas à le protéger, il aurait évidemment préféré la compagnie de drontes et de pingouins géants pour mourir. Ou du moins celle des roches artificielles d'une falaise islandaise fréquentée par les oiseaux marins. C'est là que les deux hommes de Desprez se rendirent au terme d'une brève fuite. Après quoi ils s'obstinèrent à tenir leur langue autant qu'on pouvait tenir sa langue.

Seuls Desprez et Palanka en réchappèrent. Une fenêtre ouverte prouva que le bris de verre n'était pas absolument nécessaire. Desprez et Palanka avaient disparu. Et la police de Stuttgart eut beau réagir vite, les recherches ne permirent pas de les retrouver.

« Vous pourriez m'expliquer ce qui se passe ? demanda Rosenblüt après avoir rejoint Steinbeck et Hübner et jeté un rapide coup d'œil sur le corps recroquevillé de Georg Stransky.

— En fait, non, répondit Hübner.

— C'est une affaire internationale, compléta Steinbeck.

— Dans ce cas… » fit Rosenblüt avec décontraction, regardant ses interlocuteurs comme pour dire : Vous devriez aller vous coucher.

De fait, Steinbeck et Hübner auraient eu bien besoin d'un lit, voire d'un lit commun. Ils ne formaient pas un couple idéal, ça non, mais ils auraient dû essayer au moins une fois. Le sexe entre personnes qui ne s'apprécient pas peut se révéler extrêmement libérateur.

Mais au lieu de parler de lit commun, Rosenblüt déclara : « Bon, l'essentiel, c'est que vous soyez vivants. »

Était-ce vraiment l'essentiel pour un être humain ?

Était-ce vraiment l'essentiel pour un dronte ?

Deux fois veuve

Lorsqu'il se réveilla, Roy pensa immédiatement au maudit visage qui collait au tableau des chauves-souris à l'instar d'une tache indélébile. Il se sentait mal à l'aise. Roy était un farouche adversaire du surnaturel. La question n'était pas de savoir s'il y croyait ou non. C'est juste qu'il ne voulait pas y avoir affaire, de même qu'on ne veut pas souffrir d'une maladie, qu'elle soit réelle ou imaginaire. Même les maladies imaginaires peuvent être mortelles.

À supposer que des visages qui avaient l'air d'avoir été dessinés par une main fantomatique pussent se former à partir de simples taches, Roy n'y trouvait rien à redire — tant que cela ne concernait pas le tableau sur lequel il travaillait. Or étant donné que c'était le cas, il était furieux contre sa destinée. En quoi avait-il mérité cela ? Tout de même pas parce qu'il avait une liaison avec une femme mariée ?

Et pourtant, si c'était ça ?

Dès lors fallait-il rompre la relation ? Il n'aimait pas cette femme, quoiqu'elle fût quelqu'un de formidable. Elle se donnait des airs bien trop majestueux, bien trop assurés et dominateurs pour qu'on pût vraiment l'aimer.

Tout en se rendant à la salle de bains — un peu anxieux à l'idée de découvrir dans le miroir quelque chose qu'il n'avait nulle envie de découvrir —, il prit la décision de mettre fin à leur liaison. Pourtant le sexe lui manquerait. Car les femmes comme Viola ne se trouvaient pas à tous les coins de rue, il n'en rencontrerait probablement plus jamais.

Dans le miroir, tout était en ordre. Roy avait son air matinal habituel. Un épouvantail aux yeux vitreux, aux lèvres sèches et chiffonnées, au nez hérissé de poils vermiformes qui réintégreraient leur antre au cours de la journée. Cela lui faisait du bien de penser que la fin de son histoire avec Viola pourrait lui servir de bouclier contre le surnaturel. Cependant cette idée même signifiait déjà une capitulation devant le surnaturel. Qu'il existât ou pas.

Roy s'habilla et sortit prendre un café, un bon café. Il le buvait dans un petit bistrot où il discutait football avec le propriétaire, et où il se sentait, pendant quelques instants, heureux et satisfait. La dernière gorgée avalée, il regarda sa montre, laquelle lui rappela que personne n'avait *sérieusement* le droit d'être heureux et satisfait au-delà du temps nécessaire pour boire un café. Il paya et se mit en route pour la gare.

Il eut une grosse frayeur en avisant une femme à la table de roulette. Une femme inconnue alors que jusque-là, c'était toujours le titulaire de la moustache qui avait occupé la place. Du moins pendant que Roy travaillait.

350

« Où est-il ? demanda Roy à la femme.

— Je vous demande pardon ?

— Votre collègue, l'homme à la moustache. Où est-il ?

— Excusez-moi, c'est mon premier jour.

— Ah bon. »

Roy désigna l'échafaudage.

« Je travaille là-haut.

— Oh, formidable ! » dit la femme en tendant la main à Roy.

Elle devait avoir son âge. En fait, il ne supportait pas les gens de son âge. Depuis toujours. Les femmes de son âge constituaient d'ordinaire un supplice épouvantable. Une bagarre permanente à propos de tout et n'importe quoi. La similitude d'âge rend la plupart des femmes impitoyables et méchantes. Cela fait partie des phénomènes qui naissent à la puberté et se poursuivent jusqu'à la fin de la vie.

Pourtant Roy pensa : « Elle est sympa. Vraiment sympa. » Sans doute était-ce ce qu'il voulait croire maintenant qu'il avait décidé d'oublier Viola.

« Faites attention à ne pas tomber », lui recommanda la femme sympa.

Roy promit d'être prudent — souriant en lui-même comme s'il fourrait son sourire dans une poche gulaire. Pour ne pas le gaspiller. Puis il monta sur l'échelle retrouver ses chauves-souris.

Surprise !

Non que la chose eût disparu à l'instar du croupier moustachu, mais la tache était désormais redevenue une tache et n'affichait plus du tout les traits de l'époux trompé Georg Stransky. On ne voyait plus sur la toile qu'une salissure bien reconnaissable, mais absolument normale, une tache sombre informe.

Roy saisit une éponge qu'il plongea dans un bain de lessive tiède et la passa sur la zone tachée d'un mouvement circulaire en décrivant une figure de huit. L'effet fut immédiat. Le voile se dissipa. Il fallut moins de dix minutes à Roy pour dégager la surface peinte. Apparut alors ce à quoi l'on pouvait s'attendre : une huitième chauve-souris, plus grosse que les autres parce que plus proche du spectateur en raison de la perspective. La surface en était un peu abîmée, on y distinguait des éraflures, mais le travail de réfection ne poserait aucun problème. Il ne s'agissait que d'une restauration classique.

Ce jour-là, Roy sauta la pause-déjeuner. Et donc le sexe. Il travailla sans discontinuer et put constater en fin de soirée que la chauve-souris était parfaitement réussie. La malédiction semblait écartée.

Roy trouva qu'il avait mérité un verre. Mais quand il descendit l'échelle et qu'il se fit happer par le regard de la jolie croupière, il pensa qu'il méritait surtout une nouvelle petite amie. Il se sentait comme métamorphosé. Il s'avança vers la table de roulette, regarda la cuvette, puis la femme, et demanda :

« Comment vous appelez-vous au fait ?

— Comment voudriez-vous que je m'appelle ? s'enquit la maîtresse des chiffres.

— Cool », répondit Roy.

Il réfléchit, puis se décida :

« Rita. Je vous appellerais volontiers Rita.

— Pourquoi pas ? » fit la femme, qui s'appelait désormais Rita.

Regardant sa montre, elle déclara qu'elle serait libre dans une heure. On pourrait alors...

« Je vous attendrai », dit Roy avec une charmante fermeté.

Il sourit derechef dans sa poche gulaire. Le double menton ne tarderait pas.

Il se rendit au comptoir libre-service où il se procura une bouteille de vin rouge. Une mignonnette. Comme dans les avions. Il prit également un verre sur une étagère et choisit une place d'où il pouvait observer la table de jeu. Et au-dessus, le tableau mural, qui désormais ne poserait plus aucun problème. Il en était convaincu.

En réalité, celui qui ne poserait plus jamais de problème, c'était lui.

« Bigre ! » fit Baby Hübner en abaissant son regard sur le corps nu étendu sur le lit dans une posture de crucifié.

Au même instant, Lilli Steinbeck entrait dans la pièce. Elle se trouvait sous la douche, pensant à son lit avec un plaisir anticipé, quand Hübner l'avait appelée. Tout ce voyage, qui avait pris les allures d'un gigantesque détour, un détour par le pôle Sud, avait fortement bouleversé son rythme de sommeil et son principe affirmé de se coucher au plus tard à neuf heures du soir. Or même après être rentrée de Stuttgart avec un cadavre dans ses bagages, elle n'aurait pas droit à un sommeil en bonne et due forme. La montre indiquait neuf heures et quart lorsque le petit portable — celui de Lilli, pas le poudrier du Dr Antigonis — s'était manifesté, tel un criquet pèlerin ressuscité. Lilli Steinbeck avait aussitôt subodoré que ce n'était pas bon signe. Cela lui rappela le remake du *Testament du docteur Mabuse* de Fritz Lang où Gert Fröbe en inspecteur Lohmann n'arrive pas à boire son café parce qu'il y a toujours un crime qui vient s'interposer. C'est ce qu'on appelle un *topos* — du genre qui donne de la consistance à une histoire. Lilli Steinbeck n'avait rien contre un peu de consistance, mais devoir lui sacrifier son sommeil la déprimait. Tout comme la tradition flicarde qui voulait qu'on offre l'image de quelqu'un qui peut se passer de repos nocturne. Au diable l'image.

Mais que faire quand Hübner l'appelait, lui assurant que c'était important ? Cela ne pouvait être qu'important.

« Qui est-ce ? demanda Lilli quand elle eut rejoint Hübner et regardé le lit.

— L'homme s'appelle Almgren, Roy Almgren.

— Repose en paix, Roy Almgren. Mais en quoi suis-je concernée ? Pourquoi suis-je obligée une fois de plus de repousser l'heure de me coucher ?

— Parce que c'est le deuxième coup dur de la journée pour Mme veuve Stransky — à supposer que le premier ait été un coup dur. Roy Almgren était son amant.

— Bonté divine ! Que lui est-il arrivé ?

— On l'a étranglé comme vous pouvez le constater. »

Impossible de constater quoi que ce soit car deux membres de la police scientifique et technique étaient penchés sur la tête du mort, cherchant comme à l'accoutumée des bricoles pour remplir leurs sachets de plastique. Et puis Lilli Steinbeck n'était pas du genre à aimer regarder les blessures. Pas par dégoût, c'est juste qu'elle trouvait un peu dégradant d'examiner la gorge de quelqu'un comme si on était son ORL uniquement parce qu'il était mort.

« Du travail de professionnel, commenta Hübner, un lacet en métal. Mais ça nous avance à quoi ? Almgren a manifestement été surpris pendant que... »

Hübner n'aimait guère utiliser des mots comme « baiser » ou « s'envoyer en l'air ». Des mots, pensait-il, qui convenaient à des jeunes gens irrespectueux. Or la situation ne semblait guère requérir de termes plus esthétiques ou plus pudiques. Il garda donc le silence. Le bas-ventre du mort parlait de lui-même.

« Pouvez-vous m'expliquer pourquoi cet homme est mort ? » s'enquit Steinbeck.

Hübner évoqua la fresque murale que Roy Almgren restaurait dans la gare et la bizarrerie de cette prétendue tache qui représentait manifestement le profil de Georg Stransky. Ce qui ne pouvait signifier qu'une chose : que c'était Almgren qui avait réalisé ce « portrait ».

« Je l'ai interprété comme une sorte d'aveu, expliqua Hübner.

— Un aveu de quoi ?

— D'avoir enlevé Georg Stransky. J'étais persuadé, et je le suis plus que jamais, qu'Almgren était impliqué dans cette affaire. Lui et Viola Stransky. Impossible de se fier à cette femme. J'ai demandé qu'on la fasse venir. Je veux être témoin de sa réaction quand elle verra le corps de son amant.

— À quoi vous attendez-vous ?

— Je ne sais pas, cette femme est glaciale.

— N'est-ce pas ce que vous pensez de toutes les femmes ? demanda Steinbeck. Je veux dire de toutes les femmes en talons aiguilles ?

— Épargnez-moi, Steinbeck. De grâce.

— Désolée, vous m'avez quasiment sortie du lit. Mais oublions ça. Vous disiez qu'Almgren restaurait un tableau. Dans la gare ?

— Oui, dans le grand café. Au-dessus de la table de roulette.

— Il faut que je voie ça. J'y vais de ce pas.

— J'aimerais bien que vous soyez là, objecta Hübner, quand Mme Stransky arrivera.

— La dame vous fait peur ? demanda Lilli. Allons, courage, vous vous débrouillerez très bien.

— Une femme est plus à même de deviner ce que cache une autre femme, expliqua Hübner.

— D'où tenez-vous ces sornettes ? » s'étonna Steinbeck.

Sans attendre la réponse, elle demanda qui avait découvert le cadavre.

« Nous avons reçu un appel anonyme.

— Et à quand remonte la mort d'Almgren ?

— On pourrait dire qu'il est encore chaud. Un meurtre de fin de journée.

— Il devrait être interdit de tuer en fin de journée », déclara Steinbeck.

Elle se détourna et quitta la pièce en promettant de se dépêcher pour avoir le temps de parler à Viola Stransky. Afin que la femme qu'elle était pût deviner ce que cachait la femme qu'était Viola Stransky.

Un quart d'heure après que Lilli Steinbeck avait quitté la scène de crime pour se rendre à la gare en voiture de police, un autre véhicule amena Viola Stransky sur les lieux. Elle était furieuse d'avoir été contrainte de venir sans qu'on lui eût donné d'explications alors que le matin même, il lui avait fallu digérer la nouvelle de la mort de son mari. Si elle avait obéi, c'était uniquement parce qu'elle était persuadée que cela avait un lien direct avec l'assassinat de Georg.

De fait, il y avait bien un lien. Mais pas direct.

Viola Stransky fut reçue par Baby Hübner, qui arborait son habituel sourire vipérin, et conduite sans autre formalité devant le lit où gisait le corps nu du défunt Roy Almgren. Cette fois, on avait sagement éloigné la police scientifique, qui aurait pu les empêcher de voir les traces patentes de strangulation.

Pas de doute, Viola Stransky vacilla. Elle tendit la main vers Hübner, lui saisit la manche et s'appuya sur lui un moment. Juste le temps de respirer et de redonner à ses jambes, grâce à l'air un peu raréfié de la pièce, la fermeté nécessaire. Elle ne s'était manifestement pas attendue à ce spectacle.

Hübner fut déçu. Il ne comptait pas sur un aveu, mais espérait un bon numéro d'actrice. Or si comédie il y avait, elle était parfaite. Ou alors Viola Stransky n'était nullement impliquée dans la mort de son amant. Zut !

Comme s'il s'agissait d'un point crucial (et tel était peut-être le cas), Viola s'enquit avec un léger tremblement dans la voix de l'identité de la femme avec qui Roy s'était trouvé dans ce lit.

« Je pensais que c'était vous, répondit Hübner en scrutant Mme Stransky d'un regard oblique.

— Ça vous amuse ?

— Quoi donc ?

— De me tourmenter ?

— Que voulez-vous, fit Hübner, cet homme était votre amant. Je suis en droit de supposer…

— Je vous ai dit que Roy et moi, on ne se voyait qu'à midi. Ça rentre ?

— Et alors ? L'avez-vous vu aujourd'hui à midi ?

— Non, j'avais à faire et lui aussi.

— Où étiez-vous ce soir ? interrogea Hübner.

— Dois-je vous fournir un alibi ?

— C'est bien ça, madame Stransky.

— J'étais à la maison.

— Et votre fille ?

— Mia est chez sa grand-mère. Elle n'est pas encore au courant de la mort de son père. Vous n'imaginez probablement pas ce que… Mais peu importe.

— Oui, peu importe, renchérit Hübner. Nous ne sommes pas là pour discuter de *mon* insensibilité. N'oubliez pas, madame Stransky, je suis le policier. Moi, je n'ai pas besoin d'alibi. Vous, si.

— Vous m'en excuserez, mais j'étais seule. Après la nouvelle de la mort de Georg, je n'avais pas vraiment envie de voir du monde. C'est bête, hein !

— Oui, c'est bête, mais ce n'est pas un crime.

— Vous êtes trop bon », répliqua Viola Stransky.

Elle réitéra sa question au sujet de la personne avec qui Roy semblait être devenu intime. La pièce gardait encore la trace de son parfum. Viola le sentait, de même que les gens de la police scientifique, sans compter Steinbeck, évidemment. Hübner, lui, ne sentait rien, il faut avouer qu'il n'avait pas le meilleur des flairs.

« Puisque ce n'était pas vous, reprit Hübner, je ne sais malheureusement pas qui pouvait être la dame. Si c'était une dame.

— Roy n'était pas bi, rétorqua Viola, croyez-moi.

— Oui, c'est généralement ce que les femmes pensent de leurs maris. Et après, elles s'étonnent, déclara Hübner.

— D'où tirez-vous cette conviction ?

— Je vous rappelle que le policier, c'est *moi*. C'est *moi* qui passe mon temps à sonder les abîmes d'autrui.

— Et vous n'y voyez que des homosexuels masqués.

— Entre autres.

— Roy aimait les femmes, assura Viola.

— Et il était infidèle », compléta Hübner.

Viola Stransky acquiesça en silence. Elle réfléchissait. Elle paraissait vraiment stupéfaite de l'infidélité de Roy Almgren, l'homme de ses bienheureuses pauses-déjeuner. Pourtant, la scène évoquait sans le moindre doute une relation sexuelle vespérale. Et Viola Stransky qui avait cru pouvoir s'assurer la fidélité de cet homme à toute heure de la journée !

Une chose était sûre : Viola Stransky était surprise.

Un instant plus tard, ce fut au tour de Hübner d'être surpris. Et comment ! Son portable sonna, c'était un de ses collaborateurs.

« Je viens d'avoir un entretien avec Stuttgart, dit l'adjoint, dont la voix trahissait — à bon droit — un soupçon d'espièglerie.

— Et ?

— La police scientifique est partie il y a une heure et on a ouvert les salles du musée à l'équipe de nettoyage pour qu'elle puisse travailler. Et c'est là qu'elle a trouvé quelque chose.

— Allez, accouchez !

— Desprez ! Ils ont trouvé Desprez. Mort. Dans la taupinière.

— Pardon ? ! »

Il apparut que la présence d'une fenêtre ouverte au château de Rosenstein n'avait pas été synonyme de fuite pour Henri Desprez. Si quelqu'un avait fui, c'était la personne qui l'avait liquidé au terme de l'intervention et avait abandonné son corps dans une salle d'exposition temporaire. Exposition consacrée — ironie du sort — à la vie sous terre, aux processus de décomposition, et où l'on avait aménagé un espace de jeu pour les enfants, une sorte d'enclos pour nains de jardin permettant d'observer la vie des taupes. C'est là qu'un membre du service d'entretien était tombé sur le corps sans vie d'Henri Desprez. Un coup de feu avait suffi. Dans le dos.

« Autre chose ? demanda Hübner.

— Non, pas pour le moment. »

Tout n'arrive pas toujours en même temps. Mais c'est généralement le cas. Pendant que l'inspecteur principal Hübner se trouvait avec une « double veuve » devant un cadavre alité et apprenait de son adjoint qu'on avait découvert le cadavre d'Henri Desprez dans une taupinière artificielle, Lilli Steinbeck, debout sur l'échafaudage autrefois propriété de Roy Almgren, constatait qu'il n'y avait rien à constater. Nulle part on ne voyait de portrait de Georg Stransky. Ni quoi que ce soit de remarquable. Enfin si, des chauves-souris. Ces chauves-souris l'intriguaient, surtout parce qu'elles étaient au nombre de huit. D'un autre côté, voir des chauves-souris dans la nature comme dans l'art n'avait en soi rien d'exceptionnel.

Lilli baissa les yeux vers le café, examina la table de roulette et le croupier très droit, à la moustache méticuleusement taillée, qui, avec la même méticulosité, rangeait les jetons dans un coffret. Lilli nota la fatigue sur le visage des joueurs. Le panneau électronique placé derrière le croupier, tel un texte de loi illuminé, afficha le chiffre 5. Steinbeck se demanda s'il y avait un chiffre qui lui était plus sympathique que d'autres. Tout en songeant que pareille interrogation était peut-être ridicule. Aimer ou ne pas aimer un chiffre.

Elle secoua la tête, regarda sa montre. Il était temps de repartir si elle voulait pouvoir parler à Viola Stransky. Ici, en tout cas, il n'y avait rien à glaner. Le tableau était mauvais, il représentait des chauves-souris. Quelqu'un d'autre finirait de le restaurer.

Au même moment, à Paris — ville qui exhibe son charme comme s'il s'agissait d'un slip en léopard surdimensionné —, une femme appelée Palanka entra dans le restaurant chinois où Esha Ness avait ses habitudes. On y dînait tous les soirs, Ness et sa drôle de famille. Le petit Floyd dormait sur son sein à moitié nu. S'aidant de ses baguettes, Esha Ness prit un morceau de viande luisant de sauce. Elle le plaça sur sa langue, comme pour le tourmenter encore un peu. Puis elle mâcha brièvement, avala, regarda Palanka, qui attendait, et demanda : « Alors ? »

Palanka déposa devant Esha Ness un porte-clés en forme de Batman. Il était difficile de dire si le coléoptère qui logeait dans le petit costume en plastique était encore vivant. Si c'était le cas, il n'en avait plus pour longtemps. Du reste, ce n'était pas nécessaire. Il était désormais privé d'hôte. De maître. La vie avait perdu son sens.

Esha Ness aurait pu dire quelque chose comme « très bien » ou « parfait » parce que cette fois, on avait vraiment frôlé l'échec. Mais elle se contenta de rapprocher légèrement le porte-clés. Puis elle demanda :

« Et Desprez ?

— Qui ça Desprez ? »

Là, tout de même, elle ne put se dispenser de commentaire :

« Alors tout est rentré dans l'ordre. Voulez-vous manger quelque chose, Palanka ?

— Non, merci.

— Comme vous voudrez. Vous pouvez partir. Mais restez à disposition. À compter de maintenant, c'est vous qui êtes aux commandes. Il reste deux chauves-souris. Ensuite, nous aurons enfin un peu de tranquillité. Ces dieux sont une véritable plaie avec leur passion du jeu ! On croirait des enfants qui refont le monde. »

Esha Ness retourna à son repas, Palanka quitta le restaurant. Elle n'était pas particulièrement ravie d'avoir été promue. Même si, disait-on, Esha Ness épargnait les femmes. Du moins celles qui étaient en âge de procréer. Disait-on.

Il était déjà suffisamment absurde d'imaginer qu'une personne comme Esha Ness pouvait protéger le monde de la mainmise des dieux. Et qu'elle était assistée dans sa tâche par une bande de légionnaires des deux sexes dépourvus de scrupules.

Palanka sortit dans la rue. La nuit était chaude, la fin de l'été accueillante. Elle tira de son sac un bonbon, en ôta l'emballage et le glissa dans sa bouche. Une saveur verte se déposa sur sa langue. Pendant un instant, elle apprécia d'être au monde.

« Vous avez trouvé autre chose ? demanda Lilli Steinbeck au médecin de la police qui passait en hâte tandis qu'elle regagnait l'appartement d'Almgren.

— Non, répondit-il. Mais dites-moi ce que je dois trouver et je ferai un effort.

— C'est à voir. Si je pense à quelque chose, je vous appelle. »

Le médecin acquiesça, la lèvre inférieure en avant. Il avait pris la question bien plus au sérieux que Lilli la réponse.

Lorsque la policière entra dans la chambre à coucher où le mort était toujours étendu sur le lit, elle vit Hübner et Viola postés à la fenêtre ouverte. Mᵐᵉ Stransky fumait, observée par Hübner. Steinbeck lança un regard à Hübner. Celui-ci quitta la pièce.

« Mes condoléances, madame Stransky », dit Lilli Steinbeck.

Viola Stransky leva la tête, regarda son interlocutrice avec dureté et demanda :

« Pour qui ? Georg ou Roy ?

— Mes condoléances de principe. Pour toute perte.

— Je comptais sur vous pour me ramener mon mari. Au lieu de quoi il y a un deuxième mort, mon amant. »

Steinbeck faillit répondre qu'elle avait tout de même ramené Georg Stransky jusqu'à Stuttgart, c'est-à-dire bien plus près de sa destination qu'aucune des précédentes victimes ne l'avait été. Mais c'était évidemment une piètre consolation.

« Votre mari, expliqua Steinbeck, était partie prenante d'un jeu.

— Quelle sorte de jeu ?

— Je vous retourne la question, rétorqua Steinbeck.

— Quoi ? Vous aussi, vous me soupçonnez maintenant ?

— Nous avons un époux mort, un amant mort et une femme vivante. À votre avis, sur qui devrions-nous nous rabattre ?

— C'est ça la philosophie de la police ? Soupçonner le premier venu ?

— La plupart du temps, nous tombons juste. Vous savez bien : oubliez le jardinier et le majordome, intéressez-vous au frère, à l'oncle, à la mère…

— Allez vous faire voir ! » s'exclama Viola Stransky.

D'une poussée, elle s'écarta du rebord de la fenêtre et quitta la pièce. Sans courir, mais Steinbeck remarqua que s'il n'avait tenu qu'à elle, elle aurait pris la fuite.

Hübner refit son apparition, vint occuper la place libérée à la fenêtre et demanda :

« Alors ? Vous avez démasqué notre glaciale dame ?

— Je pense que vous avez raison, Hübner. Elle a trempé dans l'affaire. D'une manière ou d'une autre. Il va falloir lui coller aux basques.

— Sans motif ? Comment faire ? Cette Stransky n'est pas seulement glaciale, elle sait aussi souffler le chaud et le froid.

— Patience. Une fois au but, même les malins trébuchent, déclara Steinbeck. Quoi qu'il en soit, il faut vraiment que j'aille me coucher maintenant. Demain je pars pour Athènes. En vacances, vous vous souvenez ?

— Y a-t-il un moyen de vous en empêcher ? s'enquit Baby Hübner.

— Non, pas dans cette vie. »

Sapristi, que voulait-elle dire encore ? Hübner leva les yeux au ciel et s'en fut rejoindre les membres de la police scientifique et technique. Leur collecte d'indices était généralement sans grand effet, mais les regarder œuvrer avait quelque chose d'apaisant. Ce n'était ni de la psychologie, ni de la politique, ni de l'art, cela n'avait rien à voir avec le surnaturel. C'était du vrai travail, comme de creuser des trous qu'il s'agissait ensuite de combler à nouveau.

21

Suez

Lorsque Lilli Steinbeck atterrit à Athènes, il tombait sur la ville une pluie évoquant une armée de petits robots martelant le sol. Pas pour créer une sonorité agréable, mais pour faire s'écrouler le sol en question. Quelqu'un qui aurait été au courant de toute l'histoire y aurait vu une manifestation de la colère des dieux. Des dieux qui auraient sans doute préféré fondre sur Paris, mais qui, pour des raisons historiques, n'avaient que la ville d'Athènes à leur disposition.

« Ravi de vous retrouver saine et sauve », fit Stavros Stirling en tendant la main à Steinbeck.

Quel charmant garçon, pensa une fois de plus Steinbeck. En dépit de ses yeux fatigués. Peut-être du reste était-ce la fatigue qui rendait ces yeux de porcelaine aussi attirants. Imaginez une porcelaine bien réveillée et en pleine forme. Non merci. Mais un vieux vase fissuré, portant la patine des siècles et d'une histoire mondiale tourmentée, ça oui.

« Vous avez l'air épuisé, le salua Steinbeck sans dire à quel point elle trouvait cela charmant.

— Leon ! gémit Stirling en guise d'explication. Il

a eu une nuit difficile. *Nous* avons eu une nuit difficile. Mais maintenant vous êtes là, vous allez nous aider. Vous nous aiderez, n'est-ce pas ?

— Quand ce sera fini, oui.

— Mais je croyais que c'était fini.

— Pas tout à fait. Conduisez-moi à l'appartement de Kallimachos.

— Vous n'étiez pas ensemble ? demanda Stirling.

— Pas jusqu'au bout. Kallimachos est resté dormir sur une île. Allons-y.

— Comme vous voudrez, chère madame. »

Le « chère madame » instaurait une distance très nette. Pourtant, Lilli Steinbeck aimait qu'on s'adressât à elle en ces termes. Car sans distance, pas besoin de bâtir des ponts. Or les ponts comptaient au nombre des plus belles constructions imaginables.

Sous une pluie incroyablement drue, on rejoignit la voiture de sport taillée sur mesure de Stirling. Sur mesure en regard des jambes de Lilli. Dès qu'elle eut pris place à l'intérieur, Steinbeck se sentit formidablement bien. Elle aimait les petites voitures, à l'inverse des limousines, qu'elle ne supportait pas. De gros carrosses qui enveloppaient le corps de la façon la moins avantageuse. Comme un coquillage géant abritant une puce. Rien à voir avec la Fiat Barchetta noire de Stirling, âgée de dix ans, qui était un modèle d'adaptation. Lilli ne comprenait pas pourquoi les gens s'installaient si volontiers dans des voitures volumineuses alors que jamais il ne leur serait venu à l'idée de mettre un pantalon trois fois trop grand où ils auraient eu l'air encore plus informe qu'à l'ordinaire.

367

(Sympathique petit hasard : en 1995, l'année où le Dr Antigonis dispensait ses dix chauves-souris à dix hommes, les premières Fiat Barchetta quittèrent la chaîne de montage. L'une d'elles allait devenir la propriété de Stirling. Et dix ans plus tard exactement, quand le Dr Antigonis et Esha Ness commencèrent à jouer et que les pions se mirent à tomber les uns après les autres, la dernière Fiat Barchetta sortit de l'usine. Dix ans, dix chauves-souris, dix hommes. Dix est un bon chiffre. Rien à voir avec le cinq, qui est si bizarre. Un enfant vous le dirait.)

Enveloppé dans l'emballage parfait de la Fiat, on partit. On ne voyait quasiment plus rien à l'exception d'un mur d'eau à travers lequel Stavros Stirling pilotait le *petit bateau** d'un air impavide. La pluie martelait violemment la capote. On aurait cru entendre un chœur dérivant à l'unisson dans la folie. Ça fumait, les vitres s'embuaient. Steinbeck prit un mouchoir pour sécher le pare-brise afin qu'on pût au moins voir qu'on ne voyait rien. Stirling conduisait la voiture comme si elle avait été sur rails. À un moment donné, il freina et dit : « Nous sommes arrivés. »

Traversant la cascade sans parapluie, le Grec et l'Autrichienne franchirent un porche dépourvu de porte, puis traversèrent un étroit et sombre couloir.

« Kallimachos habite en haut, expliqua Stirling.

— Il y a un ascenseur ?

— Non. »

Abasourdie, Steinbeck contempla la cage d'escalier. Elle avait peine à imaginer Kallimachos hissant son corps lourd, qui débordait de toutes parts, dans cet étroit canal. Cela étant, elle savait que les choses avaient coutume d'éviter Kallimachos, qu'elles s'écartaient de son chemin. Peut-être n'était-ce pas seulement le fait des balles de revolver mais aussi celui des cages d'escalier.

Quand ils furent devant la porte de l'appartement, Stirling frappa. Après trois tentatives, il déclara :

« Pas de Kallimachos. Il n'est probablement pas encore rentré.

— Mais s'il était rentré ? Peut-être qu'il est là et qu'il a besoin de notre aide », répliqua Lilli Steinbeck.

Elle ne parlait pas sérieusement. En fait, elle voulait pénétrer dans l'appartement pour trouver quelque chose qui l'aidât à comprendre qui était vraiment Spiridon Kallimachos. Elle proposa donc une vérification.

« La porte est fermée, objecta Stirling.

— Seigneur, Stavros, ne faites pas tant de manières. Enfoncez la porte. Disons qu'il y a péril en la demeure.

— Il n'y a aucun péril en la demeure, protesta le Grec.

— Il y a toujours péril en la demeure », protesta à son tour l'Autrichienne.

Lilli Steinbeck avait évidemment raison. Les choses iraient un peu mieux si l'on avait prêté plus d'attention au principe du péril en la demeure et passé les menottes à deux ou trois personnes avant qu'elles ne sévissent.

Stirling poussa un soupir. Il aurait aimé refuser, malheureusement il était convaincu que seule Lilli Steinbeck pouvait résoudre les problèmes de sommeil de son fils. Il le sentait. Il sentait l'absolue compétence dormitive de cette femme fluette. Et en ce moment, la priorité ultime consistait à aider Leon à cesser de brailler. C'était plus important que la porte. Il recula donc d'un pas, leva son genou droit jusqu'à la poitrine et projeta sa jambe, talon en avant, contre la serrure, qui céda avec la même facilité que, la veille, la porte d'un musée d'Histoire naturelle de Stuttgart.

« Puis-je vous précéder ? s'enquit Stirling en montrant le vestibule privé de fenêtres et d'éclairage.

— Vous êtes un amour, répondit Steinbeck.

— Avec plaisir », répondit Stavros en entrant.

Avec plaisir ?

Steinbeck le suivit dans une obscurité que ne dissipait en rien la faible lumière du palier. Au bout de trois ou quatre pas se déploya un noir opaque comme dans une salle de cinéma à la fin d'un film. On ne faisait que sentir l'étroitesse, respirer l'odeur des choses, hautes étagères garnies de vieux journaux, de vieilles chaussures, d'un stock de provisions douteuses. Steinbeck éprouva un vertige, comme si elle avait dans le crâne un toboggan en spirale où glissait son cerveau. Levant le bras, elle s'agrippa à l'épaule du bel Anglo-Grec en chuchotant une excuse. Sa sensation de vertige n'en fut pas diminuée, mais elle devint plus agréable. C'était bon de sentir cette épaule qui avait quelque chose d'une pierre polie, d'une pierre vivante, d'un fossile ressuscité.

Steinbeck se rappela que la veille, pendant la fusillade, elle avait souhaité être la gracieuse petite femme préhistorique surnommée Lucy. À présent, elle était une Lucy. Une Lucy qui marchait dans la nuit avec le soutien de son compagnon. C'était un sentiment merveilleux que d'affronter cette nuit sans étoiles, avec tout ce qu'elle pouvait receler de terreurs, en compagnie d'un autre être. Lucy et... Lucy et Tom. Cet *Australopithecus afarensis* mâle aux épaules solides s'appelait Tom. Tom, si habile à intercepter un lièvre en pleine course, à le déchiqueter à l'aide de sa puissante denture en offrant toujours les meilleurs morceaux à Lucy. Tom était le premier gentleman de l'histoire. La suite n'était hélas qu'un long déclin. On néglige souvent cette dimension régressive de l'évolution. Des crocodiles qui rétrécissent, des oiseaux qui perdent la capacité de voler, des gentlemen qui cessent de l'être. Tom, quant à lui... Une porte s'ouvrit. Éclairant le couloir. Stupide lumière, boutonneuse, pustule géante. Cette lumière détruisit tout. Trois millions d'années disparurent en un clin d'œil. Tom devint Stavros, un bel homme, sans doute, mais pas le partenaire avec qui l'on pouvait courir la savane et être heureuse. Quant à la femme qui avait été Lucy, elle tomba instantanément en poussière. Il n'en resta que quelques os, que l'on pouvait interpréter et exposer.

Les deux créatures préhistoriques étaient devenues des policiers qui ne luttaient plus contre les terreurs de la nuit, mais contre celles d'un monde malade. Stirling appela derechef Kallimachos. Mais personne ne répondit. Le salon baignait dans une lumière brunâtre, vaporeuse, qui venait d'une arrière-cour comme on dirait de quelqu'un qu'il vient d'un milieu défavorisé. À cet endroit, le martèlement de la pluie paraissait plus doux, plus lointain. Partout, étendus ou suspendus, des tapis, des choses lourdes, épaisses, poussiéreuses, qui engloutissaient les bruits. Même les meubles en étaient recouverts. Il régnait dans la pièce une odeur de fleurs séchées.

Dans un premier temps, on pouvait croire que c'était la seule pièce de l'appartement. Mais en y regardant de plus près, on distinguait sur les tapis persans cloués au mur, qui avaient acquis une teinte plus foncée à l'instar de tableaux, la silhouette de deux portes. La plus étroite ouvrait sur des toilettes minuscules, tapissées de la même manière que le reste de l'appartement. Difficile de croire que Kallimachos pouvait y trouver place. L'autre était fermée. Un regard de Steinbeck suffit. Stavros fronça les sourcils, mais ramena de nouveau une jambe sur sa poitrine et, d'un second coup de pied, ouvrit une seconde porte. Derrière celle-ci se trouvait…

Il faudrait peut-être mentionner le fait qu'à ce moment-là, Lilli Steinbeck — qui n'était plus une Lucy couverte de poils — portait une robe d'été en soie de Dolce & Gabbana qui lui arrivait aux genoux. Cette robe, qui arborait toutes les couleurs scintillantes d'un perroquet, enveloppait son corps d'un souffle plus qu'elle ne l'habillait. La protection qu'elle offrait n'était pas matérielle mais esthétique. Et donc psychique. Voilà quelle est de nos jours la fonction de l'habillement. Nous armer contre la laideur du monde. Nous rendre — autant que possible — *beaux,* conférer à notre cœur une grâce ou une élégance visible. C'est moins les autres que nous essayons d'éblouir que nous-mêmes.

De fait, Lilli Steinbeck eut bien besoin d'un peu d'éblouissement quand, actionnant un interrupteur situé près de la porte, elle alluma plusieurs spots qui éclairèrent une pièce haute et vaste aux volets fermés. Les murs étaient pavés de photographies insérées dans de magnifiques cadres ornementés, pour la plupart dorés à l'or fin, et suspendues en rangées compactes montant jusqu'au plafond comme dans une galerie de vieux tableaux hollandais. Ces photos, qui illustraient toutes les époques de la photographie et semblaient être essentiellement des clichés documentaires, étaient consacrées à un thème unique : la torture.

La torture sous toutes ses formes.

Impossible de trouver les mots adéquats. Oui, c'était peut-être là que le bât blessait : face à tous ces agissements — actes semi-officiels dictés par la « raison d'État » ou violences d'ordre privé dans l'espace individuel des quatre murs —, on ne disposait plus de la langue appropriée. De la poésie, du roman. Certes il existait des écrits, des rapports. Mais jamais on n'avait trouvé de mots susceptibles de bannir l'horreur. Non qu'après Auschwitz on fût dans l'impossibilité de continuer à écrire de la poésie. Il eût fallu cesser avant.

« Seigneur », fit Lili, qui avait déjà vu pas mal de choses dans sa vie. Le mode de présentation n'était pas ce qui la choquait le moins. Toutes ces images indicibles, en effet, étaient exposées comme dans une galerie de peinture à l'ancienne. Elles perdaient ainsi le caractère purement factuel qu'elles possédaient dans les documents montrés en cours d'enquête, dans les dossiers et les ouvrages spécialisés de criminalistique. Lilli connaissait bien tout cela. Dans cette pièce en revanche, la distance induite par la dimension informative s'était effacée devant une muséologie personnelle. C'était le cadre qui déterminait le statut de l'image.

Autre choc pour Lilli Steinbeck : seul Spiridon Kallimachos avait pu procéder à cette mise en scène. On était dans son appartement.

Steinbeck se tourna vers Stirling et lui demanda — en hurlant :

« Vous saviez ? »

Elle aurait pu se dispenser de la question. Stirling montrait le teint blafard d'un vieux plastique blanc. Il était couvert de sueur et se courba comme s'il luttait contre la nausée. Il se contenta de secouer la tête en gardant les yeux fixés au sol.

Pendant un instant, Lilli le méprisa pour son attitude. Tom, l'homme préhistorique, n'aurait pas détourné les yeux, Tom aurait souffert, Tom aurait peut-être tremblé, mais jamais il n'aurait reculé, jamais il ne se serait détourné.

Steinbeck reporta son attention sur les tableaux. Elle était désormais résolue à comprendre le sens de cette exhibition. C'est alors qu'elle la vit, qu'elle remarqua l'image. Celle-ci se trouvait sous verre, à l'instar des autres, dans un cadre Louis XVI. La scène représentée baignait tout entière dans une lumière verdâtre. Cette photo était une des rares à donner, à première vue, l'impression d'avoir été posée. Mais elle ne l'était pas, ça non, Lilli Steinbeck était bien placée pour le savoir. Car c'était elle qu'on voyait sur le cliché. Les lèvres pressées l'une contre l'autre et les yeux convulsivement fermés.

On distinguait une main inconnue, revêtue d'un gant noir hérissé de pointes montant jusqu'au coude — un gant de Batman —, qui avait saisi Steinbeck par les cheveux et la tirait vers l'avant pour amener ses lèvres en contact avec l'extrémité d'une bouche de poisson. Le corps du poisson, dressé à l'oblique, sortait d'une braguette, la bouche de l'animal était entrouverte. On voyait briller de petites dents blanches très pointues. Celles-ci étaient le seul élément de la scène à échapper à l'éclairage verdâtre. Ce qui indiquait une retouche photographique ultérieure. On ne voyait pas le Batman, juste son bras et un bout de menton étonnamment pointu — mais peut-être était-ce dû à l'angle de vue.

En examinant la photo, Steinbeck fut plus que jamais persuadée que le corps du poisson avait abrité le membre en érection de l'agresseur et que donc, pour sa sauvegarde, elle aurait été contrainte de mordre l'animal, autrement dit le pénis de l'homme. Heureusement que la police grecque avait abattu le monstre au moment opportun.

Et pourquoi ça après tout ? Une balle atteignant sa cible était toujours un acte de clémence. Une clémence que ce salopard était loin d'avoir méritée. Il aurait fallu engager la lutte. La lutte contre les monstres de cet acabit. Ces monstres existaient, en dépit de ce que voulaient nous faire croire les esprits éclairés. Ils existaient. Les photographies exposées dans cette pièce le prouvaient. Et leur existence n'était justifiable ni par un examen biographique rétrospectif, ni par un traumatisme. Rien, absolument rien ne pouvait inciter un être humain à commettre les actes représentés sur ces photos et qui dynamitaient toutes les capacités imaginatives — et donc linguistiques — du cerveau humain.

Steinbeck se dit qu'elle aurait dû mordre sans attendre. Laisser la police liquider un monstre n'était pas suffisant. Tout comme il ne suffisait pas de l'exécuter ou de l'enfermer. La seule chose qui pût impressionner un monstre, c'était que sa victime résiste de façon effective. Pas qu'elle piaille, implore ou devienne folle en deux temps trois mouvements, non, qu'elle soit catapultée au-delà de sa propre faiblesse. Même en situation de ligotage. Par un simple sourire, par exemple. Fût-ce des yeux. Une victime souriant d'un air de défi pouvait déstabiliser un monstre. Le faire disjoncter.

« J'aurais dû sourire, pensa Steinbeck, sourire et mordre. » Au lieu de quoi elle avait fermé les yeux et la bouche et manifesté son effroi. Le monstre assis sur elle avait emporté dans la mort l'image gratifiante de l'épouvante qu'il avait inspirée. Merde !

Lilli avait manqué sa chance. D'où une colère considérable. Steinbeck serra son poing droit et frappa sans prévenir sur la photo qui témoignait de sa défaite, brisant le verre de protection. Et ce avec une telle violence que quelques éclats se plantèrent dans sa chair.

« Seigneur, qu'est-ce que vous faites ? »

Stavros se précipita sur Lilli, lui saisit la main, l'examina et commença aussitôt à retirer les morceaux de verre.

« Arrêtez, lui intima Lilli. Vous allez vous blesser, c'est tout. »

Elle ôta sa main de celles du beau Grec et se

débarrassa elle-même des éclats restants. Elle avait retrouvé son calme et sa maîtrise. Sortant la lingette rafraîchissante d'eau de Cologne 4711 qu'elle avait toujours dans son sac, elle en déplia la surface imprégnée d'alcool, l'étala sur ses jointures ensanglantées et referma son poing à l'intérieur duquel elle fixa les coins de la lingette. Elle se livra à cette automédication sans cérémonie, puis elle décrocha le cadre du mur et le tendit à Stirling, qu'elle pria d'extraire la photographie. Stirling s'exécuta et la lui donna.

Steinbeck s'épargna un nouvel aperçu du recto, tourna le papier entre ses doigts comme si elle lançait une toupie, puis examina le verso. Sur la surface blanche et brillante, en bas à droite, était apposé un tampon.

Studio Suez

En dessous figurait une adresse. Steinbeck demanda à Stirling :

« Où est-ce ? »

Stirling indiqua qu'il s'agissait d'une petite rue située derrière le musée d'Archéologie. Le studio en revanche lui était inconnu.

« Suez, ça ne sonne pas vraiment grec », fit Steinbeck.

Stirling haussa les épaules. Il ressentait une profonde détresse. Il serait volontiers sorti prendre un verre. Mais Lilli Steinbeck n'en avait pas encore fini. Elle poursuivit son examen des photos, avec pragmatisme cette fois, sans plus être choquée. Elle savait ce qu'elle cherchait. Et elle trouva. Une photo représentant Kallimachos. La seule photo qui ne montrait pas un corps déformé, un visage défiguré par la peur et la douleur, mais juste un homme obèse, nu, transpirant, attaché sur une chaise. À droite et à gauche, des hommes en uniforme, eux aussi transpirants, manches retroussées et col de chemise ouvert, dont certains tenaient une barre de fer à la main. À l'arrière-plan, on distinguait un appareillage technique, une machine à envoyer des décharges électriques. Kallimachos, qui paraissait beaucoup plus jeune et dont la corpulence montrait une fraîcheur de bébé hippopotame tout juste sorti de l'eau, affichait une expression tourmentée en dépit de son absence de blessures. Un tourment qui semblait résulter d'une intense réflexion. Ou d'un ennui profond. Les hommes qui entouraient Kallimachos avaient l'air tout aussi tourmentés. Mais c'était assurément parce qu'ils n'arrivaient pas à porter ne serait-ce qu'un coup à ce gaillard ligoté, flasque, au visage rougi. Quant à le tabasser à mort… Les barres de fer s'étaient sans doute enroulées autour du corps de Kallimachos, courbées comme sous la main d'un magicien. Le courant électrique avait dû fuir le délinquant au lieu de le traverser.

Cette bande de sadiques enragés aurait pu à la rigueur tolérer un Superman, un Achille invulnérable, mais la supériorité de cette montagne de chair haletante devait lui apparaître comme une manifestation de pure dérision. Les hommes paraissaient sur le point d'exploser de colère. Des tortionnaires confrontés aux limites de leur puissance. Des diables déchus.

Lilli Steinbeck décrocha également cette photo pour que Stirling la sorte de son cadre. À l'arrière apparaissait derechef le tampon du Studio Suez. De même que sur d'autres photos que Stirling prenait à présent au hasard, uniquement pour jeter un coup d'œil au verso. Sur les clichés anciens, le tampon présentait une autre graphie et portait les traces du temps. Mais le nom et l'adresse demeuraient les mêmes.

« Allons faire un tour dans ce studio, proposa Lilli Steinbeck.

— Oui, allons-y », répondit Stirling, content de pouvoir enfin quitter la pièce.

Steinbeck rangea deux des photos — celle qui la représentait et celle où figurait Kallimachos — dans son sac en bandoulière, un sac transparent en plastique bleu marine, où l'on aurait dû pouvoir distinguer, outre un téléphone portable, un poudrier qui était en réalité un portable, un livre mince, quelques objets de maquillage et un pistolet de la marque Verlaine. Comme on l'a dit, le bleu était sombre, presque noirâtre, mais transparent. Il aurait suffi de regarder attentivement. Le sac de Steinbeck plutôt que son nez.

Lorsque les deux policiers sortirent de l'immeuble, la pluie avait cessé. Le sol fumait. La ville dégoulinait comme un glacier en train de fondre à toute allure. La lumière des nuages lessivés baignait les rues d'un gris argenté. Des milliers de flaques reflétaient les fenêtres éclairées ainsi que les phares tressaillants des voitures.

Stirling ouvrit à Steinbeck la portière de sa Fiat. L'Autrichienne monta dans le véhicule. Quel plaisir d'être assise à l'intérieur ! Jambes en liberté.

Au terme d'un trajet un peu malaisé dans une ville fortement embouteillée, on atteignit l'étroite ruelle où se trouvait le Studio Suez. Le jour avait fait son retour. Comme importunée par un amant frénétique, la robe de nuages s'ouvrit et les rayons d'un soleil tardif tombèrent à l'oblique dans les canyons urbains. Stirling gara la voiture et l'on s'approcha du local, un petit magasin tout simple dans un petit immeuble tout simple. Au fond des vitrines situées à droite et à gauche de la porte d'entrée, on voyait une photographie encadrée. Les cadres étaient constitués de baguettes noires sans apprêt. Les deux photos, fortement pâlies par le soleil, représentaient des sujets inoffensifs, un paysage côtier et un groupe de personnes réunies autour d'une table de banquet. Au-dessus de l'entrée s'étalait une enseigne porteuse de l'inscription attendue en lettres également pâlies, rouge pâle et jaune pâle :

SUEZ

« Plutôt miteux, commenta Steinbeck.

— Le vieux Athènes », répondit Stirling.

Steinbeck entra dans le magasin. Stirling la suivit, mal à l'aise, ce qui était compréhensible si l'on songeait au peu qu'il savait. Et au peu de rapport que cela avait avec la résolution de son vrai problème, les braillements incessants du petit Leon.

À l'intérieur, la boutique était aussi peu excitante qu'à l'extérieur. Un sol de dalles mouchetées, quelques photos insignifiantes accrochées aux murs blancs, une table vide, des chaises vides ainsi qu'un caisson vitré comme on en trouve dans les pâtisseries, mais qui abritait en l'occurrence divers appareils photo. D'une ouverture privée de porte et de rideau sortit un petit homme mince, osseux, la soixantaine, arborant des lunettes à monture noire et à verres jaunes semblables à celles qu'avait portées Kallimachos le soir où l'on était tombé sur le Dr Antigonis au *Blue Lion*. Bon, ce genre de lunettes était prisé des hommes d'un certain âge ayant les yeux sensibles. Inutile d'y chercher une signification particulière.

L'homme maigre aux yeux jaunes les salua et leur demanda ce qu'ils voulaient. Il parlait grec, naturellement, raison pour laquelle Stirling demanda à son tour à Steinbeck ce qu'elle voulait.

« Interrogez-le au sujet des photos, répondit-elle.

— Tout de go ?

— Tout de go, confirma l'Autrichienne.

— À vos ordres. »

Stirling se tourna vers le propriétaire du studio, lui montra son insigne de police et commença à lui poser des questions dans son grec agréablement fluide, parfois un peu frisotté. Œil jaune écoutait, la mine intéressée, et fournissait de temps à autre une réponse rapide et aimable.

Ce type bluffe, pensa Steinbeck. Ce type est un monstre qui bluffe. Mais elle resta évidemment en retrait. Elle attendit que Stirling s'adressât de nouveau à elle et lui expliquât que M. Suez — tel était le nom de l'homme —, que M. Suez, donc, affirmait connaître Spiridon Kallimachos, qu'il développait à l'occasion des pellicules lui appartenant et dont une partie consistait en photos compromettantes prises lors de filatures. Mais jamais il ne s'agissait d'images représentant des scènes de torture et des pratiques sadiques. Il pouvait le jurer.

« Cet homme ment, répliqua Steinbeck. Kallimachos faisant de la filature : laissez-moi rire ! En plus, nous avons vu le tampon du studio. Qu'en dit-il ?

— Il ne se l'explique pas. Peut-être s'agit-il d'une falsification. Ou d'un autre studio portant le même nom.

— Avec la même adresse ?

— Vous avez raison, bien entendu. Mais je crains que M. Suez ne persiste à prétendre qu'il ne sait rien. Il va falloir se montrer un peu plus brutal si nous voulons apprendre quelque chose.

— Dites-lui que je veux voir son studio. Les pièces d'où il venait quand nous sommes entrés. Dites-lui qu'il vaudrait mieux pour lui coopérer.

— Il me demandera qui vous êtes.

— La police. Ce n'est pas suffisant ? D'ailleurs... »

Lilli s'approcha du dénommé Suez, se planta devant lui et plongea un regard de défi dans le jaune de ses yeux teints.

« Je suis sûre que M. Suez comprend tout ce que nous disons. »

M. Suez sourit, révélant des dents qui se faisaient face comme deux rangées de joueurs de cricket d'un blanc éclatant. Il accompagna ce sourire d'un geste indiquant son ignorance.

Stirling lui transmit la demande. Suez acquiesça

d'un signe de tête, s'effaça et invita Steinbeck à entrer dans la pièce de derrière.

La surprise qui attendait les deux policiers, pour n'être pas dramatique, n'en était pas moins remarquable. La pièce n'avait pas du tout le caractère miteux du reste du magasin. C'était un studio photo équipé du matériel le plus moderne. Appareils haut de gamme, longues bandes de toile qui descendaient du plafond jusqu'à terre, projecteurs variés, rangées de trépieds. Le plafond diffusait les derniers vestiges de la lumière du jour par des vitres dépolies segmentées en carrés. Sur un mur — bord contre bord — étaient accrochées deux photographies géantes. La première montrait une tête de soldat nord-coréen, juste la tête, fichée sur une corne de bœuf. La seconde était une représentation en pied de Maria Callas, à un moment quelconque de sa gloire, maquillage appuyé, état de magnificence épuisée.

« C'est *vous* qui avez pris ces photos ? » s'enquit Steinbeck.

Stirling traduisit la question. M. Suez confirma humblement d'un signe de tête, comme s'il se bornait à être au service d'un maître.

« Je croyais que vous ne faisiez pas de photos de torture. »

Suez expliqua alors qu'il avait pris ces photos pour le compte de l'agence Magnum. C'était il y a longtemps. Il ne travaillait que sur contrat. Jamais il n'avait pris de photo de sa propre initiative. À cet égard, il était bien plus novice que le premier touriste venu mitraillant Athènes.

« Ça ne répond pas à ma question », répliqua

Steinbeck en anglais, lasse de ces traductions incessantes. Lasse, tout court.

M. Suez répondit, dans un anglais d'homme qui a beaucoup voyagé :

« Ce n'est pas une photo de torture, mais un document de guerre.

— Ce que je vois, rectifia Steinbeck, c'est la photo surdimensionnée d'un crâne séparé de son corps et fiché sur une corne d'animal. La taille de la photo rend la chose doublement perverse.

— Pour autant que j'aie compris M. Stirling, fit Suez sans se départir de son calme, vous enquêtez sur quelque chose de plus bizarre qu'un soldat nord-coréen décapité. Quant aux dimensions de la photo, si c'est ce qui vous gêne, sachez qu'elles ont été spécifiées par contrat. Un contrat établi par le musée Guggenheim. Qualifieriez-vous les conservateurs du musée Guggenheim de pervers ?

— Je vous répondrai quand nous nous connaîtrons mieux.

— Croyez-vous que cela arrivera ?

— Je le crains », répondit Lilli Steinbeck.

Regardant sa montre, elle déclara — de nouveau en allemand et à l'intention de Stirling — qu'il était temps de partir. Elle voulait enfin mettre en application son principe d'être au lit au plus tard à neuf heures.

« Vous venez avec moi, n'est-ce pas ? s'enquit Stirling avec anxiété. Ma femme serait ravie que...

— Ne vous inquiétez pas. Si je vais me coucher, je prendrai le petit Leon avec moi. Le repos nous fera du bien à tous les deux.

— Et M. Suez ? demanda Stirling.

— Il ne nous filera pas entre les doigts », répondit Steinbeck.

Haussant la voix, reportant son regard sur Suez : « N'est-ce pas ? Vous ne filerez pas ? »

Le regard jaune écarquillé passa de Steinbeck à Stirling. M. Suez secoua légèrement la tête comme pour dire : Ils sont fous, ces Européens.

Les Grecs aussi sont des Européens. Quoique pas complètement. C'est bien connu.

Stirling dit quelque chose en grec. Sa voix était grave et sévère. Ce qui n'empêcha pas M. Suez de sourire comme à une blague d'enfant.

Steinbeck et Stirling sortirent du studio. Ils s'arrêtèrent dans la rue. Stirling tira un paquet de cigarettes de la poche de son veston. Un emballage turquoise complètement fripé, si bien que la cigarette qu'il offrit à Steinbeck était elle aussi très fripée. Comme si on l'avait trop souvent fumée. C'était d'ailleurs un peu le goût qu'elle avait.

Alors qu'ils fumaient tous deux en silence, une sonnerie retentit dans le sac à main sombrement transparent de Steinbeck. C'était le poudrier télécommunicatif du Dr Antigonis. Steinbeck confia sa cigarette à Stirling, sortit le sonnant appareil et l'ouvrit. *Miroir, mon beau miroir…* L'écran ovale lui renvoya d'abord l'image de son nez tordu, puis il s'éclaira et laissa apparaître le visage soigné de vétéran du Dr Antigonis, qui lui adressa un clin d'œil familier.

« Dommage pour Georg Stransky, dit Antigonis en matière d'introduction, mais on n'y peut rien.

— On y était presque, répondit Steinbeck.

— Je sais. Malheureusement, *presque*, ce n'est

pas complètement. *Presque* est l'expression de l'échec suprême. Cela étant, votre performance est très prometteuse. On peut réussir si on s'en donne la peine.

— À ce que j'ai cru comprendre, monsieur, vous travaillez pour... les dieux.

— Vous trouvez ça difficile à croire ?

— Eh bien, mes expériences récentes m'ont amenée à croire à beaucoup de choses. Par exemple aux monstres. Et qu'étaient les dieux sinon des monstres ? Des types qui envoient des éclairs, qui attachent leurs rivaux sur des roues enflammées, qui s'inventent des vices pour mieux se différencier les uns des autres, qui ordonnent à un brave croyant de sacrifier son propre fils par le feu.

— Mais c'est du Dieu de l'Ancien Testament que vous me parlez, ma chère.

— Peu importe. Celui-là ou d'autres, ce sont tous des joueurs. Vous le savez bien.

— Assurément. Mais derrière tout cela, il y a un sens.

— Derrière tout cela, il y a une maladie, répliqua Steinbeck.

— Alors le monde serait une maladie.

— Sans doute, oui.

— Incurable ?

— C'est bien la question, répondit Lilli Steinbeck et, pensant au petit Leon, elle ajouta : J'ai à faire.

— Vous êtes à Athènes à ce que je vois, constata Antigonis.

— À ce que vous voyez ?

— Oui. Mais je ne veux pas vous retenir. Rencontrons-nous demain à déjeuner. Que diriez-vous du *Blue Lion*, treize heures ?

« — L'endroit est trop laid, dit Steinbeck. Allons ailleurs. Il y a une ouzerie, qui s'appelle… Quelque chose avec des nymphes en bouteille. On y sert un schnaps divin. Il y a parfois des dieux bénéfiques.

— Vingt-trois nymphes, répondit le Dr Antigonis.

— Exact.

— Bien, à treize heures. Ce sera un honneur pour moi, *Madame**. »

L'image du Dr Antigonis disparut dans un léger sifflement comme si quelqu'un avait éteint une flamme de bougie avec ses doigts humides. Il ne resta que la surface réfléchissante de l'écran gris-vert. Comme Lilli Steinbeck avait légèrement incliné la tête, son visage était sorti de l'ovale, laissant place à la façade de l'immeuble. Plus exactement à l'enseigne portant le nom du studio : SUEZ. En lettres inversées, comme dans un miroir. Ce qui donnait un nom tout aussi connu : ZEUS.

Steinbeck souffla par le nez et se mit à rire.

« Pourquoi riez-vous ? demanda Stirling.

— Il y a des hasards pénibles et stupides. Mais quand le hasard cesse d'être un hasard, la chose devient grave. Ce qui était pénible devient terrible.

— Je ne suis pas sûr de comprendre.

— Venez ! Conduisez-moi à la maison. Auprès de Leon.

— Avec plaisir », répondit Stavros Stirling, content, pour une fois, de penser ce qu'il disait.

22

Le club des animaux morts

Une heure plus tard, Lilli Steinbeck avait échangé sa robe perroquet contre un pyjama de soie qui la transformait en une Audrey Hepburn d'aujourd'hui. Dans ce contexte, son nez portait témoignage d'une guerre victorieusement traversée, une guerre entre hommes et femmes où toute la vaisselle avait été réduite en miettes, ce qui ne permettait plus, même avec la meilleure volonté du monde, de prendre des repas en commun — sauf à manger par terre. Mais on avait survécu. D'ailleurs, manger n'était pas aussi important qu'on voulait le croire.

Steinbeck tenait Leon dans ses bras. Le petit s'était moins blotti contre elle qu'affaissé sur sa poitrine, complètement épuisé, avant de s'endormir en un clin d'œil. On était assis au salon, chacun avec un verre de vin bien qu'Inula ne bût pas, du moins pendant qu'elle allaitait. Mais Lilli Steinbeck lui avait assuré que tremper ses lèvres dans son verre n'avait rien de répréhensible. Le lait maternel n'en souffrirait pas. À ce compte-là, l'air qu'on respirait dans cette ville était bien plus nocif.

Lilli parla de Saint-Paul, des drontes, passant

sous silence la station martienne et le combat avec Desprez et ses hommes. Elle en parla comme d'un voyage d'agrément dont l'apogée avait été la découverte d'une espèce d'oiseaux présumée disparue. À neuf heures pile, Lilli se leva, souhaita une bonne nuit à ses hôtes et se retira avec Leon dans la chambre qu'on lui avait préparée. Elle s'allongea sur le lit et plaça le petit sur son ventre, un ventre totalement dépourvu de rondeurs féminines mais assurant tout de même un bonne couchette à l'enfant. À l'instar d'un hamac.

Lilli Steinbeck se mit à réfléchir. Voulait-elle rester policière toute sa vie ? Patauger toute sa vie dans la boue d'autrui ? Cela étant, elle voyait mal ce qu'elle aurait pu faire d'autre. Elle se jugeait trop âgée pour avoir des enfants. Et il ne se présentait aucune option professionnelle. Le plus simple aurait encore été d'épouser un homme riche quoique, à l'heure actuelle, on eût tendance à considérer cela comme dépassé. À tort. S'il fallait se marier, autant épouser un homme qui avait de l'argent. C'était l'argent qui légitimait le reste. Ou alors Lilli pouvait aussi se retirer dans un couvent, même si cela avait l'air d'une farce.

Elle s'imagina en train de traverser le jardin d'un couvent, des bulbes à la main, par une belle journée de printemps. Mais quelque chose la troublait. Ah… Peut-être aurait-elle dû ôter ses talons aiguilles avant de songer sérieusement à embrasser la vie de bonne sœur.

Lilli s'endormit. Elle rêva qu'elle était à Saint-Paul, sans robe de bonne sœur et sans talons hauts : pieds nus, complètement nue en fait. Elle se tenait au milieu des drontes, qui la regardaient d'un air légèrement désapprobateur. Parmi les animaux gris clair, aux ailes jaunes, elle aperçut le détective Kallimachos, qui portait une combinaison d'astronaute et ressemblait à un bonhomme Michelin. Son souffle lourd résonnait sous les voûtes. Il dit quelque chose que Lilli ne comprit pas. Mais cela sonnait comme un avertissement, comme si une salade ou une pastèque essayait de l'avertir. En voulant rejoindre Kallimachos, Lilli fit un pas involontaire en arrière, trébucha et tomba à la renverse. Aussitôt un dronte s'approcha, un animal qui dominait Lilli de toute sa taille. Il lui grimpa sur le ventre avec une agilité surprenante. Lilli ne savait pas si l'animal se sentait bien sur elle, s'il voulait l'écraser ou s'il s'apprêtait à se livrer à un acte sexuel. Son estomac se tendit douloureusement sous le poids considérable de la bête. Lilli posa la main sur le dronte. Le plumage était dur, comme recouvert de cire. En dessous, cependant, elle devinait le corps chaud et palpitant. Impossible de déloger l'oiseau. Il pesait de plus en plus lourd. Sa tête se rapprocha. Les yeux écarquillés, il la contemplait avec curiosité et un brin d'amusement. Il ouvrit son bec jaune, à l'extrémité rouge et…

Cette bestiole va me baver dessus, pensa Lilli. Mais cette pensée lui vint quand elle se fut réveillée. Malheureusement, cette circonstance — celle du réveil — ne changea rien au fait que quelque chose d'extrêmement lourd l'écrasait et lui bavait dessus. Cela pouvait-il être le petit Leon ? Jamais de la vie. Sans compter que l'odeur qui régnait à présent dans la pièce n'avait rien de celle, fraîche et délicate, des bébés. Cela sentait plutôt le vieux chien, la vieille banane, la vieille sueur. La sueur sécrétée par les combinaisons de protection, les casques de moto et les manteaux de cuir épais.

Ce n'était donc pas un bébé !

Il ne fallut qu'une seconde à Lilli pour être complètement réveillée. Elle vit la grande ombre au-dessus d'elle, le corps dressé qui pesait effectivement sur son ventre. Elle distingua une bouche et un menton clairs sous la noirceur d'un masque aux oreilles effilées. Batman !

L'homme chauve-souris était revenu. Mais ce n'était sûrement pas celui dont la police grecque avait débarrassé Lilli grâce à quelques coups de feu bien ajustés.

Et si pourtant c'était lui ?

Comment Lilli pouvait-elle être sûre que l'homme était bien mort ? En fin de compte, elle n'avait jamais vu son cadavre, elle avait dû se fier aux déclarations de Pagonidis — non, erreur, c'était Stavros Stirling qui avait mentionné la mort de l'agresseur déguisé en Batman. Et c'était lui seul qui avait affirmé que Pagonidis ne la laisserait pas examiner le mort. C'était le bon Stavros Stirling qui lui avait fait gober ce mort. Un mort dont on n'avait jamais discuté l'identité.

Lilli s'aperçut que ses mains, qu'elle avait croisées derrière la tête, étaient attachées de telle sorte qu'elle ne pouvait pas les ramener vers l'avant.

Si elle était ligotée, elle n'était pas bâillonnée. Elle aurait pu appeler au secours. Mais elle s'abstint. Un geste bref du Batman l'en avait dissuadée. Le type avait posé un doigt noir sur ses lèvres closes tandis que sa main libre désignait un siège. Comme la lampe de chevet était allumée, Lilli put voir le petit Leon reposant sur le large accoudoir d'un fauteuil. On l'avait couché sur le côté. Un drap enroulé formait une barrière qui l'empêcherait de tomber s'il bougeait. Le petit continuait de dormir. Lilli percevait son souffle régulier, un peu laborieux.

Certes le Batman avait installé le bébé comme il fallait, mais le sourire qui se dessinait derrière son doigt montrait que c'était uniquement pour inciter Lilli Steinbeck à se tenir tranquille. Tranquille et soumise. Il porta la main à sa braguette.

Bon, songea Lilli, il va falloir en passer par là. C'est le sens même de la vie. En passer par là.

Lilli sentait déjà l'odeur du poivre. Surtout parce qu'elle s'y était attendue. Tout comme elle s'attendait à un poisson. Mais ce ne fut pas un poisson qui surgit du pantalon, ce fut le canon d'un pistolet. La mince ligne dorée qui longeait les deux côtés de l'arme était parfaitement reconnaissable : un Verlaine, évidemment.

L'homme — masque en caoutchouc, costume en cuir et arme saillant de la braguette — qui était assis sur Lilli Steinbeck pendant qu'à moins de trois mètres un bébé dormait, cet homme, donc, dit quelque chose en grec. Il rit et désigna l'arme. Ses intentions étaient claires. Lilli devait lever la tête et prendre le canon dans sa bouche. Elle était sommée de s'éclater en taillant une pipe à l'engin. Lequel l'éclaterait en retour.

Cette fois, le Batman renonça à attraper Lilli par les cheveux. Il se contenta d'indiquer à sa victime, d'un geste de la main droite, qu'elle devait se redresser et introduire l'appareil dans sa bouche. Sa main gauche tenait l'extrémité inférieure de l'arme de façon à pouvoir presser la détente à tout moment.

Lilli se voyait donc offrir une chance d'agir autrement que la première fois, de ne pas rester pétrifiée de peur et de dégoût, de faire front. Du reste, le front était à peu près sa seule ressource. Le front et les yeux qui se trouvaient dessous. Et la bouche sous les yeux. Elle jeta au Batman un bref regard de défi, puis baissa les yeux et dit : « Allez, viens, mon petit. »

Elle s'adressait à l'arme, pas à l'homme. Elle se comportait comme si elle était seule avec le Verlaine et que le type chauve-souris n'était pas là. Lilli exécuta alors un numéro pornographique exceptionnel, elle s'étira en roulant les épaules et en gémissant dans l'attente du métal froid. Elle ouvrit la bouche à la manière d'un de ces poissons parasites qui s'accrochent aux autres poissons.

« Espèce de sale petite bite prétentieuse, dit Lilli, parlant quasiment dans le canon comme s'il s'agissait d'un urètre, je vais te faire ravaler tes munitions. »

Ces mots eurent sur elle un effet libérateur même si le Batman ne les comprit pas. Cependant il perçut à coup sûr leur intonation obscène et impudique, leur côté pute. Oui, le brave homme s'aperçut que, cette fois, il n'avait pas affaire à une petite fille en larmes ou à une vieille bique geignarde. En tout cas, pas à une victime. Et s'il avait été malin, ou il aurait tiré sur-le-champ, ou il aurait remis l'arme dans son pantalon.

Mais, fasciné, il regardait Lilli, qui prenait maintenant le canon de forme carrée entre ses lèvres et le faisait glisser le plus profondément possible dans sa bouche sans paraître nullement gênée par la pâte poivrée qui l'enduisait en partie.

Et pourtant, Dieu sait si c'était gênant ! La brûlure était horrible. Un incendie sous le crâne. Lilli sentit monter les larmes, elle les refoula, se força à la discipline, à la froideur. Elle feignit de se sentir formidablement bien. Elle sourit. Émit un bruit mouillé de succion et, à la faveur d'un mouvement de va-et-vient qui s'intensifiait, servit au « sale petit » Verlaine une bonne dose de sexe oral. Et par voie de conséquence au Batman. Celui-ci aurait voulu résister. Ce n'était pas du tout ce qu'il avait prévu. Certes, il voulait une pipe, ou plus exactement il voulait que son pistolet se fasse tailler une pipe, mais par une victime, une créature gémissante, blême de dégoût et de peur, pas par une vraie femme qui semblait prendre son pied. Faire ce boulot comme si c'était le job de ses rêves. Et comme si la pâte poivrée était de l'ambroisie.

Le Batman avait beau savoir que la situation déraillait, il n'arrivait pas à s'arracher à sa fascination. Il avait baissé les yeux, figé, bouleversé, troublé, mais aussi excité que s'il avait trouvé, contre toute attente, une véritable amante, une femme qui le comprenait et avec laquelle il pouvait réellement faire l'amour. Enfin, faire l'amour avec une arme, une arme qu'il considérait comme une part essentielle de lui-même, comme son sexe, son être même.

Lilli n'aurait guère apprécié que ce malade sortît de sa confusion pour prendre lui aussi son pied. Qu'il parvînt à trouver ses marques dans ce cas de figure inédit. Il devenait donc urgent d'en finir. À proprement parler.

Lilli ramena promptement ses lèvres à l'entrée du canon, arc-bouta sa langue durcie par la douleur contre le dessous du revêtement, exerça une pression pour extraire l'arme de sa bouche, laissa sa langue en place, avança le menton et amena le pistolet presque à la verticale. Puis elle ferma les yeux et la bouche et projeta violemment son visage sur le Verlaine, lequel vint rebondir sur le ventre du Batman. Ce fut la fin du bel ordonnancement. Le doigt posé sur la détente s'abaissa. Le coup partit.

Le projectile suivit une trajectoire qu'on ne pouvait qualifier que d'idéale. Comme, au moment de l'attaque de Steinbeck, la tête du Batman était légèrement penchée en avant et que le canon de l'arme était pointé quasiment à la verticale, la balle pénétra sous le menton de l'homme, traversa la gorge, passa juste dans la petite zone de la cavité sphénoïdale et obliqua vers le cerveau, où elle provoqua quelques dégâts avant de ressortir par l'os pariétal droit et de continuer librement sa course pour se ficher dans la blancheur d'un plafond crépi.

Le Batman mourut sur-le-champ. Son corps massif tomba en avant, tel un roc, comme s'il avait à cœur d'abattre Lilli. Laquelle ne se laissa pas abattre. Elle détourna la tête, ses mains ligotées suivirent, si bien que le crâne de l'homme masqué vint s'effondrer dans le vide des draps. Certes, le bas-ventre de Lilli restait coincé, mais en se tortillant elle parvint à se dégager. Ce faisant, elle glissa du lit. Le bruit que sa chute occasionna ne réveilla pas plus le petit Leon que le coup de feu, bien plus bruyant, et le cri bref de la victime. Rien ne semblait pouvoir interrompre le sommeil plus que légitime de cet enfant. Un enfant que réveillait la moindre chose, le tic-tac d'une horloge, les mouches qui cognaient contre la vitre, les bruits anxieusement étouffés de ses parents. Mais pas le boucan. C'était une bonne chose. Une découverte qu'il fallait partager avec les parents du petit Leon.

Au fait, où étaient-ils, ces parents ?

Lilli fut prise de frayeur. La peur que Stavros et Inula pussent être morts. En même temps s'imposa l'idée qu'en pareille circonstance, il serait possible d'adopter un autre enfant. En dépit des difficultés que cela entraînerait. Mais Lilli était plutôt douée en matière d'adoption. D'adoption en marge de la loi.

Cela étant, il ne serait pas nécessaire d'en venir à de telles extrémités. Dieu merci. Lilli se redressa et parvint enfin à ramener ses mains par-dessus sa tête. Elle courut à la cuisine où elle trouva une paire de ciseaux. Il lui fallut déployer une certaine habileté pour arriver à couper les liens de plastique enroulés plusieurs fois autour de ses poignets et de ses avant-bras. Lesquels avaient l'air d'avoir été passés au gril. Mais ce n'était pas le moment de s'en préoccuper. Pas plus que de la douleur cuisante de ses lèvres et de sa langue. Elle se rinça juste hâtivement la bouche, retourna auprès de Leon, qu'elle coucha contre son épaule et porta dans la chambre des Stirling, où elle découvrit deux corps inertes. Un regard sur les poitrines qui se soulevaient et s'abaissaient lui laissa supposer qu'on leur avait simplement administré un narcotique. Et tel était bien le cas. Heureusement, le Batman n'avait pas été un de ces meurtriers en série complètement décérébrés qui liquident tous ceux qui ont le malheur de croiser leur route. Non, son élitisme l'avait empêché de tuer les Stirling. Il s'était intéressé exclusivement à Lilli Steinbeck. Pas de chance. Il avait voulu être un monstre génial, il n'était plus qu'un monstre mort.

Si le coup de feu n'avait pas réveillé le petit Leon, il n'en était pas allé de même pour les voisins, qui avaient aussitôt averti la police. Mais avant l'arrivée de celle-ci, Lilli déposa l'enfant toujours endormi dans un berceau et retourna dans la pièce où gisait le défunt Batman. Son visage nageait dans un petit lac rouge.

Surmontant son dégoût, Lilli attrapa le gaillard par les épaules pour le retourner sur le dos et lui ôter son masque. L'entreprise se révéla ardue. Le plastique semblait collé. Lilli fut contrainte d'y aller beaucoup plus énergiquement qu'elle ne l'aurait souhaité. Car il y avait le sang. Elle aurait dû enfiler des gants. Mais il était trop tard. L'heure était venue de tomber les masques. Elle s'agenouilla derrière le mort, enfonça ses ongles entre la peau et le latex et tira vigoureusement.

Qui s'était-elle attendue à voir ? Ou quoi ? Le Dr Antigonis ? L'inspecteur Pagonidis ? Un homme nommé Suez ou Zeus ? Un Henri Desprez ressuscité ? Un Georg Stransky ressuscité ? En fait, tous ces hommes étaient plus petits que celui-là, lequel, sans atteindre la masse d'un Spiridon Kallimachos, pouvait être qualifié de poids lourd au sens commun du terme. Ses yeux rappelaient des étangs à la fin de l'hiver, quand la glace fondue forme une couche qui ne saurait porter rien ni personne.

Lilli Steinbeck n'avait encore jamais vu cet homme. Elle fut déçue. Restait à savoir si l'inconnu était celui qui l'avait agressée lors de sa première soirée à Athènes. Et si cette fois encore, c'était le Dr Antigonis qui tirait les ficelles. Mais à quoi bon l'effrayer derechef ? La tester de nouveau ?

Elle n'avait plus le temps de poursuivre ses réflexions. Lilli perçut dans la pièce voisine un long vagissement, comme passé au travers d'un filtre papier, qui signalait le réveil du petit Leon. Et cela alors qu'elle était à genoux, les mains barbouillées de sang, penchée sur le cadavre démasqué d'un Grec aux cheveux noirs, âgé d'une cinquantaine d'années. Vite elle courut à la salle de bains, se lava les mains, changea son pyjama de soie ensanglanté pour sa robe perroquet et sortit de son berceau un Leon qui braillait déjà. À ce moment-là, on sonna à la porte. La police s'était dépêchée. Lilli ouvrit et indiqua la chambre où se trouvait le mort, puis elle planta là les fonctionnaires ahuris et se rendit à la cuisine préparer un biberon pour le hurlant Leon.

Le désordre qui prévalut dans un premier temps fut considérable. Les uniformes ne savaient pas quoi penser. Et Lilli, déjà occupée avec un bébé, avait du mal à leur faire comprendre ce qui s'était passé, ce que signifiait ce Batman mort. Et pourquoi il y avait deux personnes inconscientes dans la chambre à coucher. Elle essayait de s'expliquer en anglais, mais soit les fonctionnaires de police ne maîtrisaient pas cette langue, soit ils la maîtrisaient mais ne comprenaient pas. Ce qui était plus probable.

Arrivèrent un grand nombre d'autres policiers, dont ceux en civil de la police judiciaire, deux médecins et les membres de la police scientifique, qui avaient l'air, comme toujours, de manipuler des gaz toxiques. C'étaient eux qui métamorphosaient la scène de crime en un lieu hautement significatif, qui l'ensorcelaient et la diabolisaient.

En fait, les fonctionnaires auraient voulu arrêter Lilli Steinbeck. Mais comment s'y prendre avec quelqu'un qui a un bébé dans les bras ? Du coup, on attendit. On attendit Pagonidis. Quand celui-ci arriva et vit Lilli, il fronça les sourcils. Son visage se transforma en un bâtiment effondré sous les décombres duquel il observait la situation. Comme s'il contemplait la fin du monde.

Pagonidis ne procéda pas non plus à l'arrestation de Lilli, il alla s'occuper de son jeune collègue Stirling, qui était en train de revenir à lui. Peu après, Inula se réveillait à son tour. Lorsqu'elle put enfin serrer Leon contre elle, elle éprouva une agréable douleur comme après un accouchement incroyablement facile. Leon souriait. Bon, il ne sourirait pas éternellement. En fait, il était beaucoup trop occupé pour pouvoir crier, beaucoup trop intéressé par l'irruption de tous ces inconnus dans son environnement familier. Ses petits yeux tournaient en tous sens. Ses petites jambes nues gigotaient. Quand on lui faisait des sourires, il souriait en retour. Pour le moment, sa vie était un agréable jeu de ping-pong.

« Se séparer d'un enfant est toujours douloureux, même quand ce n'est pas le sien », expliqua Lilli lorsqu'elle put s'isoler sur le balcon avec Stirling. Elle lui relata ce qui s'était passé. Avec autant de calme que si elle racontait une histoire arrivée à quelqu'un d'autre ou un film bizarre. À la fin de son compte rendu, elle posa la question qui lui paraissait décisive :

« Le premier Batman qui m'a agressée, vous l'avez vraiment tué ?

— Bien sûr ! Qu'allez-vous imaginer ?

— J'imagine que la police grecque joue avec des dés pipés.

— Vous vous trompez. Le premier Batman est aussi mort que celui-là. C'est donc qu'il y en a plusieurs. Une sorte de club.

— Le club des animaux morts », se moqua Steinbeck.

Tout d'un coup, elle ressentit une grande faiblesse, un abandon des jambes, un « amollissement » comme en avait connu Viola Stransky à la vue du cadavre de son amant, ce qui l'avait obligée à s'appuyer un moment sur l'inspecteur Hübner. Lilli aussi avait besoin d'un soutien et, avec Stavros Stirling, elle avait la chance d'en avoir un beaucoup plus séduisant.

« Excusez-moi, Stavros », dit-elle.

Elle lui passa les mains autour de la taille, le pressa légèrement contre elle et laissa retomber sa tête sur son épaule. Cela ressemblait beaucoup à ce que faisait le petit Leon quand Lilli le prenait. Oui, Lilli aussi était lasse de la vie, de la froideur et de l'objectivité avec lesquelles elle était censée accueillir les choses. Car malheureusement, seules la froideur et l'objectivité s'accordaient aux choses. À toute cette histoire de chauves-souris.

« Ne vous inquiétez pas », répondit Stavros.

Ce n'étaient pas de simples paroles de réconfort. Il répondit à la légère pression. Et lorsque Lilli releva la tête, il posa ses lèvres sur les siennes.

Aussitôt se confirma l'impression que Lilli avait eue en voyant ces lèvres pour la première fois. Qu'elles étaient faites au crochet. C'était exactement la sensation qu'elles donnaient, un fil solide, noué en filet, une chaîne souple de mailles, ferme mais sans dureté, à l'image de ces minuscules chaussons qu'on crochetait autrefois pour les tout-petits. Oui, si ces lèvres répondaient à un principe, c'était celui du crochet, autrement dit de l'ouvrage fait main.

Ces lèvres étaient de l'artisanat. Et de même qu'il convenait de porter telle robe tel jour, il convenait que Lilli pressât ses lèvres contre cette bouche. Elle était là de nouveau, la savane… Lucy et Tom.

Mais cette fois, le temps ne s'évanouit pas en l'espace d'une seconde en ne laissant derrière lui que quelques os portant la désignation AL 288-I, non, en s'embrassant, cette Lucy et ce Tom parvinrent à se préserver en partie. Même quand ils s'écartèrent l'un de l'autre et qu'ils reconnurent en silence l'impossibilité d'une liaison ici et maintenant, 3,2 millions d'années plus tard, à l'époque des chauves-souris, des lave-linge, du Coca light et de la vaccination préventive. Ce qu'ils avaient fait ne leur inspirait aucune frayeur, juste un profond acquiescement. Il n'était même pas besoin de se tutoyer.

Stirling sourit, style « le dernier des gentlemen »,

puis déclara qu'il allait mettre Pagonidis au courant de ce qui s'était passé. Avant que celui-ci n'invente sa propre histoire.

« Faites », dit Lilli.

Elle envisagea brièvement d'évoquer le Dr Antigonis, qui avait tout de même affirmé être à l'origine de la première chauve-souris. Mais elle renonça à l'idée d'en parler à l'inspecteur Pagonidis. Comme à Stavros. Elle réglerait cela elle-même. Autrement dit, elle mettrait un terme à toute cette histoire. Car il y a des choses qui réclament une fin, par exemple les romans, les combats de boxe ou les ampoules électriques.

Lilli s'écarta de la balustrade et rejoignit Inula dans la cuisine où elle put reprendre le petit Leon dans ses bras. On n'évoqua nullement ce qui s'était passé. On parla de choses agréables, comme de la bonne manière de préparer le thé vert. Les Chinois, par exemple... Tout en se passant et repassant Leon. Ce qui lui plut énormément. L'être humain a grand besoin d'unir la régularité au changement, d'associer la routine et l'aventure, d'être ici et là, de dire oui et non. Dans le cas de Leon : d'être et de ne pas être avec maman.

Le petit se sentait bien. Les deux femmes buvaient du thé. Dans les autres pièces, les hommes traînaient, désemparés.

23

Tulipes

Le lendemain, il régnait la chaleur habituelle. Lilli s'en réjouit, cela lui permettait de remettre sa robe à trous couleur pâte à pain. Elle n'était pas de ces femmes qui avaient du mal à faire deux fois la même chose. Surtout quand cette chose était parfaite. Or cette robe avec ses jolies perforations était parfaite. Aussi parfaite qu'un baiser de trois millions d'années. Et idéale pour aller au combat. Quel que fût l'aspect que prendrait ce combat.

Avant de se rendre à l'ouzerie des vingt-trois nymphes dans leur bouteille, elle passa chez Spiridon Kallimachos. La porte enfoncée était entrebâillée, elle était restée dans l'état où on l'avait laissée la veille. Lilli frappa. Pas de réponse. Elle ouvrit, traversa le sombre couloir, le tapis-land du salon, et jeta un coup d'œil dans la galerie de l'indicible. Aucune trace de Kallimachos.

Elle repartit, héla un taxi et se fit conduire sur la place où était situé le local aux nymphes. Les parasols projetaient des ombres couleur limonade sur les clients et les tables avec leurs nombreuses petites assiettes blanches remplies de tentacules luisants en guise d'apéritif. (Chaque fois qu'on se demande pourquoi les extraterrestres, qui ont, semble-t-il, depuis longtemps atterri sur terre, gardent l'anonymat, on devrait penser à nos habitudes alimentaires. À tous ces membres tranchés qui jonchent nos assiettes.)

Le Dr Antigonis était déjà là. Une sorte de garde du corps se tenait non loin de lui, les mains dans le dos.

« Vous croyez sérieusement, demanda Lilli en se prêtant au baisemain, qu'un gorille vous serait utile si ça chauffait ?

— Quand ça chauffe, *Madame**, je m'en remets à mon intelligence. Et si mon intelligence déclare forfait, un gorille ne me sera d'aucune utilité. Ni même une armée de gorilles. D'un autre côté, je me dois d'entretenir une certaine image. Or les gardes du corps en font partie, quelle que soit leur utilité. L'argenterie non plus n'est pas utile — elle n'améliore pas la nourriture —, pourtant j'ai tendance à la privilégier.

— Et moi, je privilégie l'ouzo qu'on sert ici.

— Avec plaisir », approuva Antigonis.

Il leva la main. Sans claquer des doigts, sans faire de signe ni gesticuler. Il se contenta de lever légèrement la main. Comme pour la poser sur le dos d'un dogue invisible. Aussitôt un garçon surgit à ses côtés. Antigonis passa commande. Il parlait avec amabilité, mais la mine du garçon aurait pu laisser croire qu'il s'agissait d'une question de vie ou de mort.

« Vous déstabilisez les gens, remarqua Lilli.

— Vous semblez être l'exception qui confirme la règle, ma chère.

404

— Souhaitez-vous donc me déstabiliser ?

— Ce n'est pas impossible. Mais laissons là mes petites vanités. Parlons affaires.

— Stransky est mort, rappela Lilli Steinbeck.

— Oui, bien sûr. Mais il n'était pas le dernier pion de la partie. Il en reste deux. D'ici deux à trois semaines, le numéro 9 entrera en lice. Il se réveillera en un point quelconque du globe sans savoir ce qui lui est arrivé. À l'instar d'une boule de roulette qui, avec la meilleure volonté du monde, ne saurait expliquer pourquoi elle a atterri sur tel numéro plutôt que sur tel autre. Pourquoi elle se trouve sur un numéro au lieu d'être dans un champ, dans un lit, sur un corps doux et chaud. Il doit être déprimant de constater qu'on est sur un imbécile de chiffre. Mais c'est généralement le cas, qu'on soit une boule ou un être humain.

— Les êtres humains, objecta Lilli, se retrouvent parfois sur un corps à moitié chaud.

— Non, ça, c'est ce qu'on se plaît à croire. Même quand il y a un corps, on est sur un chiffre, répliqua le Dr Antigonis. Voilà pourquoi tout le monde se sent si mal. Personnellement, je trouve qu'il vaudrait mieux que les dieux prennent les commandes. Ce serait plus excitant et plus humain. Il régnerait alors une élite qui mérite de régner. Au lieu de ces caricatures de chefs qui nous font constamment passer à côté de l'objectif.

— Et vous, vous n'êtes pas un de ces chefs ?

— Madame, vous m'offensez. Mais je vous pardonne. Je vous pardonne bien volontiers. Et je vous prie d'accepter de continuer à travailler pour moi.

N'oubliez pas, il reste encore deux pions sur l'échiquier. Nous avons toutes nos chances.

— Qui vous dit que j'ai envie d'être dans le camp de vos soi-disant dieux ?

— Parce que votre job est de sauver des vies. »

Lilli protesta que c'étaient tout de même les dieux qui imposaient ce jeu aux hommes. Et qui les forçaient à tuer leurs semblables.

« On ne peut pas dire les choses comme ça, répliqua Antigonis. Dès le début, l'homme a choisi le rôle de l'assassin. Presque par désir d'égaler les dieux, d'être celui qui condamne, qui juge, qui se montre cruel. Prenez Mme Esha Ness, par exemple. Il faudrait que vous rencontriez cette femme. Un monstre, si vous voulez mon avis. Un monstre séduisant, impressionnant, ça ne fait aucun doute, mais cela ne rend pas la chose plus facile. Il est typique de *Madame** Ness d'avoir fait liquider ce Henri Desprez une fois le job fini. Elle est comme ça, impitoyable, ingrate. Odieuse avec ses propres hommes.

— Allons bon ! Et vous ? Vous n'êtes pas odieux avec vos hommes ? Parlons un peu de cette chauve-souris que vous m'avez envoyée la nuit dernière. Une de plus. Et cette fois, j'ai été obligée de m'en sortir toute seule. Alors ? Vous faites ça parce que vous m'appréciez ?

— Je vous mets à l'épreuve, expliqua Antigonis. Je vois ce que vous êtes capable de supporter. Et je suis ravi de constater que vous supportez beaucoup de choses. Par exemple, en dépit de tout, en dépit de la nuit passée, vous êtes venue à notre rendez-vous. Et oui, vous avez raison, je vous apprécie.

— Vous êtes vraiment charmant. Ce pervers aurait pu me tuer.

— Oui, absolument. D'un autre côté, j'avais misé une grosse somme sur votre survie. Ces chauves-souris ne sont pas mes amies, comme vous le savez sûrement. Bien au contraire.

— Pardon ?

— Ces gens sont mes adversaires. Ça aussi, c'est un jeu. Ce n'est pas bien joli, mais on n'y peut rien. De toute façon, les jolis jeux constituent une exception. »

Lilli poussa un gémissement. Heureusement, il y avait l'ouzo. Celui-ci lui apparaissait comme un restant de normalité. Rien de tel qu'un schnaps. Elle ajouta :

« Il est assez ironique de choisir la victime pour ensuite prendre généreusement son parti.

— La générosité n'a rien à voir là-dedans, expliqua Antigonis. J'agis par principe. Et toujours dans l'espoir que la victime résistera. Comme vous l'avez fait. Pas seulement parce que j'ai gagné mon pari. J'ai gagné bien plus que ça. J'ai prouvé que j'avais raison. Raison contre des gens que je méprise. »

« Seigneur », se dit Lilli. Mais sans doute n'était-elle pas totalement surprise. Autrement, serait-elle venue ? Aurait-elle encore accepté de parler à cet homme ? Au fond, elle était redevable à Antigonis de lui avoir fourni une seconde chance. Celle de réussir là où elle avait échoué la première fois — à savoir d'exploser un monstre.

Voilà pourquoi il ne servait à rien que Lilli se levât brusquement comme pour s'en aller. Elle n'était pas venue pour s'en aller.

« Chère madame Steinbeck, susurra Antigonis, rasseyez-vous, je vous prie.

— Non, je ne travaillerai pas pour vous.

— Devons-nous en décider maintenant ?

— Qu'est-ce que vous voulez encore ? demanda-t-elle d'une voix qui évoquait de la peau qui pèle après un coup de soleil.

— J'aimerais vous inviter chez moi.

— Vous me surprenez. J'ai cru comprendre que vous n'invitiez jamais personne.

— Vous avez mal compris. Ce serait un honneur…

— Pour que vous me flanquiez un troisième Batman sur le dos ? Ou plutôt sur le ventre ?

— Les chauves-souris, c'est fini. Ce sera juste une soirée entre amis.

— Quels amis ?

— J'ai pris la liberté de rapatrier votre collaborateur, M. Kallimachos. Il est actuellement mon hôte.

— Comment ça ? De son plein gré ?

— On dit que vouloir, c'est pouvoir. Inversement, quand on peut, on n'a pas besoin de vouloir. La question du plein gré disparaît.

— En d'autres termes, vous avez kidnappé Kallimachos ?

— Seigneur, madame Steinbeck, quelle idée ! Qui parle de kidnapping ? C'est le destin.

— Et c'est vous qui fixez les destins.

— Pas du tout, répondit Antigonis en se levant de sa chaise avec un charmant mouvement circulaire. Je vous enverrai quelqu'un à sept heures.

J'imagine que vous serez chez votre ami, le jeune policier.

— Laissez les Stirling en dehors du jeu.

— Je vous enverrai mon chauffeur à l'endroit que vous choisirez.

— Où se trouve votre maison ?

— Dans un petit bois au nord de la ville.

— Rencontrerai-je votre femme ?

— Bien entendu, répondit Antigonis.

— Personne ne la connaît.

— Seuls ceux qui ne sont personne ne la connaissent pas. Et ces gens-là, il y en a plus qu'il n'en faut. Même dans les cercles huppés. Où qu'on tourne les yeux, on ne voit qu'eux.

— Bon, alors sept heures, dit Lilli. Mais j'attendrai dans le bureau de l'inspecteur Pagonidis. Je veux que Pagonidis sache où je vais ce soir.

— À votre guise, *Madame** Steinbeck. Je vous enverrai une voiture chez Pagonidis. Ravi que cet homme vous inspire une telle confiance. »

Lilli leva les yeux au ciel. Ce qui n'empêcha pas Antigonis de lui refaire un baisemain. En lui soufflant sur la main comme s'il la marquait au fer rouge. Pour sa part, Lilli était résolue à ne jamais devenir le toutou de cet homme. Mais elle ne pouvait pas éviter de se rendre chez lui. Il avait raison, quand on pouvait, il n'y avait pas à vouloir.

Peu avant sept heures, elle se trouvait avec Stirling et Pagonidis dans le bureau de l'inspecteur principal. On avait pu établir l'identité du premier comme du second Batman. Tous deux étaient des citoyens jusque-là sans histoire, l'un chimiste, l'autre homme d'affaires. On les soupçonnait d'avoir appartenu à une loge secrète dont la police ne savait pas grand-chose et qui ne s'était nullement distinguée par l'exercice de pratiques sadiques. On disait juste que ses membres, à l'instar de Bruce Wayne, ce personnage américain de bande dessinée, se déguisaient en Batman. Ils s'éloignaient toutefois de leur modèle en ce qu'ils n'étaient pas au service de la loi, mais de lois supérieures. Du reste, c'est bien à cela que servent les loges : à créer leurs propres lois et à considérer avec mépris les imbéciles qui obéissent aux lois ordinaires. Du reste une loge n'est rien d'autre qu'une association. Or les associations sont conçues pour les gens qui n'ont jamais vraiment appris à aller tout seuls aux toilettes.

Il n'était pas non plus exclu que les deux morts se fussent servis par opportunisme du mythe du club secret des chauves-souris. Mais comment avaient-ils fait pour se relayer ? La police avait gardé le silence sur la première agression à l'encontre de Lilli Steinbeck. Elle n'en avait pas parlé à la presse. Et même en interne, peu de gens avaient été mis au courant des détails. Il fallait donc plutôt postuler l'existence de frères de loge souffrant de la même obsession : agresser leurs victimes déguisés en Batman et sortir de leur braguette des objets non sexuels. Que ce fût par plaisir ou pour tenir leur rôle dans un vilain jeu d'une portée plus vaste.

D'un geste et d'un grognement, Pagonidis rejeta l'idée que le Dr Antigonis, comme lui-même l'avait avoué, eût envoyé les chauves-souris à Lilli, ou plus exactement, eût fait un pari avec cette loge de pervers. Cela lui paraissait absurde. Antigonis l'avait bernée.

En fait, Lilli non plus n'était pas particulièrement désireuse d'aller jusqu'au bout de cette histoire de chauves-souris. Toutes deux étaient mortes, et c'était très bien comme ça. Qui plus est, dans le cas du second Batman, Lilli pouvait affirmer avec satisfaction qu'elle ne s'était pas comportée en victime sans défense. Bien au contraire.

Cela étant, l'inspecteur Pagonidis ne montrait pas la satisfaction attendue. Il ne pouvait évidemment pas l'avouer, mais il aurait préféré que Lilli Steinbeck s'en sortît grièvement blessée et dût être rapatriée d'urgence en Allemagne. Au lieu de cela, elle était assise dans son bureau, parfaitement indemne — et manifestement toujours aussi déterminée —, elle avait croisé ses longues jambes entre-temps brunies et attendait qu'un chauffeur vînt la chercher pour la conduire à la propriété extrêmement privée du Dr Antigonis.

Tout le monde se montrait respectueux des désirs de M. Antigonis, même la police. En fait, sa puissance était immatérielle, sans nom, ésotérique, éthérée. Et pourtant perceptible, comme on perçoit l'air quand le vent se lève.

Lilli aurait bien voulu avoir quelques informations sur cette propriété au nord d'Athènes. Pour se préparer un peu. Mais personne ne pouvait ou ne voulait rien lui dire. Il semblait s'agir d'une terre inexplorée, un peu comme Saint-Paul, mais en plein milieu de la Grèce, contrée au demeurant plutôt bien connue dans son ensemble. Quoique les terres inexplorées soient plus nombreuses qu'on ne le pense.

Lilli demanda à Stirling si quelques journalistes n'avaient pas essayé d'en savoir plus sur la propriété du Dr Antigonis.

« Bien sûr, répondit Stirling, mais aujourd'hui, ils sont tous employés par Antigonis. Comme secrétaires, chauffeurs ou jardiniers. Ça dissuade les autres. On ignore comment Antigonis a pu convaincre ces gens de travailler pour lui.

— Oui, j'aimerais bien le savoir, déclara Lilli.

— Soyez prudente, l'exhorta Stirling.

— J'ai promis au petit Leon de m'occuper encore de lui ce soir. Pour moi, tenir les promesses qu'on fait à un bébé est une question de principe. »

Stirling regarda Lilli comme s'il contemplait une relique.

« N'en rajoutez pas », le pria Lilli Steinbeck.

Toutefois la façon dont cet homme la regardait lui plut beaucoup.

Le téléphone sonna. L'inspecteur Pagonidis décrocha, écouta quelques secondes et acquiesça d'un signe de tête sans lever les yeux. Il rappelait à présent un cheval qui se serait lassé du sucre.

Quelques instants plus tard, Lilli Steinbeck était assise à l'arrière d'une spacieuse, belle et vieille Bentley. Elle demanda en anglais au chauffeur s'il avait été journaliste.

« Oui, madame Steinbeck.

— Vous avez enquêté sur Antigonis, n'est-ce pas ?

— J'ai irrespectueusement essayé de fourrer mon

nez dans la vie privée du Dr Antigonis », rectifia l'homme, qui conduisait l'automobile anglaise avec beaucoup de calme et de sollicitude.

Il la sortait d'Athènes comme d'une tempête, même si la tempête athénienne consistait plutôt en une stagnation d'air chaud.

« Vous êtes dur envers vous-même, répliqua Steinbeck. Irrespectueusement ? Est-ce vraiment le terme qui convient ? »

Le chauffeur garda le silence. Dans le rétroviseur, Lilli remarqua son expression soumise. Une esquisse de sourire, comme chez ces croyants qui s'estiment sauvés. Aucun doute, cet homme se serait jeté au feu pour Antigonis. Et plus encore sans doute pour la dame des lieux.

La voiture quitta la voie principale, bifurqua sur des routes de plus en plus petites et arriva enfin sur un chemin à sens unique, bordé d'épaisses rangées d'arbres. Si une voiture était venue en face, il n'aurait guère été possible de passer à deux. Mais il n'était pas nécessaire de poser la question. Lilli supposait que ce tronçon n'était fréquenté que par un véhicule à la fois. Indubitablement, il existait là un système très précis.

Le muret de pierre dont la voiture franchit librement l'entrée était à peine visible parmi les arbres. Il ne paraissait pas y avoir de système de sécurité. Ni chien, ni installation vidéo, ni barbelés, juste des taillis qui semblaient appartenir à une forêt enchantée.

Si Antigonis avait expliqué qu'il se sentait tenu d'employer des gardes du corps pour se conformer à une image, l'image de sa position sociale, tel ne paraissait pas être le cas chez lui. Il eût été facile de pénétrer dans la propriété. Mais le « respect », pour reprendre le terme du chauffeur, exerçait sans doute un effet dissuasif. Chaque fois qu'elle entendait ce terme, Lilli pensait à la peur qui en était l'origine.

Tout d'un coup, le vert sombre compact s'interrompit pour laisser place à un vaste parc, d'une opulence et d'une douceur fort peu grecques. Un terrain propice au golf au milieu de pins parasols, de cyprès et de buissons taillés en boule. Cependant, l'endroit ne servait pas au golf. De minces jets d'eau en arcs fusaient d'arroseurs rotatifs. Entre ces pluies dansantes, mais aussi au milieu d'elles, se trouvaient des gens, debout ou assis. Lilli perçut d'emblée le caractère insolite du spectacle qu'elle avait sous les yeux. Elle vit les postures inusitées des corps, les mouvements mal coordonnés, les déformations, les visages brûlés par l'acide, les membres manquants. Mais elle perçut également la décontraction, la paix qui régnaient là. Elle baissa la vitre comme pour laisser cette paix entrer dans la voiture. Ce faisant, elle aperçut un petit terrain de football où des hommes et des femmes tapaient dans un ballon d'un jaune éclatant. Ces joueurs, qui ne semblaient pas affligés de handicaps — d'après ce qu'elle put voir —, étaient sans doute aussi de ces fameux journalistes qui travaillaient désormais pour Antigonis.

Mais quelle pouvait bien être leur fonction ? Infirmiers ? Thérapeutes ? Probablement. La scène évoquait une clinique, un sanatorium, à ceci près que personne ne portait d'uniforme. Un bon sanatorium. Pas un zoo.

On montait à présent une colline. Le terrain était constitué de surfaces gazonnées disposées en terrasses. Entre elles, des parterres de légumes où étaient agenouillés des gens, coiffés de chapeaux qui les protégeaient du soleil. Ensuite venaient un ensemble de serres de dimensions variées, puis une spirale ascendante de haies diversement taillées. Au-delà s'étendait un autre plateau de gazon ras au milieu duquel se dressait un bâtiment.

À quoi Lilli s'était-elle attendue ? Eh bien, au moins à une généreuse villa, à une sorte de château, à une extravagance architecturale. Mais elle ne vit qu'un complexe de bureaux. Non dépourvu d'élégance, mais nullement extravagant. Un rectangle argenté à sept étages, pourvu de vitres minces et continues, de couleur rouille. Seul le rez-de-chaussée disposait de grandes baies claires. Un bâtiment utilitaire moderne. Sauf qu'il ne pouvait guère s'agir d'un siège d'entreprise. Plutôt d'un siège familial.

Après avoir garé la voiture sur le côté, le chauffeur conduisit Lilli sur le devant du bâtiment où une porte vitrée à ouverture automatique donnait accès à un vaste vestibule. Il n'y avait pas de guichet de réception. La pièce était vide, sans œuvres d'art, sans plantes, sans personne. En revanche, il y avait des ascenseurs. On emprunta l'un d'eux pour monter à l'avant-dernier étage et l'on entra dans un bureau baignant dans la clarté d'un éclairage abrité par des lamelles. La lumière extérieure qui pénétrait par les étroites vitres teintées n'était qu'un bouillon de lumière. Tout comme le paysage n'était qu'un bouillon de paysage. Assises à des tables blanches, équipées de micros qui flottaient devant leurs bouches, tels de petits trous creusés par des vers, se trouvaient une douzaine de personnes qui s'affairaient sur leurs PC. Elles aussi montraient presque toutes des marques d'atteintes graves. Lilli fut surtout déconcertée par le fait que ces blessures et ces déformations n'avaient pas l'air de répondre à un schéma constant. Elle ne pouvait donc affirmer qu'il s'agissait là exclusivement de victimes de tortures comme elle l'avait pensé dans un premier temps. Lesquelles auraient illustré le principe d'empathie du Dr Antigonis à l'égard des victimes qu'il avait choisies. Non, certaines manifestations paraissaient innées. Résulter d'un héritage génétique. Ou d'une maladie. Peut-être y avait-il là aussi des gens dont les blessures étaient consécutives à un accident. Lilli avait l'impression que le seul lien qui existait entre ces personnes était la distance qu'elles entretenaient avec l'image de l'homme telle qu'enseignée à l'école. Sans parler de la publicité.

C'est alors seulement, dans cette pièce claire, propre, au sol revêtu d'une imitation ambre, où des doigts agiles naviguaient sur des touches plates, parfois juste les deux ou trois doigts restants, c'est alors seulement que Lilli Steinbeck se rendit compte qu'elle était parfaitement à sa place en ces lieux avec sa conception hétérodoxe du nez. Elle oubliait volontiers à quel point la partie centrale de son visage s'écartait de la norme, surprenait les observateurs et suscitait leur réflexion. Mais dans cet endroit, son nez n'était qu'une broutille. Comparé, par exemple, à une femme qui portait un casque et dont la moitié gauche du visage pendait très bas sous la forme d'un gros sac de chair. L'œil était indiscernable. Cela étant, la femme avait ses dix doigts, lesquels, parfaitement conformés, couraient sur les lettres et les chiffres comme si elle picorait des crevettes dans la mer.

« Je vous en prie », dit le chauffeur en ouvrant une porte et en s'inclinant légèrement.

Lilli pénétra dans une pièce de mêmes dimensions mais dépourvue de bureaux, dont seul un ensemble de trois canapés placés au milieu interrompait le vide généreux. Les meubles étaient d'une couleur terne qu'on appelait vert câble.

Le trio de canapés formait trois des côtés d'un carré. La ligne invisible du quatrième côté était occupée par le Dr Antigonis, très grand seigneur comme à l'accoutumée, qui s'était levé pour accueillir Lilli. Il la conduisit jusqu'à l'ensemble de sièges. Sur le canapé de droite se trouvait Kallimachos. Il avait l'air bien, beaucoup mieux que sur l'île. Il était de nouveau en smoking. Ressemblait de nouveau à Orson Welles. Adressa un signe de tête à Lilli.

« Vous vous connaissez déjà », fit Antigonis en jetant un regard à Kallimachos. Et il présenta Lilli à la personne qui était assise sur le canapé du milieu. « Ma femme Zoe. »

Lilli s'était attendue à trouver une personne affectée d'un handicap qu'on préférait éviter d'exposer à la curiosité des foules. Quelque chose d'irréparable, comme chez les gens qu'elle avait croisés. Mais pas du tout. Il s'agissait d'une dame élégante, aux cheveux blond paille, bronzée par le soleil, dont seules les mains un peu ridées trahissaient l'âge. Elle était vêtue d'un de ces survêtements qui auraient convenu pour une réception d'État. Pas de bijoux, maquillage minimal, mais un nuage de *L'Air du temps* de Nina Ricci, un parfum qui avait depuis longtemps déserté le marché. Un parfum historique.

Lilli Steinbeck, qui avait un nez à tous égards excellent, aurait pu produire une forte impression en citant le nom du parfum. Mais elle s'abstint. Comme elle le faisait parfois à l'école, lorsqu'elle gardait le silence alors qu'elle connaissait la bonne réponse. (Quel singulier pouvoir il y a dans le fait de taire ce que l'on sait.)

Les femmes se serrèrent la main. Puis le Dr Antigonis invita Lilli à s'asseoir à côté de lui sur le canapé libre. Après quoi un homme entra dans la pièce, un ex-journaliste à n'en pas douter, pour apporter du café.

« Que pensez-vous des lieux, *Madame** ? demanda Antigonis en servant lui-même Lilli.

— Je suis surprise — ce qui ne vous surprendra pas. Où sommes-nous ? Dans une entreprise ? Dans un sanatorium ? Dans un camp de rééducation pour journalistes ?

— Par simplicité, nous appelons cet endroit *parc. Notre parc.* »

C'était Zoe Antigonis qui avait répondu. Elle avait une de ces voix graves qu'on associe à une existence dissolue. Une voix de trois heures du matin. Très excitante.

« C'est quand même un peu une entreprise, objecta son mari. Nous cultivons des tulipes. Des espèces particulières, inspirées d'ouvrages anciens. Des tulipes flammées avec une… une certaine patine. Qui tirent joliment sur le jaune. Quoi qu'il en soit, nous vendons des bulbes dans le monde entier. Les amateurs sont nombreux. Même si l'hystérie se cantonne aujourd'hui bien plus au domaine privé que ce n'était le cas au XVIIe siècle, par exemple. Cependant nos affaires marchent bien. Toutes nos affaires. Nous sommes pour ainsi dire une grande famille. Une famille qui vit retirée. Une famille de jardiniers.

— Il y a beaucoup de handicapés dans cette famille, fit remarquer Steinbeck.

— En effet, répondit Antigonis, ça s'est trouvé comme ça, ce n'est pas le résultat d'une intention délibérée. Et surtout, il n'y a pas de quoi se vanter.

— Cet endroit est une île, expliqua la dame des lieux, intervenant derechef. Et le propre d'une île est d'être isolée, vous êtes d'accord ? Voilà pourquoi nous recevons peu. Nous n'invitons que des personnes de confiance. Or vous êtes une personne de confiance, madame Steinbeck. C'est pour ça que vous êtes ici.

— Chez de bonnes et braves gens, se moqua Lilli.

— Pourquoi cette aigreur ? s'enquit Zoe Antigonis.

— Votre cher époux — et je suis sûre que vous ne l'ignorez pas — m'a envoyé deux affreux pervers.

— Les deux pervers sont morts, répliqua Zoe Antigonis avec satisfaction. Et vous, vous êtes vivante. Qui plus est indemne et pleine d'énergie. Je ne vois aucune raison de se plaindre. »

Steinbeck exhala un bruyant soupir. Puis elle prit sa tasse de café et but. C'était le meilleur café qu'elle eût jamais goûté. Lui offrir pareil nectar frôlait la méchanceté. Ce café était un acte de corruption. De l'alchimie pure et simple. La propriété abritait sûrement aussi une plantation de café.

Il ne fut donc pas étonnant, eu égard à cette alchimie, d'entendre Zoe Antigonis poursuivre :

« Nous serions ravis, madame Steinbeck, que M. Kallimachos et vous puissiez continuer à travailler pour nous. Vous n'ignorez pas que, sous peu, un autre homme se réveillera et constatera avec surprise qu'il n'est pas dans son lit. Il serait extrêmement souhaitable que nous le trouvions rapidement et que nous le ramenions chez lui sain et sauf.

— Alors vous aussi, vous croyez à cette histoire de dieux ? s'étonna Lilli.

— C'est une image, expliqua Zoe. Tout n'est qu'image. Ces images nous aident à nous orienter. Elles sont comme le drap dont se revêt un esprit pour que nous puissions le voir. L'esprit veut qu'on le perçoive, fût-ce sous la forme d'un fantôme blanc. Le fantôme nous est accessible parce que nous voyons le drap. Tel est le sens des images. Quoi qu'il en soit, il serait passionnant de voir ce qui se passerait si un des pions survivait. Ce serait complètement inédit. Cela vous intéresserait sûrement.

— J'ai eu mon compte avec l'affaire Stransky.

— Mais elle s'est mal terminée, rappela Zoe. Il est temps que ça change.

— À propos de temps, répliqua Lilli, mes supérieurs me réclament. Ne l'oubliez pas, je ne suis pas libre comme M. Kallimachos. Je suis policière.

— Je doute que vos collègues policiers vous apprécient à votre juste valeur. Nous, oui. »

Lilli esquiva le compliment :

« Je dois penser à ma fille adoptive.

— Votre fille est grande. Arrêtez de chercher des prétextes.

— Il est vrai que c'est inutile, reconnut Steinbeck. Il me suffit de répondre non.

— Cela vous aiderait-il que nous parlions du salaire ? » s'enquit Mme Antigonis avec un mince petit sourire qui évoquait une injection.

Normalement, arrivée à ce point de l'histoire, l'héroïne aurait dû refuser tout net. C'était du reste l'intention de Lilli. Mais elle réfléchit. Ne s'était-elle pas dit, au cours de la nuit précédente, que la seule solution qui lui restait désormais était d'épouser un homme riche ?

Lilli se redressa sur son siège comme si elle s'apprêtait à déchirer un contrat. En réalité elle fit exactement le contraire.

« J'aimerais bien un riche mari, déclara-t-elle.

— Pardon ? » fit Zoe en portant sa main ouverte à son oreille.

Lilli expliqua qu'elle avait envie de passer un moment à Athènes, notamment pour aider un ami et sa femme à régler des questions de garde d'enfant. Par ailleurs, elle souhaitait faire un riche mariage. C'était une idée fixe. Cela étant, elle n'avait pas envie de cirer des bottes pour avoir accès aux cercles appropriés. Cela lui paraissait trop ennuyeux et trop stupide.

« Ah, je comprends, fit Zoe.

— Je ne vous demande pas de jouer les entremetteuses.

— Je comprends », répéta Zoe.

Sans doute comprenait-elle, en effet. Elle poursuivit :

« Si je vous promets de m'en charger, nous aiderez-vous à renvoyer le numéro 9 sain et sauf à l'écurie ?

— Absolument. Mais que les choses soient claires : je ne vous garantis pas le succès. Et après le numéro 9, comme vous dites, ce sera terminé. Pour moi, il n'y aura pas de dixième round.

— C'est d'accord. Vous et M. Kallimachos…

— Un instant, l'interrompit Lilli. Il y a une question que je voudrais d'abord clarifier. »

S'adressant au détective, elle l'interrogea abruptement sur le sens des photos superbement encadrées qui se trouvaient dans sa seconde pièce.

« C'est pourtant clair, non ? répondit paisiblement Kallimachos. C'est une collection.

— Pourquoi collectionnez-vous ce genre de choses ? »

Lilli sortit de son sac les deux photographies qu'elle avait prises chez Kallimachos. Celle qui la montrait avec le Batman, et celle qui représentait Kallimachos et ses bourreaux impuissants. Lilli tapota la première :

« Pourquoi celle-là ? Comment l'avez-vous eue ?

— Ce genre de choses s'achète. Vous n'ignorez pas que la chambre d'hôtel était truffée de micros. Et de caméras. Cette photo vient de la police. Je ne suis pas en train de vous dire que la police les vend. Mais il y a des zones perméables, comme partout.

— Et il y a des gens que ce type de photos excite. Surtout quand elles ne sont pas posées.

— C'est juste, confirma Kallimachos. Il y en a.

— En faites-vous partie ?

422

« — Croyez-vous, demanda l'homme que les choses évitaient, que je puisse être la proie d'une concupiscence quelconque ?

— Qu'en sait-on ?

— Ces photos font partie de mon travail scientifique. J'effectue des recherches sur la torture. Je l'étudie, j'essaie d'identifier sa nature. Son origine. Tout a une origine, un noyau.

— Et alors ? Un résultat ? Un chiffre ? Une formule ? Un chromosome ? Des cellules miroirs ? Quelque chose qu'on puisse opérer ? Si c'est le cas, dites-le-moi, je charcuterai moi-même ces types. »

Lilli parlait fort, plus fort qu'à l'accoutumée. Elle pensait aux photos qu'elle avait vues. À des gens sans visage.

« Je vous entends bien », répondit Kallimachos.

Ce n'était pas une façon de parler. Lilli s'en rendit compte. Personne ne la comprenait aussi bien que ce gros homme qui avait vu tout ce qu'il était possible de voir. Il poursuivit :

« Parler d'origine n'implique pas une possibilité de guérison. Il n'y a rien qu'on puisse enlever au bistouri. Il n'y a que la résistance des victimes. Mais vous le savez très bien. La vie est une question d'armes, à mon avis aussi d'armes psychologiques et même de magie.

— Pour ce qui est de la magie, vous en êtes le meilleur exemple, fit Lilli.

— On prend ce qu'on reçoit, expliqua Kallimachos. Pour se battre, on a besoin d'une épée. Quand l'épée est invisible, elle est invisible, c'est tout. »

Cependant Lilli ne comprenait toujours pas pourquoi ces photos, au lieu d'être enfermées sous clé, étaient exposées dans des cadres dorés. Comme dans une galerie.

« C'est une galerie, répondit Kallimachos.

— Dois-je considérer cela comme une réponse ? demanda Lilli.

— En effet. Mais encore une chose : quand j'ai commencé à collectionner ces photos, je les cachais. Comme on cache un poison ou un virus mortel. Cependant c'était une erreur. On ne peut pas chasser ce genre d'images en les mettant sous clé. Quand je dormais, elles s'introduisaient dans ma tête. L'enfer. Je ne voulais plus dormir. Mais le sommeil vient comme ça lui chante. Il fallait que j'agisse. Alors j'ai commencé à exorciser ces photos en les encadrant. À les enfermer dans l'ornementation. Et depuis que ces photographies sont exposées avec tout l'apparat qui accompagne la peinture ancienne, elles n'envahissent plus mes rêves. C'est un drôle de petit commerce que j'ai noué là. Avec le diable, avec Dieu, je ne sais pas.

— Peut-être avec M. Suez, dit Lilli.

— Oui, un homme étrange, admit Kallimachos. Mais un bon photographe. Et un homme qui a des relations. »

Antigonis intervint :

« Suez a réalisé de magnifiques portraits. Connaissez-vous celui de Matisse, assis sur une chaise avec l'air de vouloir vous bouffer ? Génial. Suez a photographié tout le monde. Le petit ouvrier, le pape, Grace Kelly, le bébé devant un paquet de couches-culottes.

— Pas seulement tout le monde, répliqua Lilli, il a aussi tout photographié.

— Probablement », répondit Antigonis.

Il plissa les paupières comme s'il était gêné par un courant d'air.

« Un chroniqueur de la vie ne peut pas laisser de côté une partie de la vie.

— Suez prétend qu'il ne travaille que sur contrat.

— Cela m'étonnerait, déclara Antigonis. C'est un roublard. Il nous enterrera tous.

— Oui, c'est bien mon sentiment, dit Lilli et elle fit observer à Kallimachos que parmi les photos de torture, il s'en trouvait de très anciennes.

— Ce studio est aussi vieux que la photographie, expliqua le détective. La photographie est un monstre dont Suez est le gardien. Un monstre à qui il arrive aussi bien de mentir que de dire la vérité.

— À quoi reconnaît-on qu'il ment ? s'enquit Lilli.

— Il cligne de l'œil, répondit Kallimachos. Au sens propre. C'est très visible sur les photos de presse — elles font des clins d'œil, elles se moquent de nous, elles s'exposent avec effronterie. Mais celles qui se trouvent chez moi... elles ne font pas ça. Il n'y a là rien qui justifie un clin d'œil.

— Vous avez torturé, Kallimachos, n'est-ce pas ? demanda Lilli. Avant d'être victime, vous avez été bourreau.

— Non, vous vous trompez. »

Lilli ne le crut pas. Elle sentait que chez cet homme curieusement inattaquable se cachait l'histoire d'un bourreau. Cela pouvait remonter à loin. Mais Lilli le sentait. Elle se mit à scruter le détective en fermant un œil comme si elle regardait à travers un microscope. Ou un télescope. Puis elle ferma le second. Elle se concentra. Au point qu'elle faillit piquer du nez.

Ce fut Zoe Antigonis qui l'empêcha de s'endormir en lui prenant la main et en demandant :

« Sommes-nous d'accord ? Vous devriez faire équipe. Un détective et une policière, c'est une bonne combinaison. Comme un jardinier et un architecte. Bien meilleure en tout cas que toutes ces unités d'élite que nous envoyons depuis une éternité au combat. Des soldats à qui on ne peut pas se fier. Les soldats ne connaissent pas le pays pour lequel ils se battent. Et encore moins le pays *dans* lequel ils se battent. Alors, madame Steinbeck, Kallimachos et vous êtes partenaires. Est-ce que c'est d'accord ?

— Oui », répondit Lilli comme si, dans son sommeil, elle se croyait déjà devant l'autel.

Cela étant, c'est justement pendant la cérémonie du mariage que vous viennent les questions. Une de ces questions tira en sursaut Lilli de sa somnolence. Elle se souvint de la singulière condition que Kallimachos avait formulée avant d'accepter de travailler pour elle. Qu'elle voulût bien détourner les yeux s'il venait à l'en prier.

« Qu'en est-il ? demanda Lilli, s'adressant de nouveau à Kallimachos en se penchant loin en avant, presque au-dessus de ses jambes croisées comme s'il s'agissait d'une rambarde aux lignes courbes. Je croyais que vous aviez une idée précise en tête, quelque chose d'illégal qu'il me faudrait ignorer.

— Ce n'était pas ce que je voulais dire, répondit Kallimachos en manipulant une figurine argentée, suspendue à une chaîne au revers de sa veste à l'instar d'un monocle. Je n'avais rien de précis en tête.

Je voulais juste une garantie au cas où je me serais retrouvé dans la situation embarrassante de faire quelque chose qu'une policière réprouverait. Par exemple, tuer ce Henri Desprez au lieu de l'arrêter. J'aurais eu grand plaisir à le flinguer. Mais je suis beaucoup trop lent pour ce monde. D'ici à ce que je chope un Desprez, la mer se sera vidée de ses poissons. Je n'ai pas la moindre chance. Cela étant, j'aimerais beaucoup prolonger notre accord. On ne sait jamais ce qui peut vous tomber dessus.

— Il y a des cas où je donnerais ma bénédiction sans état d'âme », répliqua Lilli en pensant aux photos de torture.

Tout en parlant, elle remarqua le petit objet argenté que Kallimachos tenait machinalement entre ses doigts charnus. Le désignant, elle demanda :

« Qu'est-ce que c'est ?

— Un poisson. Un cœlacanthe, expliqua le détective. Un porte-bonheur.

— N'est-ce pas celui que Vartalo…

— Vous vous trompez. Sans compter que, dans ce cas, ce ne serait pas un porte-bonheur, hein ?

— Bah, peu importe », répondit Lilli, qui ne pouvait pas se préoccuper de tout.

Elle avança la main vers sa tasse, mais eut un sursaut de recul. Le café était tout simplement trop bon. Quand une chose était trop bonne, il valait mieux y renoncer. Cette leçon, l'humanité ne l'avait pas encore tirée. À l'inverse de Lilli. Elle reprit sa position initiale, ajusta sa robe et croisa ses mains fines sur le genou du haut. On aurait dit qu'elle emballait des parties de son corps dans un sac invisible.

« C'est bien que tout ça soit réglé, déclara Zoe Antigonis. Je crois que cette fois, nous y arriverons. Il serait vraiment temps que cette folle d'Esha Ness abdique.

— Pourquoi tant d'optimisme ? » demanda Lilli.

Au lieu de répondre, Zoe Antigonis commenta :

« Vous avez raison. C'est une bonne idée d'épouser un homme qui ait au moins de la fortune. »

Après le café arrivèrent d'autres invités, dont un acteur de Hollywood que Lilli croyait mort depuis longtemps. C'était une petite société enjouée. On ne parla presque que de fleurs. Plus exactement de bulbes.

« Je suis fatiguée, s'excusa Lilli après le dîner.

— Je vous appelle, dit Zoe. Dès que nous aurons une idée de l'endroit où se trouve le numéro 9. Et aussi, bien sûr, dès que je vous aurai déniché un millionnaire. Avec une femme comme vous, ça ne devrait pas être difficile.

— N'oubliez pas, lui rappela Lilli, je n'ai pas l'intention de me faire corriger le nez. Il faudrait le faire comprendre au millionnaire en question.

— L'argent n'empêche pas forcément le discernement », répondit Zoe Antigonis en la raccompagnant à l'extérieur où l'attendait le chauffeur qui l'avait déjà convoyée.

Entre-temps, la nuit était tombée. Une nuit claire due à la qualité de l'air. La voie lactée formait un ruban bien visible. Les étoiles s'affairaient.

Alors qu'elle regagnait Athènes, installée à l'arrière de la voiture, Lilli déclara :

« Je ne comprends toujours pas comment M. et

428

Mme Antigonis s'y sont pris pour rendre tous les journalistes aussi dociles.

— Regardez-moi, répondit le chauffeur. Je suis heureux. Le fouet n'est pas nécessaire.

— C'est aussi simple que ça ?

— Oui », dit l'homme.

Quand Lilli entra dans l'appartement de Stavros Stirling, toutes les traces de la nuit précédente avaient disparu. Autrement dit : il n'y avait plus d'homme chauve-souris. Le plus important, bien sûr, c'était que le petit Leon n'en eût pas été affecté, si ce n'est qu'il avait été grandement diverti par tout ce chaos de policiers se marchant sur les pieds. À présent le calme était revenu. Le calme, l'ordre, la propreté. Tout le monde dormait. Y compris Leon, couché entre ses parents. Pendant encore une heure ou deux avant de se réveiller dans son propre tumulte. Mais alors Lilli serait là et l'aiderait à se calmer. Elle savait s'y prendre. Comme on sait siffler. Ou voler, à condition d'être un oiseau. Un véritable oiseau, pas un trop grand et trop gros pigeon.

24

Fin

Il y a aussi de vrais bons moments.

La fille adoptive de Lilli vint à Athènes et l'on vécut tous ensemble chez les Stirling. Ce fut un apogée dans la petite existence de Leon. Sans arrêt il passait de l'un à l'autre. Atterrissant aussi chez Kallimachos, qui venait assez souvent. Le souffle court, celui-ci restait debout dans la cuisine, une main sur le rebord du buffet, l'autre tenant un verre de vin. Qu'il était parfois amené à poser pour prendre l'enfant dont la petite tête retombait sur la lourde et moelleuse poitrine d'homme. Leon aimait ce corps puissant, tout comme il aimait la silhouette plutôt délicate des trois femmes. C'est encore avec la robuste personne de son père qu'il était le moins à l'aise, il sentait son manque d'assurance. Mais ce n'était qu'une question de temps. Leon apprendrait à interpréter ce manque d'assurance paternel comme un compliment.

Ce qui était si bénéfique à Leon, c'était le naturel avec lequel il faisait la navette entre les uns et les autres. Sans chichis, sans discussions. Certes le bonheur de Leon tenait pour une grande part à un effet de diversion. Et certes, la diversion est rédhibitoire pour tout pédagogue rigoureux. Mais quelle signification faut-il lui donner ? De quoi veut-on être distrait ? Eh bien, du malheur, du vide de l'existence. Le sens de la vie ne consiste-t-il pas à fabriquer de la diversion ? À créer des illusions qui tiennent la réalité du vide à distance ? Tout comme on devrait se tenir à bonne distance des pièges et des abîmes. Sans la diversion, nous affronterions des déserts de désespoir absolu.

Tout est une question de niveau. Dans le cas de Leon, le niveau était extrêmement élevé — le niveau de diversion produit par trois femmes différentes, une extravagante montagne de chair et un père anxieux. Ajoutons que Sarah, la fille adoptive de Lilli, était venue avec son chien, un labrador adulte dont la fougue plongeait Leon dans le ravissement. Le remue-ménage de la queue. Le déploiement de bave. La mendicité permanente. Le comportement de bébé.

Pendant ces bons moments, on cuisinait beaucoup, mais on mangeait beaucoup moins. Sans doute voulait-on simplement se retrouver tous ensemble à la cuisine. Du reste, le fait de cuisiner suffit déjà à provoquer la satiété. Et les trois femmes, telles qu'elles étaient, surveillaient leur ligne. On ira même jusqu'à dire que si ces femmes n'avaient pas été aussi minces, Kallimachos n'aurait pu entrer dans la cuisine. Tout était donc à sa place. Chacun avait la minceur ou la grosseur adéquate. C'était un univers-cuisine absolument parfait.

Leon bâilla. La vue de son petit museau largement ouvert fit à Lilli l'effet d'un somnifère. Un somnifère dont elle n'avait nul besoin. Sa fatigue était suffisante. Un soleil lourd se couchait à l'horizon, un soleil rappelant Kallimachos. Cet astre obèse, fumant, ruisselant, prenait appui sur le monde comme Kallimachos sur son déambulateur. Terre et mer craquaient sous le poids de la boule de feu.

Lilli prit Leon des bras de sa fille et déclara : « Il est temps pour ce petit poussin de dormir un peu. »

Inula objecta qu'il était encore un peu tôt. Mais Lilli ne se laissa pas abuser. Elle était la grande prêtresse du sommeil. Elle savait mieux que quiconque à quel moment un enfant avait besoin de dormir. Et donc elle aussi.

Elle sortit le biberon du chauffe-biberon et se retira avec Leon dans la chambre d'ami, à savoir la pièce où un homme chauve-souris avait trouvé la mort. Mais plus personne n'y pensait. Les murs avaient été repeints. L'événement était comme effacé. Pas de chagrin, pas de traumatisme, juste une petite paix.

Lilli s'assit sur le lit, s'adossa au coussin disposé en biais, installa Leon dans le creux de son giron et lui glissa la tétine entre les lèvres. Elle travaillait comme sur une machine-outil. Cependant les machines-outils n'excluent pas le sentiment. Elles empêchent juste qu'on ne s'y noie.

Lilli comprenait enfin le sens de tout cela. Elle comprenait son rôle. Son rôle dans le jeu. En apparence il avait consisté à sauver — ou ne pas sauver — Stransky. Mais en réalité, l'objectif avait été de faire connaissance avec Stavros Stirling, et donc avec sa femme et son fils. Lilli Steinbeck était intervenue dans cette histoire pour aider le petit Leon.

Comme on s'enfonce au cœur d'une tempête pour y découvrir une île où l'on n'aurait jamais abordé en d'autres circonstances. Cette traque qui les avait amenés à parcourir la moitié du globe, les explosions, la peur, les morts, les gueules de poisson et les pistolets enduits de poivre, les dieux, les services secrets, un studio photo — toute cette folie en faisait partie, on ne pouvait pas s'y dérober. Cependant au sein de cette folie se trouvait un noyau, une île nucléaire, un centre humain, une singularité Lilli-Leon. Lilli avait pénétré dans cette tempête pour apaiser un enfant, pour l'aider à apprivoiser son sommeil. C'était cela : un noyau de bonheur.

Mais tout bonheur a une fin.

Le malheur a généralement trois manières de s'annoncer : on tombe amoureux, on monte dans un taxi, un téléphone sonne.

En l'occurrence, ce fut le téléphone.

Sarah avait le petit Leon dans les bras. Le labrador dormait. Inula et Lilli cuisinaient des spaghettis. Stavros était en service et Kallimachos chez lui.

« C'est… c'est pour toi », dit Inula d'un ton hésitant en tendant le combiné à Lilli d'un geste tout aussi hésitant.

Les deux femmes auraient bien aimé l'envoyer au diable. Mais un des grands mystères du téléphone, c'est qu'on décroche toujours, même à l'encontre de toute raison. Magie noire du quotidien : personne n'est capable de le laisser sonner. Comme on laisse grésiller les grillons, siffler les éboueurs, pleuvoir les nuages.

« Ici Zoe Antigonis », dit la femme qui exerçait la

régence d'une *terra incognita* au nord d'Athènes. Et qui, dans le fond, représentait une sorte de contre-reine. Une anti-Esha Ness.

Elle poursuivit :

« Je vous ai trouvé un millionnaire, madame Steinbeck. L'homme idéal. Il est collectionneur de violons.

— En quoi est-ce idéal ?

— Il n'est pas violoniste, il se contente de collectionner les instruments. Par ailleurs, c'est quelqu'un de très équilibré. Bel homme de surcroît.

— D'où lui vient sa richesse ?

— Il a un frère industriel, qui lui a racheté sa part d'héritage. Avec cet argent, il peut acquérir des violons jusqu'à ce que mort s'ensuive. Je n'ai rien contre les instruments de musique, mais on devrait lui montrer qu'il y a autre chose dans la vie. Et je crois que vous êtes exactement la personne qu'il faut pour cela. Je vais arranger une rencontre. Mais avant... nous savons où se trouve le numéro 9.

— Flûte !

— Nous avions passé un accord.

— Bien sûr », répondit Lilli.

Zoe Antigonis rapporta que l'homme en question, un juriste originaire de Regensburg, avait fait son apparition dans les montagnes de Djugdjur en Extrême-Orient russe.

« L'Extrême-Orient russe, répéta Lilli, songeuse. On dirait un désagrément en phase d'intensification : saucisse sous vide périmée.

— On ne choisit pas l'endroit où atterrit la boule, lui rappela Zoe Antigonis. Un chauffeur va venir vous chercher pour vous conduire à l'aéroport.

Vous prendrez d'abord l'avion pour Moscou. Et de là, cap sur Okhotsk où un guide vous attend. Quelqu'un qui connaît les lieux, pas un soldat, je tiens à le souligner. Cette fois, pas de grande équipe sur le terrain. Ni en coulisse. Pas d'hélicoptère, pas de parachutistes, pas d'éléphants dans des magasins de porcelaine. Rien de spectaculaire.

— Et Kallimachos ? s'enquit Lilli.

— Vous le retrouverez à l'aéroport. Tout est prévu. Le chauffeur vous donnera quelques documents d'information. Afin que vous sachiez quelle est la personne que vous devez localiser et sauver.

— S'il accepte de se laisser sauver.

— Il comprendra vite qui sont les bons. Je suis persuadée, madame Steinbeck, que vous savez communiquer la nature du bon, sa beauté.

— Il y a des hommes qui ont peur des femmes, même quand elles sont gentilles avec eux, répliqua Lilli.

— Vous n'avez pas besoin d'être gentille », répondit Zoe Antigonis.

Elle conseilla à Lilli de prendre des vêtements chauds pour les montagnes de Sibérie orientale. Puis elle ajouta :

« Mon mari vous salue. »

Et raccrocha.

« C'est parti, dit Lilli aux deux femmes. Je file me changer.

— Qu'est-ce que c'est que ce drôle de job que tu fais ? l'interrogea sa fille.

— Tous les jobs sont drôles quand on y regarde de près.

— Ce n'est pas une réponse, maman.

— Je sais », répondit Lilli en quittant la pièce.

Elle revêtit un tailleur pantalon marron, très cintré, fait dans une étoffe solide rappelant le feutre. Chaussa des bottines pointues d'un noir brillant qui lui montaient jusqu'en dessous du genou. Essaya un bonnet rouge sombre, finement tricoté, et se plaça devant le miroir. Lilli se trouva l'air très russe, il lui sembla même qu'elle avait quelque chose d'une commissaire politique. Une mince, sévère, belle et implacable commissaire. Implacable, mais équitable.

Elle glissa le bonnet dans son sac, celui-là même où se trouvaient le Verlaine et le poudrier-portable. Lilli supposait que tout avait été réglé pour qu'elle pût sans difficulté embarquer avec son arme. Dans un avion russe, cela ne devait pas poser de problème. Avec la perte de leur statut de puissance mondiale, les Russes s'étaient élevés au-dessus de tout et n'importe quoi. Quel que soit l'endroit où ils agissaient, ils le faisaient toujours en dehors des lois. Ce n'était pas tant que les Russes fussent corruptibles. C'était plutôt le monde qui l'était, or les Russes savaient à merveille utiliser cette disposition. Ils avaient ruiné le communisme, ils feraient de même avec le capitalisme. Telle était leur mission.

On avait menacé Lilli de la renvoyer de la police allemande si elle ne reprenait pas immédiatement son poste. Et ce en dépit du soutien que lui avait apporté Hübner. Son supérieur exigeait personnellement que Lilli quittât la Grèce. Eh bien, son vœu allait être exaucé. En lieu et place de la Grèce, l'Extrême-Orient russe, une contrée largement inconnue, dont on se représentait les habitants comme des ogres.

Lilli Steinbeck pria sa fille de rester auprès d'Inula et de s'occuper du petit Leon en son absence.

« Tu pars pour combien de temps ? demanda Sarah.

— Je ne sais pas. Mais je ferai vite. Ou ce sont les autres qui feront vite.

— Quels autres ?

— Ne t'inquiète pas, chérie. Et quand je serai de retour, j'arrêterai. Promis. Je prendrai ma retraite.

— Tu en es sûre ? En général, on dit ça quand c'est déjà trop tard. »

Elle avait raison. Mais Lilli lui assura qu'elle serait prudente. Elle embrassa sa fille, embrassa Inula, embrassa Leon et laissa quelques lignes à l'intention de Stavros. De nos jours, laisser quelques lignes, c'est un peu comme léguer un organe. C'est si personnel — même quand ces lignes se bornent à informer qu'on est en route pour l'Extrême-Orient russe.

Dehors, la voiture était déjà là. Elle était conduite par le journaliste converti qui n'avait pas besoin du fouet pour être heureux.

« Des bagages ? » demanda-t-il.

Lilli montra son sac à main et donna à ses lèvres pleines la forme d'un petit bateau. Elle monta dans la voiture et le chauffeur lui tendit une enveloppe contenant un billet pour Moscou et un pour Okhotsk ainsi que les documents concernant l'homme qui faisait office de numéro 9 et qui, on l'espérait, était encore en vie.

Le chauffeur laissa Lilli à l'entrée de l'aéroport. Il lui adressa un signe de la main et repartit. Lilli se rendit au guichet de la compagnie Aeroflot pour prendre son coupon d'embarquement. Puis elle se présenta au contrôle où elle montra sa carte de la police allemande à un employé. L'homme alla chercher un autre employé, qui salua Lilli avec une politesse exquise et lui fit franchir le contrôle par un passage réservé. Il ne voulut savoir ni ce qu'elle avait dans son sac, ni à quel titre elle revendiquait ce traitement spécial. Il ne voulut rien savoir du tout. Tout en la guidant avec des ondulations de la main, il lui racontait en grec une petite histoire quelconque que Lilli ne comprit pas. Puis il prit congé d'elle et disparut encore plus vite qu'un de ces poissons coralliens si nerveux.

N'en concluons pas qu'il est facile, de nos jours, de monter avec une arme à bord d'un avion. Bien sûr que non. N'en concluons pas non plus que les poissons coralliens sont des créatures à la fois vénales, dociles et surmenées.

Lilli arriva dans la zone des boutiques, entra dans une parfumerie et acheta un flacon rond, bleu outremer, qui contenait un parfum baptisé *Dans la nuit II**. Elle en versa un peu sur l'extrémité d'un de ses doigts, qu'elle passa derrière les lobes de ses oreilles. Cette odeur l'apaisait. Tel était du reste pour elle le véritable sens du parfum : apaiser l'esprit. Provoquer un calme agréable. Être emprisonné dans un nuage comme dans un lit où l'on est retenu avec amour. Être emprisonné avec plaisir.

Peu après, elle se rendit à la porte d'embarquement. De loin déjà, elle aperçut Kallimachos, qui s'était approprié deux sièges. Les autres passagers gardaient leurs distances comme on le fait par respect ou par crainte de la contagion. Kallimachos portait son complet gris. Son costume d'excursion. Il avait superposé ses mains sur le pommeau d'une canne. Ses yeux étaient fermés.

« Je parie, dit Lilli Steinbeck quand elle l'eut rejoint, que les gens de cette Esha Ness sont déjà sur place.

— C'est probable », répondit Kallimachos.

Ses yeux s'ouvrirent comme les petites portes d'une stalle de départ. Clic, clic !

Oui, c'était juste. Esha Ness avait un temps d'avance. Et peut-être l'homme était-il déjà mort depuis longtemps. D'un autre côté, le raffinement de l'avance n'était pas sans rappeler ces fruits cueillis trop tôt. Amers, durs comme de la pierre.

Lilli Steinbeck avait un bon pressentiment.

Épilogue

Deux ans plus tard

Lilli Steinbeck rentre de l'Extrême-Orient russe où elle a été retenue prisonnière avec Kallimachos dans un petit village isolé. Kallimachos, lui, reste au village où il devient une sorte de maire. Les gens le considèrent comme un saint.

Dans l'intervalle, la fille de Steinbeck s'est mise en ménage avec un jeune Grec dont elle attend un enfant. Le couple loge au-dessus des Stirling. Lilli emménage dans un petit appartement en dessous de celui des Stirling. Pas pour longtemps cependant, car elle rencontre enfin le millionnaire collectionneur de violons, l'épouse et réaménage sa maison (ce qui revient à bannir la plus grande partie des violons à la cave) de manière à pouvoir accueillir la famille Stirling ainsi que le jeune ménage de sa fille. Le millionnaire prend tout cela avec patience. Il aime Lilli plus que ses violons. Fait qui le trouble et le ravit.

Un an plus tard

Lilli tombe enceinte à son tour. Elle se dit : Puisque c'est comme ça... Un bon point de vue. Elle baptise

441

son fils Spiridon, ce qui est un peu ridicule mais ne tire pas à conséquence. Au fond, c'est un beau nom.

Un an plus tard
Le dernier violon quitte la maison. En contrepartie, Inula tombe enceinte.

Deux ans plus tard
Une carte arrive de l'Extrême-Orient russe. Kallimachos est mort. Personne ne sait de quoi. On pourrait dire — comme on dit de quelqu'un qu'il a juste cessé de respirer — qu'il a juste cessé de fumer.

Six ans plus tard
Lilli réintègre la police. La grecque cette fois, évidemment. Lilli est précédée d'une certaine réputation. On la craint un peu. Mais c'est une belle crainte. Quoi qu'il en soit, Lilli devient la criminaliste la plus élégante que ce pays ait connue.

Bien plus tard
Le monde est resté tel qu'il est. Tant pis pour les dieux.

443

DU MÊME AUTEUR

Aux Éditions Carnets Nord

LE POIL DE LA BÊTE, 2013

LE ONZIÈME PION (LE GRAND NEZ DE LILLI STEIN-
 BECK), 2012 (Folio Policier n° 700)

REQUINS D'EAU DOUCE, 2011 (Folio Policier n° 637)

Aux Éditions Phébus

SALE CABOT, 2006

Composition Nord Compo
Impression Novoprint
le 20 mai 2013
Dépôt légal : mai 2013

ISBN 978-2-07-044987-3/Imprimé en Espagne.